O otimista

CB134771

Laurence Shorter

O otimista

A história real das aventuras de um pessimista em busca da felicidade

TRADUÇÃO
Carlos Irineu da Costa
Ronaldo Passarinho

AGIR

Título original
The Optimist

© Laurence Shorter 2009
Copyright da tradução © Editora Nova Fronteira Participações S.A., 2009

Capa
Douglas Lucas

Copidesque
Soraya Araujo

Revisão
Argemiro de Figueiredo
Roberto Ramos

Produção editorial
Paulo Cesar Veiga

CIP-Brasil. Catalogação na fonte
Sindicato Nacional dos Editores de Livros, RJ.

S562o Shorter, Laurence
O otimista : a história real das aventuras de um pessimista em busca da felicidade / Laurence Shorter ; tradução de Carlos Irineu da Costa, Ronaldo Passarinho. - Rio de Janeiro : Agir, 2009.

Tradução de: The Optimist
ISBN 978-85-220-0999-2

1. Shorter, Laurence. 2. Otimismo. I. Título.

09-2771. CDD: 158.1
CDU: 159.947.2

Texto estabelecido segundo o Acordo Ortográfico da Língua Portuguesa de 1990, em vigor no Brasil desde 2009.

Todos os direitos reservados à Agir, selo da Editora Nova Fronteira Participações S.A., uma empresa Ediouro Publicações Ltda.
Rua Nova Jerusalém, 345 — Bonsucesso
Rio de Janeiro — RJ — CEP: 21042-235
Tel.: (21)3882-8200 — Fax: (21)3882-8212/8313
www.ediouro.com.br

"Quero dizer que, se você retornar o mais rápido possível do lugar ao qual tenciono enviá-lo, minha dor logo cessará e terá início minha glória", disse Dom Quixote.

SUMÁRIO

PREFÁCIO

Verão de 2006.

Eu ainda estava na cama.

A luz cintilante do sol atravessava as cortinas, quando o carro do vizinho saiu da garagem. Observei o contorno dos meus braços sob o lençol. Pareciam letárgicos e pesados. Um carro acelerou lá fora. Imaginei as BMWs e Mercedes estacionadas ao longo da rua, cobertas de orvalho, prontas para serem dirigidas por pessoas que pulavam da cama todas as manhãs aos seus locais de trabalho. Como elas conseguiam? Fiquei olhando, desanimado, para o teto.

O que havia de errado comigo?

Liguei o rádio, deixei minha cabeça afundar no travesseiro e esperei pelas vozes reconfortantes do noticiário matinal. Um cientista falava sobre a gripe aviária e de como a doença mataria cem milhões de pessoas. Um ativista entrou no ar explicando que a calota polar estava derretendo e já andava tão fina em certos lugares que poderia substituir com bastante eficácia o papel de seda.

Sentei na cama e fiquei olhando, atônito, o aparelho de som. Durante anos, as vozes calmas e comedidas da BBC foram meu conforto diário. Mas aquilo era exatamente o oposto de reconfortante. O que estava acontecendo?

Um ministro começou a falar sobre terrorismo. Estiquei o braço e, pela primeira vez na vida, desliguei o rádio no meio do meu noticiário predileto. "Deus do céu", pensei, "é por isso que ainda estou na cama?" Algo começou a se agitar em meio às engrenagens do meu cérebro.

Vesti meu roupão e fui até a cozinha. Meu pai estava comendo torradas, seu rosto uma máscara de concentração.

— Papai! — eu disse.

— Psiu...

Ele acenou com a cabeça em direção ao rádio. Dei meia-volta e saí da cozinha. No sofá havia edições recentes do *Independent*. As manchetes saltavam das páginas e vinham até mim como um homem baixinho e agressivo agitando histericamente os braços:

> NINGUÉM ESTÁ IMUNE AOS EFEITOS DO AQUECIMENTO GLOBAL... A ÁFRICA ENFRENTA A MAIOR CATÁSTROFE DA HISTÓRIA DA HUMANIDADE... UM ESPECTRO ASSOMBRA A EUROPA: O ESPECTRO DE UMA GRAVE CRISE DE ENERGIA QUE PODE MUDAR A NOSSA CIVILIZAÇÃO...

Sob as manchetes, a foto de uma floresta tropical ardendo em chamas. Senti meus olhos se retraírem em suas órbitas, com medo. Na estante havia uma pilha de jornais que se acumularam ao longo dos meses. Fui atraído para lá, como se arrastado pela gravidade.

> A DRAMÁTICA ESPIRAL DOS PREÇOS...
> AMEAÇA PARA MILHÕES...
> A ESPIRAL DE PREÇOS DO PETRÓLEO...
> A ESPIRAL DE PREÇOS DA CESTA BÁSICA...

Os jornais escorregaram das minhas mãos. "Deus tenha piedade", murmurei. "O que é uma espiral de preços? É pior que um aumento de preços?" Senti uma fraqueza nos joelhos, reflexo da culpa e do medo que tomavam conta de mim sempre que lia os jornais. Por que não prestei atenção nisso antes? Os jornais, a BBC...

Saí da sala cambaleando.

Era essa a causa da minha letargia? E desta estranha nuvem de apatia que pairava sobre mim? Que tipo de história de horror estavam nos empurrando? Voltei-me para admirar o sol que brilhava sobre a sacada. Esse desânimo, essa falta de vontade: *isso não tinha nada a ver comigo.*

Eram as notícias!

A BBC, que recebíamos em casa toda manhã como uma convidada de honra, estava canalizando depressão e ansiedade diretamente para o meu quarto. Os comunicados, as entrevistas, o tom austero de urgência: suas vozes eram penetrantes, escravizantes. Era como se eu tivesse enfiado a cabeça em um capacete de motociclista vinte anos atrás e esquecido de tirá-lo. Não era de admirar que eu não conseguisse encontrar a profissão certa. Por que me levantar de manhã se o futuro parecia tão ruim? Eu poderia ser aniquilado a qualquer momento.

Deitei novamente na cama, a cabeça fervilhando.

Até então, as más notícias não tinham me abalado. Eu era um otimista e me orgulhava de não dar bola para os fatos e seguir em frente, como se tudo estivesse bem. Esse era o privilégio do otimismo. No fundo, se você é um otimista, sabe que tudo vai dar certo. Você não sabe o porquê — apenas sabe. É como um segredo pessoal.

Recentemente, contudo, algo estava mudando, e comecei a perder a calma. Aconteceu aos poucos. Primeiro houve o furacão Katrina e o tsunâmi asiático. Depois, homens-bomba atacaram Londres. Em poucos meses, um novo tipo de gripe, com taxas de mortalidade de 70%, havia migrado de galinhas para seres humanos. O preço do petróleo disparou. Os alimentos escassearam. Imagens da miséria africana se alternavam com histórias deprimentes vindas do Iraque e da Palestina, enquanto vivíamos com o medo velado de que terroristas um dia detonassem as bombas nucleares que haviam comprado de russos saídos de uma van num estacionamento escuro.

Aquilo tudo estava começando a me irritar. Ainda que esses fatos estivessem sendo exagerados pela mídia, o otimista em mim começava a compreender que o ruído de fundo dos sofrimentos e das catástrofes estava aos poucos me extenuando, como o som de um ar-condicionado que você só nota quando é desligado, e, a partir daí, se pergunta como conseguiu sobreviver àquilo por tanto tempo sem enlouquecer.

Mas eu deveria saber que ia dar nisso. Desde o início da guerra no Iraque, percebi que o otimismo estava sob ataque. Toda vez que eu ficava muito animado em uma festa ou em um jantar, era acuado e humilhado por algum pessimista sabichão — geralmente na presença de belas mulheres. Sempre que afirmava que tudo ia dar certo, um desses pessimistas miseráveis apresentava uma razão em contrário. O pior é que eles sempre haviam lido mais livros do que eu e citavam inúmeras informações e estatísticas sobre empréstimos do Banco Mundial, exploração do Terceiro Mundo ou qualquer outro assunto que sustentasse sua convicção hipócrita e arrogante de que tudo estava péssimo. E se você alegasse que as coisas não iam tão mal assim, sempre perguntavam "por que não?", como se precisássemos de *razões* para nos sentirmos bem. E então nos lançavam aquele olhar desdenhoso que só os pessimistas têm, como se dissessem: "Você faz ideia de como está fora de moda ser alegre?"

É verdade, ser otimista era geralmente considerado *tolo*, e ser pessimista era *legal*, o que me perturbava profundamente. Os pessimistas veem tudo de forma cínica e, por razões que eu ainda não compreendia, esse atributo era considerado muito sedutor. Os pessimistas tinham grandes ídolos — Leonard Cohen e Woody Allen, Humphrey Bogart e Marlon Brando. O único ícone otimista que me vinha à cabeça era Pollyanna — uma garota de 13 anos, com sardas e rabo de cavalo. Quem, fora as meninas de uma faixa etária muito restrita, se identificaria com a Pollyanna?

Não apenas eu vinha perdendo a discussão como estava começando a me sentir uma pessoa muito sem graça.

Ainda assim, de alguma forma, sabia que existia uma alternativa. Sabia que em algum lugar havia otimistas que me dariam respaldo — otimistas mais experientes e muito mais informados do que eu. Otimistas que eram fascinantes e convincentes e que não tivessem sardas. Sabia que existiam. Já os tinha visto na TV e os escutado pelo rádio, mas infelizmente não me lembrava de quando foi. Eram deixados de lado e passavam despercebidos, satisfeitos em seguir adiante cuidando de suas próprias vidas. Esses otimistas eram felizes e bem-dispostos. É isso o que eu admirava neles. Pulavam da cama a cada manhã, sem hesitação, e faziam coisas que mudavam o mundo. Ou se contentavam em surfar e escalar montanhas e praticar *base jump* saltando do topo de penhascos no Havaí. Não davam a menor bola para as notícias. Não precisavam provar nada a ninguém. Eram os seres humanos ideais.

Deitado ali, naquela manhã de verão, o rosto enfiado no travesseiro, subitamente descobri o que havia de errado comigo. A culpa não era apenas das notícias. Era minha. Precisava de um pouco daquele *je ne sais quoi*, daquela energia otimista. Eu era um otimista, sem dúvida, mas um representante débil e pouco convicto da espécie. Vivia confortavelmente, cercado de amigos e familiares em uma das melhores cidades do mundo, mas faltava alguma coisa, algo que ainda não era... como deveria ser. Eu não tinha fé; não tinha o *Fator Pular da Cama*.

E se havia alguma coisa da qual eu precisava, era justamente disto, do FPC. Outras pessoas o tinham, por que não eu? Afinal de contas, já estava na casa dos trinta e ainda morava com meu pai. Estava há cinco anos sem trabalho e minha vida girava em torno do meu laptop Samsung — um laptop com a tampa quebrada. É verdade que eu tinha feito algumas coisas interessantes — como arrecadar milhões para um site que não deu certo e recomeçar minha carreira como um dançarino cômico em um *pub underground* —, mas nada disso alterava os fatos básicos: não tinha uma profissão de verdade, minha vida era uma bagunça e o mundo estava acabando antes de eu ao menos conseguir comprar um carro — isso sem falar em casar, ter filhos e todas essas outras coisinhas que a gente quer fazer antes que o mundo acabe.

Mas agora estava começando a entender o *porquê*. Deitado ali, flutuando para além das 9:30h como um barco à deriva, observava as nuvens se afastando e se juntando no céu. A luz do sol impregnava meu quarto, e fui invadido por uma premonição. Logo eu iria embora daquele lugar.

Eu me sentei. Esses otimistas — eu precisava conhecê-los. Precisava correr atrás dessas pessoas difíceis de encontrar e conversar com elas, revelar seus segredos para o mundo. Escreveria um livro. Seria um sucesso. O editor do *Independent* ia pedir demissão, envergonhado. E o mundo cairia a meus pés. Afinal de contas, o otimismo não interessava apenas a uma minoria. Meu público era abrangente — a humanidade como um todo.

Puxei meu laptop para a cama e digitei a palavra "pessimismo" no Google. Meu palpite estava correto. O pessimismo era uma doença global. Achei uma pesquisa da NBC mostrando que 79% dos americanos achavam que havia uma crise a caminho:

> E entre os que creem que o país está indo na direção errada, esmagadores 81% acreditam que isso faz parte de um declínio a longo prazo e que as coisas não vão melhorar por um bom tempo.

Ótimo, pensei. Era um problema que se alastrava por todo o sistema solar. E, na Grã-Bretanha...

> Um levantamento feito pelo YouGov descobriu que os acontecimentos mundiais deixam as pessoas se sentindo impotentes (56%), irritadas (50%), ansiosas (35%) e deprimidas (26%).

A vida finalmente havia me dado uma missão. Eu precisava ajudar essas pessoas. Precisava mudar o modo como viam o mundo.

A tarefa começou a tomar forma em minha mente: eu sairia no encalço dos otimistas mundo afora e lhes perguntaria a verdade. Depois publicaria as entrevistas num livro. Juntos, iríamos derrotar o espectro do pessimismo de uma vez por todas e provar que tudo estava bem.

Joguei os lençóis para o lado. Nunca mais perderia uma discussão na vida — começando pela minha própria casa.

Meu pai era um pessimista tão ferrenho que todas as manhãs escutava quatro noticiários, em três línguas diferentes, para não correr o risco de, sem querer, acabar se sentindo bem. Enquanto continuasse escutando todas aquelas notícias, ele teria algo com o que se preocupar. "A história é um ciclo sem fim de estupidez humana", ele me disse certa vez. "Os seres humanos são terrivelmente inadequados ao mundo moderno que criaram. Não vejo como poderemos sobreviver. Teremos sorte de chegar ao final do século."

Papai era o adversário perfeito, o desafio supremo. Se eu conseguisse convertê-lo, poderia converter qualquer um. Talvez, então, o mundo ouvisse, em vez de abafar um grosseiro riso de escárnio.

Fui até a sala. O programa *Today* havia terminado, deixando meu pai sem outras más notícias até uma da tarde. Ele olhava, melancolicamente, para o jardim.

— Papai! — eu disse. — Vou escrever um livro. Vou entrevistar os otimistas mais ilustres do mundo.

— Otimistas — disse meu pai. — Muito bem. — Ele refletiu por um instante. — Que tal Bill Clinton?

Meu pai não parava de falar em Bill Clinton desde que ficaram lado a lado em um banheiro masculino em Tóquio, em 1993, junto com John Major e o primeiro-ministro alemão Helmut Kohl. O presidente nem se deu ao trabalho de dar um oi. Mas foi a partir daquele momento que Clinton se tornou um ídolo doméstico.

— Eu o vi discursar naquela tarde — recordou papai —, e fiquei impressionado com sua eloquência, sua perspicácia. Ele não deixava a peteca cair. Era capaz de lidar com líderes mundiais e, no minuto seguinte, voltar sua atenção para pequenos assuntos domésticos. E fazia isso com maestria. Fiquei impressionado. Ele foi simplesmente brilhante. É bem-apessoado, além de tudo. — Sorriu e balançou a cabeça. — Um sujeito muito, muito inteligente.

Ouvi em silêncio. Daria tudo por um elogio daqueles.

— Vou me encontrar com ele — resolvi.

— Ah, é? — disse meu pai. — Boa sorte!

Pensei que se conseguisse aquela entrevista cumpriria minha missão. A vida seria perfeita. Não precisaria conhecer outros otimistas, eu seria um deles, o maior deles, talvez. Logo estaria dando palestras em conferências internacionais. Logo ocuparia meu lugar entre os grandes e os bons. Logo todas as coisas com as quais eu sonhava — a mulher, a profissão, a vida que vivia me escapando —, tudo faria sentido.

Eu me sentei, apoiei o laptop em uma pilha de livros e esbocei meu primeiro gráfico. Se alcançasse aquelas metas quase impossíveis, comprovaria a Primeira Lei do Otimismo: que o otimismo funciona.

PRIMEIRA LEI DO OTIMISMO

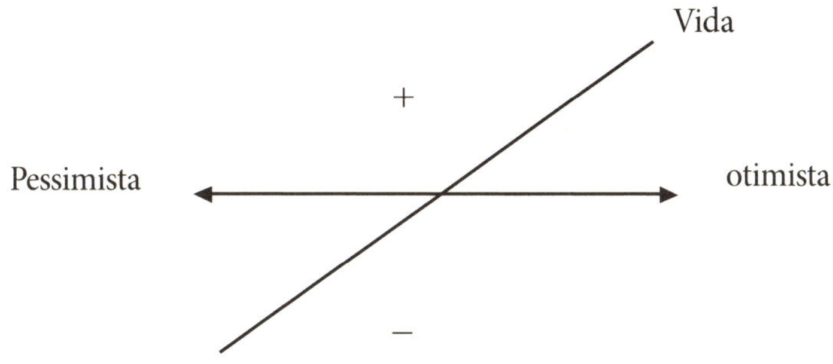

Quanto mais otimista você é, melhor a vida fica.

Parece um pouco simplista, é verdade, mas era um começo. Se eu ia mudar o mundo, precisava de algumas teorias. As pessoas exigiriam algumas teorias.

Já era meio-dia quando saí de casa. Não sabia para onde estava indo, mas estava pronto. Estava contente e, pela primeira vez em semanas, me sentia cheio de otimismo.

Herói

CAPÍTULO 1

Confiança é o que sentimos antes de compreendermos a situação.

ANÔNIMO

A moça levou a mão ao rosto.

— O que significa isso?

— Significa *otimismo* — respondi. — É simples assim.

Ela me encarou, pensativa.

— As pessoas não aguentam mais. Já estão fartas dessa nuvem de pessimismo. O ser humano tem o direito básico de ter uma atitude positiva em relação ao futuro, pular da cama se sentindo bem. Nós queremos ser otimistas. Precisamos disso! — bati na mesa com a palma da mão.

Agora eu tinha a atenção de todos à mesa. Já estava trabalhando no projeto há duas semanas. Desde então, vinha testando minha ideia com todas as pessoas que encontrava para avaliar se era mesmo um bom começo para minha carreira literária. E lá estava eu, em um jantar em Islington, a sede da *intelligentsia* da esquerda londrina, e, para a minha surpresa, todos acharam a ideia simplesmente sensacional. *Abre-te sésamo!* Havia enfrentado minha primeira plateia de pessimistas em potencial e a batalha foi ganha sem combate.

— Acho que você está no caminho certo — disse meu anfitrião, enquanto me servia um drinque.

Sorri, modestamente.

— Vou escrever um livro e lançar um site na internet. Vou conversar com especialistas, políticos, líderes mundiais. Vou resgatar a respeitabilidade do otimismo. Tudo vai dar certo.

A moça me olhou, agradecida, e me imaginei no plenário da ONU, em Nova York, discursando para uma assembleia de líderes mundiais.

— Otimismo! — eu proclamaria. — Precisamos de mais otimismo!

— Mas... como? — ela perguntou. — Como é que vai dar tudo certo?

De repente, os olhos dela se encheram de lágrimas. Os pessimistas obviamente já tinham feito um estrago nela — pessimistas disfarçados de "realistas". Hesitei. Ninguém ainda havia me pedido explicações.

— E os fazendeiros das colinas de Shropshire? — ela soluçou. — Estão sendo arruinados pelas mudanças climáticas. E as andorinhas! Você vai escrever sobre elas?

A sala ficou em silêncio. Tossi e baixei os olhos para o meu drinque. Eu nem sabia exatamente com o que se parecia uma andorinha. Lancei um olhar expressivo para ela.

— Não se preocupe — disse. — Tudo vai terminar bem.

A moça assentiu com a cabeça e a discussão seguiu adiante, porém me calei. Os pessimistas eram inimigos terríveis e inescrutáveis. Apesar de vivermos no período mais formidável e próspero da história da humanidade, ainda existia gente por aí viciada em negativismo que fazia questão de disseminar medo e ansiedade. Pessoas raivosas e burras. Pessoas menos inteligentes que eu. A tarefa ia ser mais árdua do que eu imaginava: não bastaria localizar os ícones do otimismo. Logo, todo o mundo viria atrás de mim em busca de respostas e eu não poderia simplesmente tapeá-los com historinhas vagas e edificantes. Precisava encontrar *respostas.*

E foi assim que, em uma tarde excepcionalmente quente de outubro, fui à British Library e comecei a ler sobre anomalias climáticas, emissões de dióxido de carbono e a morte térmica do universo. É claro que eu poderia ter escolhido qualquer outro dos inúmeros assuntos favoritos dos pessimistas — as andorinhas, a calvície precoce ou a falta de sentido essencial da vida, tópico que me atormentava desde que assisti *Bambi.* Mas as mudanças climáticas pareciam um bom começo. Afinal, vivíamos o ano mais quente desde 1632.

Todos pareciam preocupados com isso.

— O sistema capitalista como um todo vai entrar em colapso — disse meu pai, naquela manhã. — Vamos ficar sem água e nos afogar ao mesmo tempo.

— Meu esmalte vive derretendo — acrescentou Annie, nossa inquilina.

Logo eu estava sentado diante de uma mesa de leitura, cercado por pilhas de livros. Naquela biblioteca, em algum lugar, disse a mim mesmo, deve existir alguém que acredita no futuro. Podia sentir o suor brotando em minhas têmporas. Era vital que eu desacreditasse os pessimistas antes que fizessem mais vítimas.

Esmiucei páginas e mais páginas de relatórios do Greenpeace. Folheei, atentamente, transcrições do Fórum Econômico Mundial. Mergulhei em fóruns de discussão na internet, nos quais maníacos — aparentemente americanos — trocavam mensagens de um terror tão infundado que eu me perguntei se o mundo não tinha enlouquecido de vez. Surpreendentemente, até os "especialistas" pareciam estar de acordo. Mudanças climáticas estavam gerando uma catástrofe gradual, mas inevitável. As calotas polares estavam derretendo e era tarde demais. Cinquenta espécies de besouros já estavam extintas.

Com um aperto no coração, saí de mansinho da sala de leitura.

— Não sei se vou dar conta — confidenciei a meu pai. — Receio que os pessimistas tenham razão.

— É claro que têm — bufou ele.

Voltei à biblioteca. Dispostas na mesa à minha frente estavam duas folhas de papel — o esboço do meu plano para o livro que ia salvar o mundo. Na parte de baixo de uma folha eu havia escrito uma lista:

COISAS QUE REALMENTE NOS DEPRIMEM

aquecimento global
extinção das espécies
calotas polares
esgotamento do petróleo
câncer
o declínio da sociedade em subculturas fragmentárias sem nenhuma noção de comunidade
drogados
criminosos
os limites da expansão econômica
call centers
supermercados
sacolas de plástico
a guerra ao terror

a prisão de Guantánamo
Iraque
intoxicação alimentar
mortalidade infantil
pobreza
qualquer coisa que fosse faltar
shopping centers
o *bling-bling*
Victoria Beckham
a maioria das outras pessoas
engenharia genética
clones
o padrão cada vez mais baixo da educação
superpopulação
China
a opressão do povo tibetano
Robert Mugabe
jornalistas
russos
proliferação nuclear
a falta de uma divindade tangível e intervencionista
África
o preço dos alimentos
fundamentalistas religiosos
desastres naturais

- furacões
- terremotos
- tsunâmis
- supervulcões
- supervírus

alienígenas
a injustiça fundamental da vida
transporte público
o declínio da gramática do idioma

doenças
velhice
guerras

Examinei, ansiosamente, a lista. Deveria estar diminuindo. Depois de uma semana na biblioteca, no entanto, estava aumentando. Aumentando muito. Tudo parecia tão simples no começo: restaurar a confiança das pessoas e localizar otimistas persuasivos que concordassem comigo. Mas desde aquela fatídica discussão em Islington — com a moça que queria *razões* —, assumi a tarefa de encontrar soluções para todos os problemas do mundo. Porque ela tinha razão: percebi que eram esses "problemas" que intervinham entre o mundo e um otimismo maduro.

Observei um fio de cabelo se desprender do meu crânio e flutuar até a mesa. Era o estresse cobrando seu preço.

Em busca de sossego no café da biblioteca, esbarrei em um amigo.

— O que você faz por aqui? — ele perguntou. — Pensei que estivesse abrindo uma escola para mímicos.

— Isso foi no ano passado — respondi.

Falei sobre meu projeto, e um clarão devoto refulgiu em seus olhos.

— Você deveria conhecer minha tia. Ela está inválida há trinta anos, mas mesmo assim ainda escala montanhas e dá aula em uma creche para mães sem-teto. Seria uma excelente pessoa para você conhecer.

— Claro — eu disse, educadamente. — Me passa o e-mail dela que entro em contato.

Jasper franziu as sobrancelhas.

— Ela não tem e-mail. Tem 85 anos.

A verdade é que eu não estava interessado na tia do Jasper nem em outros relatos de êxito pessoal. Àquela altura, a única coisa que realmente me interessava era encontrar soluções para a minha lista de COISAS QUE REALMENTE NOS DEPRIMEM.

E agora que entendia a magnitude do problema do aquecimento global, comecei a entrar em pânico. Que diferença fazia para mim se uma mãe solteira trabalhava 16 horas por dia para sustentar a família e treinava toda noite para vencer uma prova de triatlo? Nenhuma. Podem me chamar de covarde, mas o que eu queria saber é se alguém estava cuidando das calotas polares que estavam derretendo.

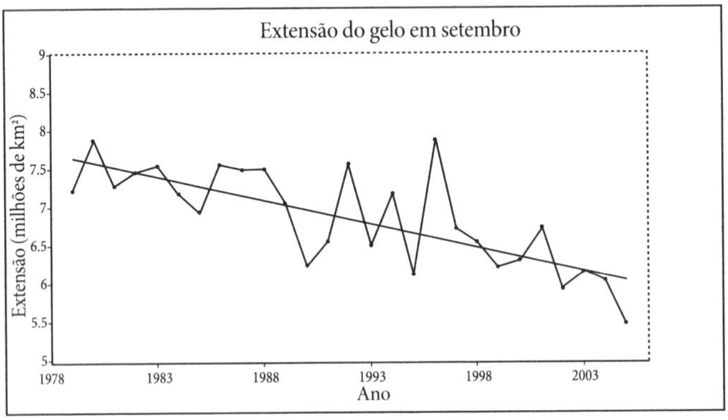

Fonte: National Snow and Ice Data Center

Podem me chamar de ingênuo, mas quando leio que...

> Os cientistas estimam que a taxa atual de derretimento seja de 8% por década; se a taxa for mantida, talvez não haja mais gelo algum no verão de 2060. (BBC News Online)

...quero que alguém me diga que tudo vai dar certo.

É claro que essas estatísticas talvez fossem mentirosas e exageradas, mas, se fossem, eu precisava de provas. Por isso me deixei influenciar pelos "negadores do aquecimento global".

Foi no quarto dia que finalmente deparei com uma referência a esse minúsculo grupo de otimistas. Enquanto lia um artigo na internet sobre esses supostos inimigos do meio ambiente, senti uma pequena pontada de alívio. Bjørn Lomborg era um professor de estatística dinamarquês que alegava, ousadamente, que as coisas não andavam tão ruins quanto se pensava. Era o líder de um grupo de cientistas — famosos e vilipendiados — que ousou elaborar um relatório dissidente que ia contra o consenso de que o mundo estava acabando. Seu livro *O ambientalista cético*, de 2001, inflamou uma controvérsia internacional que continua se propagando. No livro, ele afirmava, sem rodeios, que a comunidade científica havia errado em suas estatísticas. Na verdade, o problema não existia — ou melhor, existia, mas era totalmente diferente do problema que julgávamos ter.

Aquilo me empolgou. Até então, todos os outros peritos em mudanças climáticas que eu conhecia corriam de um lado para outro, entrando em pânico — em público. Não faziam nada para me reconfortar. Mas esses caras eram diferentes.

> Adotamos uma atitude muito mais otimista em relação à capacidade da espécie humana de aprender, se adaptar e encontrar soluções para o problema (O Consenso de Copenhague, 2004).

Essas pessoas "em negação", como seus inimigos ambientalistas os chamavam, alegavam que o problema do aquecimento global estava sendo exagerado — como quase todos os problemas mundiais.

> Em geral, os benefícios do aquecimento global provavelmente excederão os danos até que o aumento da temperatura ultrapasse 2,5 °C, e, mesmo que isso aconteça, o impacto geral será bem menor do que o previsto.

De acordo com esses céticos, o principal objetivo da maioria dos grupos de ambientalistas era nos aterrorizar para que refreássemos o crescimento econômico. Segundo eles, no entanto, a desaceleração do crescimento econômico seria o desastre supremo. Em vez disso, argumentavam esses acadêmicos lúcidos, deveríamos fazer uma análise de custo-benefício para descobrir a melhor solução, em vez de nos exaltarmos e nos preocuparmos com árvores e outras bobagens do gênero.

> A altamente dispendiosa alternativa da engenharia social para a redução de emissões de gases não se justifica!

Suas opiniões eram obviamente controversas. Mas foi um alívio descobrir que havia esperança, que os homens de jaleco ainda não eram unânimes em achar que iríamos todos fritar até a morte. No final das contas, para mim eles tinham ao menos que ser ouvidos. Principalmente Bjørn Lomborg.

O que Lomborg tinha de melhor era sua personalidade contraditória: sua juventude, sua aparência, seu cabelo escovado. Os pessimistas não conseguiam simplesmente enquadrá-lo como um fã de George Bush ou um pau-mandado do complexo militar-industrial. Ele era gay assumido. Bebia chá de ervas. Não era o tipo de pessoa que parecia não dar bola para o meio ambiente. Era tudo tão bem--bolado. Por trás de sua engenhosa camuflagem semiótica, Lomborg conseguia confundir todo mundo, até seus admiradores. E assim realizava a façanha de soar absolutamente racional e absurdamente otimista ao mesmo tempo. Assim como eu, ele não suportava o pessimismo infundado. Assim como eu, ele estava em uma cruzada contra o negativismo. Vivia dizendo coisas como:

> Não é que o mundo não tenha problemas, mas sob quase todos os aspectos as coisas estão melhorando e devem continuar assim no futuro.

E não se referia apenas ao aquecimento global. As reconfortantes declarações de Bjørn abrangiam desde o desmatamento até as gaivotas.

> O vazamento de petróleo da Exxon Valdez matou 250 mil aves, mas esse número equivale aproximadamente ao de pássaros que morrem por dia ao se chocarem contra vidros laminados nos Estados Unidos ou ao dos que são mortos, a cada dois dias, por gatos domésticos na Grã-Bretanha.

Era claramente um homem sensato. Mas quando escrevi para Lomborg, ele respondeu rapidamente:

> Caro Laurence,
>
> Infelizmente ando muito ocupado e isso já bastaria para que eu recusasse o seu convite. Além disso, não me considero um otimista, e sim um realista.

Li o e-mail e fui perdendo a esperança. O que ele queria dizer com *realista*? Será que ser otimista era algo para se envergonhar, como votar no Partido

Conservador ou ser um comunista? E agora? Eu havia sido rejeitado pelo mais eminente dos otimistas treinados em estatística e ainda não tinha nada convincente a dizer sobre as andorinhas. Pior ainda, meu herói nem mesmo admitia que fosse um de nós.

Talvez Lomborg não fosse a pessoa certa, afinal. O professor não fez nenhum esforço para reconhecer a importância do meu trabalho. Além disso, ele estava cada vez mais fora de moda. O fluxo diário de más notícias sobre o meio ambiente não havia diminuído, pelo contrário. Lomborg escreveu seu livro em 2001. Com certeza suas opiniões já estavam ultrapassadas. Desde então, o furacão Katrina tinha destruído Nova Orleans e o derretimento das calotas polares dominava as manchetes. As inócuas palavras de conforto do dinamarquês começavam a parecer datadas. Enviei outro e-mail.

> O que você tem a dizer sobre os furacões recentes?

Ele não respondeu.

Parecia que minha relação com o professor tinha chegado ao fim e eu não sabia o que fazer. Se fracassasse nos capítulos sobre o meio ambiente, o projeto já era — e Lomborg era o único otimista em relação ao aquecimento global que valia a pena conhecer. Meu quarto obscureceu-se. Olhei demoradamente para a minha mesa, iluminada pelos raios do sol que se punha. Talvez eu não conseguisse convencer *ninguém* a se encontrar comigo. Talvez fosse o momento de desistir. Pela primeira vez em duas semanas, eu me perguntei se a tarefa não era maior do que eu supunha. Talvez ainda desse tempo de mudar completamente o tema do livro.

O telefone tocou.

— E aí, se sentindo otimista? — perguntou Xanthe.

— Quem te contou?

— Você mesmo, Laurence. Ontem.

Xanthe era uma amiga. Mas eu tinha muitos amigos. Não podiam esperar que me lembrasse de todas as conversas que tinha com cada um deles.

— Quero que todos façam parte do projeto — expliquei.

— Então me diga o que vamos fazer sobre as mudanças climáticas.

Passei a vista pelas pilhas de papéis à minha frente.

— Escuta — retruquei com firmeza —, tudo vai dar certo.

— Como você sabe?

— Eu *sei*. Apenas sei.

Dei uma olhada na minha lista de COISAS QUE REALMENTE NOS DEPRIMEM.

— Você já ouviu falar de Tim Smit? — ela perguntou.

— Não.

— Ele construiu o Projeto Éden.

O Projeto Éden.

— É uma das maravilhas do mundo — ela explicou. Uma estufa gigantesca em Cornwall, com uma floresta tropical e seu próprio sistema climático. É um centro educacional e um experimento em sustentabilidade.

— Sustentabilidade! — senti um lampejo de irritação. — Estou em busca de visionários. Homens de negócio. Líderes mundiais. Não de *ambientalistas*. — Pronunciei cautelosamente a palavra, como se fosse algo sujo que dá nojo de tocar.

— Tim é um revolucionário. Está tentando mudar o modo como pensamos. É um cara muito especial — ela acrescentou. — Pode acreditar.

— Ele conhece o Bill Clinton? — perguntei.

— Sei lá — ela respondeu. — Liga o rádio. Ele vai dar uma entrevista agora.

Suspirei e liguei o rádio. Olhando para a minha escrivaninha, no canto do quarto de hóspedes do meu pai, deitei na cama e fechei os olhos.

O programa já tinha começado.

Tim Smit estava falando sobre sua carreira. Sobre como largou a indústria fonográfica e se mandou para Cornwall. Sobre como deparou com um jardim murado e o transformou numa badalada atração turística. Sobre como bolou um plano lunático de construir um "bioma" de alta tecnologia em uma mina abandonada para mudar a atitude das pessoas em relação ao meio ambiente. Sua voz era seca, incisiva, um pouco tensa. Era uma voz interessante, uma voz que me agradava. Xanthe tinha razão. Tim não era nenhum bobão adorador de golfinhos — era um otimista, um otimista legal.

— Não peço desculpas por ser otimista em relação ao futuro — ele disse. — Eu sou.

Riu, com desdém.

— Não consigo imaginar *sequer um problema* que os seres humanos não possam resolver. Nenhum. O mundo pode ser assustador, mas nós sabemos lidar com ele. O futuro é um lugar muito promissor.

Senti os pelos na minha nuca se eriçarem. Tim era o cara. Definitivamente era o cara. Era um visionário. E fumava Cohibas. Era o Che Guevara dos arbustos.

Tínhamos muito sobre o que conversar.

Era uma manhã fria de outono quando finalmente fiz o check-in do voo rumo a Newquay, empunhando meu gravador e um maço de folhas impressas. Viajava apenas com uma jaqueta e uma pasta. Senti um frio na barriga. A saúde mental de cinco bilhões de pessoas dependia do sucesso da minha missão. Precisei acordar muito cedo, mas estava a caminho de conhecer um dos otimistas mais eminentes do país.

Sentei na sala de embarque, rindo baixinho ao ler um artigo no *Daily Mail* sobre Martin Rees, o "Astrônomo Real".

> Martin Rees acha que a humanidade não tem mais de 50% de chance de sobreviver até o dia de Ano-Novo de 2100 e menciona guerra nuclear, terrorismo, catástrofe ambiental e nanomáquinas. Também aposta 1.000 libras esterlinas que um incidente de terrorismo biológico irá matar pelo menos um milhão de pessoas até 2020.

Ah! Eu poderia lidar com Rees na semana seguinte. Naquele momento, nada iria me deprimir. Eu ainda estava eufórico com a resposta ultrapositiva do Che:

> Caro Laurence
> Um empreendimento formidável. Entre em contato assim que estiver disposto.
> Saudações sinceras,
> Tim

Já nos imaginava conversando até tarde da noite, bebendo uísque e fazendo planos para transformar minha ideia em realidade. Talvez ele se oferecesse para participar do projeto. Ou talvez me oferecesse um charuto e me convidasse para trabalhar com ele. Precisaria considerar seriamente a proposta. Homens como Tim e eu não nascem todos os dias.

Na sala de espera do Projeto Éden, olhei em volta e pedi informações a uma recepcionista. Por uma janela envidraçada eu podia ver, lá embaixo, os contornos de três estufas gigantescas, como ovos de um Godzila cibernético. A recepcionista sorriu e me guiou, como se o seu trabalho de perfurar bilhetes fosse a profissão mais gratificante a que a humanidade pudesse almejar.

Che estava certamente fazendo um bom trabalho.

Andei entre os turistas, misturando-me a eles. A "Zona Tropical" era uma selva em tamanho real cercada por um monumental domo de plástico, construído com centenas de hexágonos. Ondas de orvalho morno cobriram meu rosto quando levantei a cabeça para contemplar o teto distante e enevoado. Na saída, passei por um grupo de empregados. Estavam fofocando sobre Smit. Agucei os ouvidos. Aparentemente, Tim era tão respeitado que políticos de diferentes filiações partidárias iam até o local prestar suas homenagens e receber suas "credenciais verdes". David Cameron, líder do Partido Conservador, tinha feito uma visita naquela mesma manhã para lhe pedir a bênção e o príncipe Charles tinha estado lá há duas semanas.

Eu me senti zonzo e sem importância. Perto disso tudo eu não era nada. Só o que tinha era uma modesta proposta sem consistência. Me agarrei à pasta que trazia nas mãos.

Quatro horas se passaram, depois cinco. Começou a anoitecer. Nosso encontro tinha sido adiado para o fim do dia, às 18h — mas, por segurança, eu não havia marcado outros compromissos. Finalmente a secretária me chamou. Já estava escuro. Fui até o escritório — um local secreto no topo da mina. Com certeza, disse a mim mesmo, Tim havia me deixado por último para que pudéssemos ficar à vontade e relaxar tomando um drinque generoso e merecido. E então iríamos planejar o que fazer, em uma conversa de homem para homem. Mas agora eu estava começando a duvidar. A recepção estava deserta. Onde tinha ido parar todo mundo? Sentei na cantina abandonada do escritório, remexendo nervosamente no meu ditafone. Alguém daria pela minha falta se eu simplesmente sumisse? A secretária apareceu e me acompanhou ao escritório.

— E aí — disse Tim. — O que é que há?

Sorri, satisfeito, e apertei a mão dele. Meu primeiro otimista! Tudo estava perdoado. Com seu cabelo desgrenhado e seu terno riscado, Tim parecia um remanescente dos anos 70.

Ele sorriu e coçou a cabeça.

— E então... O que posso fazer por você?

Hesitei.

— Sou Laurence Shorter, o otimista.

— O otimista! É claro — ele disse, enquanto me olhava, confuso. — Foi um longo dia.

Ele apontou para uma cadeira perto da porta. Geometricamente, deveria ser o ponto mais baixo do recinto.

Tim voltou para sua mesa e sua cadeira giratória.

— Preciso sentar aqui — ele disse. — Por causa das minhas costas.

Assenti, em silêncio, enquanto ele apanhava um havana.

— Se você não se incomoda... — ele murmurou.

Esperei que me oferecesse um, mas ficou lá sentado, olhando fixamente para mim, acendendo o charuto e esperando que eu me pronunciasse.

— O otimismo é importante — comecei. — É...

— Hum — ele murmurou, distraído.

— São tempos difíceis — eu disse, lendo minhas anotações. — Todos os dias somos inundados por más notícias que nos afetam de modo muito negativo. Isso está nos tornando pessimistas.

Olhei para ele. Minha garganta secou. Eu me sentia como um aldeão que vinha pedir um favor ao chefe. Meu sofá, apesar de parecer confortável, estava me pressionando contra a parede e me curvando numa postura subserviente.

— É por isso que estou escrevendo este livro — continuei, tentando soar inteligente e convincente. — É por isso que vim até aqui para falar com você. Está na hora de nos sentirmos mais confiantes em relação ao futuro.

Tim pensou por um instante, mascando lentamente o seu Robusto.

— Isso é papo-furado — ele disse, examinando calmamente os dedos. — As pessoas não são realmente pessimistas. A maioria não está nem aí para o aquecimento global. Estão mais preocupados com o novo corte de cabelo do David Beckham... Ou com quem está transando com quem.

Olhou com prazer para seu charuto.

— Não estou dizendo que sua ideia não faz sentido, Laurence. Acho que é... — ele deixou a frase morrer. — Com quem mais você vai se encontrar?

Pensei rápido.

— Com o papa... Bill Clinton. Pessoas assim.

— Nelson Mandela é um otimista — ele disse. — E que tal Desmond Tutu?

Balancei a cabeça.

— Você não pode dizer que as pessoas não são pessimistas, Tim. Na semana passada, o Painel Intergovernamental de Mudanças Climáticas (IPCC) anunciou que a calota polar está mais fina do que nunca. Se derreter mais um pouco, será irreversível, e então...

Deixei um silêncio fatídico no ar. Uma cortina de fumaça ocultou as feições belicosas de Tim.

— Você não está me entendendo, Laurence. Não estou dizendo que não há nada com o que se preocupar. Estou dizendo que as pessoas não conseguem enxergar um palmo à frente do nariz, só isso. Não sabem pensar a longo prazo.

— Se o que você está dizendo é que devemos simplesmente deixar a calota derreter...

— Não é tão simples assim. Algumas pessoas dizem, por exemplo, que se reduzirmos o número de voos de avião, o aquecimento global pode *piorar* devido ao efeito refletor das partículas no ar.

— Mas espera aí...

Eu não estava lá para defender um ponto de vista pessimista, ao contrário, mas pelo menos concordávamos que havia algo sobre o qual ser pessimista. Tirei uma folha impressa da pasta.

— Olha isto aqui...

> Os cientistas já não têm mais dúvidas! Precisamos de um corte de 90% na emissão de carbono até 2030!

— E isto aqui? — perguntei. — Foi escrito por um *jornalista*.

> Até 2030 (...) as emissões de carbono na atmosfera vão alcançar 430 partes por milhão, e esse é o ponto no qual a maioria dos principais ecossistemas do mundo vai entrar em retroalimentação positiva. A biosfera se tornará uma fonte de dióxido de carbono e não haverá mais nada que possamos fazer a respeito.

— Retroalimentação positiva! — repeti.

— É — disse Tim, balançando a cabeça. — Mas, veja, isso não me preocupa. O aquecimento global é só um problema secundário. É só uma distração. A verdadeira batalha é por nossas *almas*. — Ele exalou uma nuvem gigantesca de fumaça. — A verdadeira batalha é pelo *sentido*.

Escutei, perplexo.

— Todos estão em busca de sentido, Laurence, mesmo que não saibam disso. Você precisa entender que os maiores problemas estão na nossa cabeça. Veja todos os desastres que supostamente nos exterminariam! A SARS, a doença da vaca louca, a gripe aviária. Nenhum foi tão grave quanto previsto. E se você pensar no tsunâmi do ano passado... é verdade que matou muita gente, mas apenas quatro vezes o *número de crianças que morrem todos os dias* por causa da pobreza — ele se inclinou sobre a mesa. — Pergunte a si mesmo, Laurence, quem realmente ganha com essas "crises". Quem *quer* que você fique com medo?

— A organização Amigos da Terra?

— Não seja ingênuo — ele disse, brincando com o charuto. — É a mídia que tem o maior interesse em te assustar. Por isso exageram esses problemas.

— Certo — eu disse, agarrando o braço do sofá. — Quer dizer que esses "problemas" não são reais?

— Ah, são reais, sim — disse Tim, desvencilhando-se de novo. — Temos todo o tipo de problemas. Mas não podem ser isolados. Todos são sintomas de uma doença maior: nossa *alienação*. É preciso resolver isso antes.

Ele olhou para o fundo do cinzeiro.

— Veja bem, a ciência se tornou a nossa religião. Revogou todas as histórias e mitos que davam sentido à vida, mas não os substituímos por outras coisas. Entendeu? Ficou completamente vazio.

— Entendo — eu disse. — Entendo. — Minha testa estava começando a doer. — E o que isso tem a ver com as mudanças climáticas?

Ele passou a mão pelos cabelos desalinhados.

— Estamos entrando em uma nova era, a era do *sentido*. As pessoas estão se recusando a ser definidas pelos bens que consomem. Já não aguentam mais. Veja o sucesso dos alimentos orgânicos. A maré começou a virar. E vai ser uma inundação.

Assenti, fingindo entusiasmo. Desde que Tim achasse que eu estava entendo o que ele dizia, eu ainda tinha uma chance. Anotava tudo o mais rapidamente que podia. Havia um quê de Churchill nele. Conseguia imaginar famílias aglomeradas ao redor de seus rádios escutando suas palavras e, depois, saindo para comprar suco em pó.

— As pessoas estão finalmente exigindo mudanças — ele disse. — E não são apenas os consumidores. São os empresários, também. Em sua maioria, são filhos dos anos 60. São *do bem*. É por isso que sou tão otimista. — deu um trago no havana. — Porque, no fundo, as pessoas são boas. No fundo, são dignas. Portanto não há nada que não possamos resolver!

Legal, pensei, *gostei disso*. Senti o sangue irrigando meu cérebro. Meus braços estavam formigando. Talvez isso fosse tudo de que os pessimistas precisavam. Era lindamente vago. Mas faltava alguma coisa. Era como se eu tivesse perdido completamente o chão e agora flutuasse em um mar de imprecisão — na imprecisão do Tim, no mar do Tim, na completa falta de interesse do Tim em concordar comigo.

— Mas e os outros problemas? — perguntei. — E a superpopulação e a escassez de água... e a China?

— A China? — interveio Tim. — Sou muito otimista em relação à China. Quando se trata de ações ambientais, estão muito à nossa frente. Estão extremamente preocupados com o meio ambiente. Precisam estar.

Cocei a testa.

— Quer dizer que não há o que temer?

— Veja bem, *o melhor das pessoas aparece quando há uma crise*. Tome o Éden como exemplo. Quando construímos este lugar, precisamos retirar 1,8 milhão de toneladas de terra em seis meses. Você tem noção de quanta terra isso representa?

Dei de ombros.

— É o equivalente a oito *milhões* de operários trabalhando o dia inteiro com pás e carrinhos de mão. — Ele reacendeu o charuto e fitou a brasa queimando. — É como a construção das pirâmides! O que quero dizer, Laurence, é que, quando os seres humanos têm um problema para resolver, podemos resolvê-lo... E vamos resolvê-lo. É por isso que sou otimista. Porque poderemos resolver qualquer coisa — e repito, *qualquer coisa* — se nos esforçarmos para isso.

— É verdade! — gritei. — Mas ninguém percebe isso. Precisamos mudar o modo como pensam!

Tim se balançou na cadeira.

— Sabe o que vou fazer agora? Vou juntar pessoas do mundo dos negócios, das ideias, das ciências, das artes e trancá-las em um quarto até que encontrem soluções para o planeta. E não vou deixá-las sair até que cheguem a um acordo. Quero que o Éden seja a ONU do meio ambiente, uma Fundação para Futuros Possíveis, uma... uma... — Ele traçou grandes estruturas no ar. — Vou construir o museu mais importante do mundo, abaixo do solo e iluminado por tochas!

Afundei no sofá, parágrafos inteiros de entusiasmo entalados na garganta. Ele só falava de si mesmo. *E eu?*, pensei. *Onde entro nisso?*

— Precisamos divulgar essa mensagem — eu disse. — As pessoas estão apavoradas.

Tim fez um gesto napoleônico com seu charuto.

— As pessoas têm medo demais de morrer. Precisam de um pouco de medo!

Senti um gosto amargo na boca. Ele não tinha acabado de se contradizer? Não dava para saber. A lógica não valia nada no mundo do Tim. Apenas orgulho e virilidade. Ele olhou para as mãos.

— Uma coisa estranha acontece — ele disse — quando achamos o trabalho certo. É como se a energia emanasse das pontas dos nossos dedos.

Franzi as sobrancelhas e olhei para os meus dedos. Estavam roxos de tanto tomar notas. Se eu estivesse no lugar do Tim, as coisas seriam diferentes: sentado em frente a uma mesa grande, com uma secretária e centenas de empregados, fazendo algo que valia a pena e era noticiado por toda a mídia. Minhas mãos estariam reluzindo. Coisas emanariam delas, como e-mails e dinheiro. A vida seria fácil. Tudo seria maravilhoso.

O assistente pessoal do Tim apareceu.

— Você está atrasado — ele disse.

Atrasado?

— Tenho que ir a uma festa — explicou Tim, desculpando-se com um sorriso.

Olhei para o relógio. Nossa conversa durou vinte minutos.

— Tudo bem — eu disse, tentando esconder minha frustração.

— Você anotou o que queria? — perguntou, abruptamente.

Conferi as minhas notas. Mostrar fraqueza seria fatal.

— Claro, foi perfeito.

Fechei meu bloco de notas.

— Mesmo, Laurence? Que bom!

Ele pulou da cadeira e vestiu seu blazer, como se fosse um estudante saindo apressadamente do colégio depois que a campainha tocou. Sentei-me e fiquei olhando melancolicamente para a mesa dele. Tim precisava de tempo para digerir tudo aquilo, só isso. E eu voltaria coberto de glória, com propostas para um livro e para uma série no Channel 4 e com um gravador decente. E então exigiria 45 minutos do tempo dele. Pelo menos.

Eu tinha uma última pergunta.

— O que você tem a dizer para as pessoas comuns, Tim?

Ele me observou com os olhos nostálgicos de um veterano de guerra.

— Que ninguém é comum — murmurou. — Junte-se a outras pessoas comuns... E a mais outras... Pense grande. Faça a diferença. Tudo é possível.

Quando acordei na manhã seguinte, não estava certo de ter me saído bem. Tinha a impressão de que Tim não havia me levado a sério. Mas foi tão elegante que jamais poderia ter certeza. Lá no fundo, eu tinha a sensação de ter sido ludibriado por um exímio vendedor. Tim não endossara de verdade o meu plano, mas me despachou com um vago sentimento de otimismo.

Alguém bateu à minha porta e deixou um jornal no chão. E, de repente, eu me senti muito só.

Quando cheguei ao aeroporto, a manhã já estava terminando. Turistas sentados na sala de embarque se aqueciam ao sol do outono. Aviões taxiavam lentamente lá fora. Admirei suas fuselagens brancas, refletindo o calor da pista. Tim estava errado em desprezar os problemas do mundo. Enfrentávamos sérias crises, e se nem todos eram pessimistas, logo seriam. Mas minha visita não tinha sido uma completa perda de tempo. Tim não disse nada específico sobre as calotas polares nem sobre o quociente de CO_2 na atmosfera, mas sua confiança me contagiou. Voos mais baratos poderiam causar uma crise global, mas esse era um problema que resolveríamos juntos. Imaginei a anarquia que dominaria o sul da Inglaterra e o alto cargo em posição de autoridade que, sem dúvida, eu seria obrigado a aceitar.

Podemos resolver qualquer problema, disse a mim mesmo.

Quando voltei para casa, meu pai estava na cozinha, andando de um lado para outro. Estava ouvindo o rádio.

— Você já sabe da última? — ele perguntou. — O Irã abandonou as negociações com a ONU.

Ele aumentou o volume e olhou para o jardim. Senti a escuridão tomando conta da sala. Não, pensei. Não ia me deixar abater por isso. Lembrei dos cabelos do Tim, de seus ombros. Apontei para o céu encoberto.

— Podemos resolver qualquer problema, papai, se nos esforçarmos para isso. Isso... Isso é o que Tim Smit diz.

— Ah, é? — ele disse.

— É, e as pessoas têm muito medo de morrer. Precisam de um pouco de medo!

Meu pai revirou os olhos, agourento.

— É mesmo?

Ele se voltou para coar o chá.

CAPÍTULO 2

Prezado senhor, já que tenho apenas 12 anos, nem sempre digo o que penso. Mas fico me perguntando por que todo mundo anda falando que vamos todos morrer em menos de 50 anos. Francamente, fico preocupada em ver todo mundo tão apavorado. Acho que deveriam parar de se preocupar.

MATHILDA SMITH, *Poole, Dorset*
The Times

— Estou muito interessado no seu livro — disse o escritor, subitamente.

Meus dedos se crisparam ao redor da taça de vinho.

— O senhor é... o senhor é um otimista? — perguntei.

Todos estavam nos observando, apesar de fingirem que não. Pinter se apoiou na bengala, seus óculos escuros refletindo o gramado.

— Sou otimista sobre vinhos! — brincou. Rapidamente enchi sua taça. Uma onda de alívio percorreu a tenda.

Eu estava no almoço de aniversário da esposa de Pinter, *Lady* Antonia Fraser, no meio de um prado na costa de Dorset. A mesa de piquenique à minha frente estava repleta de sanduíches e tira-gostos caros. Uma dúzia de pessoas sentadas ao redor da mesa bebia vinho e degustava camarões graúdos: filhos e netos; primos de primeiro e segundo graus; amigos e vizinhos. E eu.

Fui convidado por Alastair, um proprietário de terras local que há pouco tempo havia adquirido sua própria mansão.

— Você conhece meu vizinho, Harold Pinter? — ele me perguntou.

— O *escritor*?

— Não! — respondeu. — O mecânico.

Não sabia nada sobre Harold Pinter, a não ser que escrevia peças controversas, fazia oposição ao governo e que seu nome tinha virado adjetivo em inglês. Quando o nome de uma pessoa vira adjetivo, todos sabem que ganhar o prêmio Nobel é mera formalidade. Quaisquer que fossem seus pontos de vista, pensei, Harold Pinter iria abrilhantar minha campanha, o que vinha bem a calhar na trajetória ascendente da vida de Laurence.

— Ele é famoso por suas opiniões francas — disse meu amigo. — Mas vou logo avisando que conhecê-lo pode ser intimidante. Algumas pessoas já tiveram ataques de choro.

— Acho que dou conta — eu disse, com uma piscadela.

Dei um jeito de sentar perto do famoso escritor, que comia sanduíches de caranguejo em um prato de papel. *Lady* Antonia de vez em quando espreitava sobre os óculos escuros para observar seus convidados e as vacas que pastavam ao redor da tenda. Um clima de tensão pairava sobre esta cena alegre. Primos e enteados lançavam olhares furtivos e nervosos para Pinter, como se o grande escritor fosse subitamente agitar sua bengala e lançá-los nas trevas.

— Bolo adorável! — Ele murmurou, dando um sorriso de vovô.

Com a mansão atrás de nós e o mar à nossa frente, Pinter parecia completamente deslocado em suas roupas pretas e óculos escuros, como um gângster envelhecendo que havia sido levado para morrer em um ambiente incongruentemente aprazível. Aquele gângster em particular, pensei, tinha renunciado à violência e fugido da cidade apenas para descobrir que ainda aterrorizava todas as pessoas que encontrava. Notei que, quando ele murmurava, todos prestavam atenção — sua voz era tão áspera quanto uma praia de cascalho.

— Que festa agradável! — ele disse, com sua voz rascante.

Procurei por um sinal de ameaça em suas palavras, mas qualquer ameaça que houvesse estava escondida atrás dos óculos escuros. Ele gesticulou, indicando o prado e o canal da Mancha — uma paisagem campestre tipicamente inglesa.

— E quem é você? — perguntou Antonia, olhando para mim sob a aba do chapéu de palha.

Olhei em volta. Quem *era* eu? Tinha passado quase toda a manhã tentando me convencer de que não havia diferença entre mim e os representantes da nobreza rural ao meu redor. Éramos todos seres humanos, afinal, apesar das numerosas diferenças culturais. E daí que eu nunca tivesse caçado um veado, nem participado de uma corrida de cavalo com obstáculos, nem dormido com meus cães? Desde que ninguém tocasse no assunto ou perguntasse onde eu morava...

— Você é amigo do Alastair? — ela perguntou.

— Sou um otimista — respondi. — E estou escrevendo um livro. A premissa é que falta otimismo neste país.

Olhei, esperançoso, para o dramaturgo. Queria desesperadamente entrevistar Pinter, mas estava ainda mais desesperado em não ser desmascarado pelos outros convidados como um jornalista urbanoide ou — um destino pior que a morte! — como um leitor de tabloides liberais, como *The Guardian*, que concordava com suas opiniões de esquerda.

O convidado ao meu lado se inclinou para mim e cochichou:

— O que quer que você diga, *não mencione a América.*

Pinter olhou à sua volta, como se alertado da presença de um dissidente.

— Quem está nesse livro? — inquiriu, com a voz rouca.

— Bem — eu disse, satisfeito —, Tim Smit. Ele é um homem muito interessante, um horticultor e...

Pinter desviou os olhos.

— Vou me encontrar com Bill Clinton — eu disse, sem hesitar.

— Clinton é um cretino!

Enrubesci e enfiei um monte de salgadinhos na boca. Alguém abafou um risinho nervoso. Onde eu tinha ido parar? No Coliseu? Estava cogitando se não seria melhor sair correndo em direção às árvores, quando Harold se debruçou e sussurrou, para todos ouvirem:

— Mas é sério, estou muito interessado no seu livro.

— Certo... — eu disse.

— Sim, porque a *essência* permanece. — Ele apontou para o prado. — Está presente aqui, está em todos os lugares. A vida é bela!

— Com certeza — eu disse.

— ...Mas o mundo é um INFERNO.

— Um inferno?

— O mundo criado pelos homens! — ele exclamou. — Você sabe quantas armas nucleares estão apontadas para nós, neste exato momento? Pelas chamadas superpotências mundiais?

Mordi o lábio.

— É só uma questão de tempo — ele resmungou. — Tudo está desmoronando!

Tomei um bom gole de vinho. Por um momento, tinha me deixado levar pela fama de Pinter e pelo ambiente gracioso e rústico. Mas, agora que o dramaturgo tinha virado uns copos, estava começando a revelar sua verdadeira natureza. Estava começando a me lembrar do meu pai: a mesma idade, a mesma geração, o mesmo pessimismo exagerado. Homens dos anos 60, melancólicos, contestadores — realmente sentiam prazer em vaticinar o fim da raça humana. Não bastava decretar que as classes dominantes eram diabólicas, os americanos eram criminosos e o mundo era secretamente governado por uma seita de capitalistas malignos. Não. O projeto humano como um todo foi um equívoco: somos terríveis e estamos ferrados. Gemi por dentro quando Pinter começou a falar dos americanos. Já tinha ouvido tudo isso antes.

— Senhor Pinter — eu disse, sentindo meu rosto corar. — O senhor não acha que temos sorte de viver em um país onde podemos dizer o que nos der vontade e fazer o que quisermos e onde o senhor pode escrever o que bem entender, sem medo de sermos perseguidos?... Não deveríamos agradecer aos americanos por garantir esse... esse nível sem precedente de liberdade e segurança?

Um tremor de deliciosa tensão atravessou a tenda.

Pinter me olhou e sorriu.

— Você quer ouvir um poema que escrevi? — Ele acenou com a cabeça para o meu bloco de notas. — Chama-se "Democracia".

Todos se voltaram, discretamente, para escutar.

— Anote isto! — ele ordenou, apontando para minha caneta. Olhei ao meu redor, constrangido. O dramaturgo elevou seu queixo avantajado.

— *Não há saída* — ele vociferou. — *Os babacas estão à solta... Vão ferrar com tudo em seu caminho... Se cuide!*

Ele me encarou até eu baixar os olhos e deu uma risadinha, satisfeito.

— Bem — eu disse, sorrindo —, isso com certeza foi otimista.

— Sou otimista! — ele brincou, pondo a mão no meu braço. — Realmente acredito que este país... apesar de estarmos sob enorme pressão do governo... mesmo aqui neste belo campo... a vigilância, a censura... Apesar disso, podemos falar, você tem razão! Mas é precário! E acho que no final das contas terá que ser uma potência europeia a dizer para os Estados Unidos: Vão se foder!

Passei o resto da semana considerando os desafios que enfrentaria se namorasse a Scarlett Johansson. Por que não? Já fora apresentado a Harold Pinter. Apesar de nosso acalorado debate, era bem possível que o escritor me convidasse para uma de suas festas ao ar livre e Scarlett Johansson poderia ser uma das convidadas. Não que eu fizesse questão de estar cercado por gente famosa. Mas não tinha como fugir disso. Não tinha vontade, por exemplo, de ser reconhecido em público. Mas, assim que tivesse cumprido minha missão de restaurar o otimismo no mundo, a fama seria inevitável. Eu teria que aprender a lidar com isso. Um benefício óbvio seria ir a festas nas quais eu encontraria Scarlett Johansson e bateríamos um papo no balcão. Eu diria algo inteligente e simpático, depois sairíamos da festa juntos. É evidente que Scarlett e eu vínhamos de mundos diferentes — ela era uma estrela de Hollywood, e eu, um intelectual visionário — mas não era assim que começavam todos os grandes casos de amor? Havia algo de singular naquela mulher, algo intenso e especial. Sabia disso só de olhar para ela. Era o tipo de garota que combinava comigo. Quando nos conhecêssemos, Scarlett com certeza ficaria caidinha por mim, e não demoraria até que eu aparecesse nas fotos das cerimônias de premiação, sorrindo ao fundo enquanto ela posava para as câmeras — assim como Arthur Miller e Marilyn Monroe. É claro que haveria obstáculos a contornar. Scarlett era uma atriz profissional. Estaria sempre viajando, atuando em filmes e comparecendo a pré-estreias, enquanto eu passaria as noites em casa com o papai ou escrevendo o dia todo no meu quarto. Só precisávamos ter a cabeça no lugar.

Fiquei deitado na cama, contemplando as teias de aranha no canto do teto. Até lá, eu teria muito a fazer. Além dos 42 problemas que ainda restavam na minha lista (considerando que Tim havia resolvido cerca de oito deles), eu ainda precisava escalar meu time de otimistas de primeira linha. Em outras palavras, homens e mulheres que pensavam como eu e estavam dispostos a me apoiar contra os pessimistas e a ameaça que representavam para a minha felicidade. Não eram apenas Harold Pinter e meu pai que me preocupavam. Pinter era simplesmente o símbolo de uma era — de um pessimismo instintivo, de uma atitude simplória e lamentável frente aos eventos mundiais — da qual eu tinha decidido livrar a minha geração.

Mas só para me certificar de que a praga do pessimismo era real e não existia apenas na minha imaginação, fui até uma banca de revistas na Euston Station, um local que geralmente evitava por questões de saúde. Naquela manhã, um gigantesco complô terrorista havia sido descoberto no aeroporto de Heathrow — um esquema ultrajante que tinha como objetivo derrubar vários aviões. Como era de se esperar, os jornais estavam repletos de fotos do incidente. Evitando qualquer contato visual com os jornais, observei os passageiros que liam as manchetes na estação, os rostos crispados de consternação e angústia. Sorri para uma mulher que comprava um exemplar do *Times*. A opinião de Tim de que "as pessoas não são realmente pessimistas" acabava de ir por água abaixo! *Sim*, pensei, *esse é o meu povo, e a minha missão é ajudá-lo*. São londrinos inocentes, e suas vidas estão sendo destruídas pelo pessimismo.

Como se para me dar um incentivo imediato, a seguinte matéria surgiu no site da BBC:

> As guerras ao redor do mundo têm sido menos frequentes e menos letais desde o fim da Guerra Fria, afirma um novo relatório.
> Um relatório recente sobre o nível de segurança dos seres humanos constatou um declínio em todas as formas de violência política desde 1992, excetuando-se o terrorismo (...) o número de conflitos armados caiu mais de 40% nos últimos 13 anos, enquanto o número de guerras altamente letais caiu 80%.

Senti meu coração bater mais forte. Essa informação não estava sendo difundida para o mundo. Isso tinha sido veiculado na TV ou nos jornais? Era uma das manchetes que os infelizes passageiros estavam lendo? Claro que não. No entanto, a guerra era um dos itens mais importantes na minha lista de COISAS QUE REALMENTE NOS DEPRIMEM.

Figura 2.5 Número de genocídios e politicídios, 1956-2005

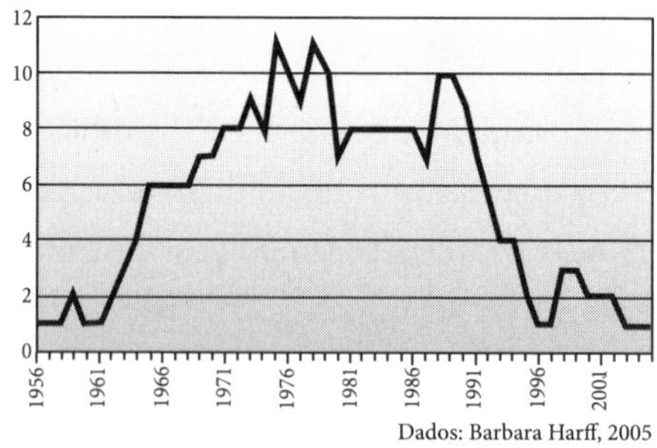

Dados: Barbara Harff, 2005

O número de genocídios e politicídios caiu vertiginosamente após o final da Guerra Fria — uma tendência similar àquela dos conflitos civis de alta intensidade.

Se eu pelo menos pudesse mostrar aquilo para o Pinter. Gostaria de ver como ele se sairia.

— Papai! — disse, entrando na cozinha. — Olha aqui.

Meu pai se curvou sobre a página impressa e ajeitou os óculos. Leu os dados sobre as mortes em conflitos armados entre países no período de 1956 a 2005.

— Ninguém sabe disto — eu disse. — Estava escondido em um subdiretório no site da BBC.

— Bem — ele disse—, isso é surpreendente. Mas há outras guerras iminentes vindo por aí, *grandes* guerras — por reservas naturais, água e energia, principalmente — que vão fazer tudo o que veio antes parecer brincadeira. — Aquele velho brilho voltava a seus olhos. — Haverá pandemias, também — acrescentou, ganhando confiança. — Doenças e fome. Vão matar milhões.

— Deixa ver se entendi — eu disse. — Acabei de te mostrar um conceituado relatório internacional sobre as perspectivas cada vez melhores para a paz e você está se sentindo ainda pior? Vou escrever sobre isso — avisei para ele, balançando meu bloco de notas.

Ele riu.

— Papai — eu disse, — por que você é tão pessimista?

— Eu sou otimista — disse ele —, quanto à continuidade do sistema solar. — Franziu a testa, subitamente. — Acho que não tem como a gente se ferrar com isso!

Observei o rosto dele, com atenção. Alguma coisa tinha disparado no cérebro do meu pai — aquela velha fórmula de irritação interna passada de geração a geração — um reflexo condicionado que acionava, quando ativado, os mesmíssimos pensamentos catastróficos sobre o mundo.

Como eu poderia abrir seus olhos sem soar desrespeitoso?

Voltando a trabalhar no projeto com uma determinação renovada. Levei meia hora para limpar a caixa de entrada do meu e-mail de correntes enviadas por amigos em campanha para salvar a floresta tropical ou para alertar a população sobre as espécies de abelhas em extinção. Mas eu não iria mais tolerar essas preocupações liberais sombrias e pessimistas. Estava na hora de radicalizar.

"Podemos resolver qualquer problema", disse a mim mesmo, pensando no otimismo inabalável do Tim. Decidi aceitar sua sugestão de entrar em contato com outro otimista: John Elkington, diretor de uma consultoria chamada SustainAbility (algo como "SustentAbilidade"). O nome não prometia muito, mas eu não tinha muita escolha.

— Quero que as pessoas percebam que as coisas estão melhorando — disse para o John, na antessala de seu escritório em Londres. — Que, no geral, o mundo está progredindo.

— Não tenho certeza de que as coisas andam tão calmas e tranquilas como você pensa — respondeu ele, calmamente. Acho outra guerra mundial no século XXI quase inevitável, por exemplo.

— O quê?

A lâmpada da recepção lançava uma luz sinistra sobre o rosto dele.

— Se você analisar as lições do passado — replicou —, verá que nossa espécie está mais apta a avançar para um novo estágio quando enfrenta grandes rupturas, como uma recessão seguida por uma guerra mundial.

— Mas há cada vez menos guerras — eu disse, elevando a voz.

John deu um sorriso irônico.

— A previsão é de que o mundo terá nove bilhões de habitantes em meados deste século. Um mundo cada vez mais ligado por viagens aéreas faz com que a questão das pandemias se torne cada vez mais grave; a privatização das armas de destruição em massa, com pessoas capazes de construir armas químicas em seus próprios quartos; os vários dispositivos nucleares que sumiram da Rússia...

Ele fez uma pausa, atento à expressão do meu rosto.

— Quantos?

— Há um monte deles por aí. O que aconteceu em Heathrow é só o prenúncio de alguém detonando um ataque com armas biológicas no metrô ou coordenando pequenos ataques com bombas nucleares. Essas coisas vão acontecer, são inevitáveis.

Ele deu de ombros, se desculpando, e só então percebi que tinha ido parar no quartel-general de um pessimista profissional, quem sabe até de um marxista. Por que não adivinhei? Lembrei-me do sorriso dissimulado de Tim quando me passou o e-mail do John. Caí direitinho na armadilha.

— Nos próximos cinquenta anos — disse o acadêmico —, vamos ter que destruir o grosso da economia global e reconstruir algo completamente diferente. E, no momento, não está nem um pouco claro o que isso tudo vai acarretar.

Assenti, em silêncio. Todos os sintomas da patologia estavam presentes: as extravagantes teorias conspiratórias, as advertências funestas, o prazer secreto que isso proporcionava.

— E mesmo assim você se considera um otimista — eu disse.

John deu um sorriso lúgubre, como se tivesse percebido o tom de tristeza em minha voz.

— Sim. As pessoas não acreditam quando digo isso, mas o meu otimismo vem da impressão de que é possível mudar tudo. De que tem bastante gente interessada por aí, muitas instituições e tecnologias, e de que nós realmente podemos mudar as coisas se nos convencermos de que é necessário.

— Podemos resolver qualquer problema — repliquei, com um tom amargo.

— Realmente acredito nisso. Mas a experiência tem nos mostrado que é preciso que um problema global de grandes proporções ocorra para tomarmos uma atitude. É por isso que digo que o próximo grande desastre irá catalisar o próximo estágio da nossa evolução.

— Mas já somos evoluídos — argumentei. — Temos a internet e a comunicação via satélite e noticiários 24 horas. Como poderia haver uma guerra mundial?

Pensei em usar meu argumento favorito: a "mudança de paradigma". As palavras "mudança" e "paradigma" quase sempre deixavam meus oponentes desorientados e confusos, incapazes de encontrar uma resposta adequada. Até onde eu sei, a história era uma linha reta, subindo na diagonal. Se você achasse que a vida não tinha direção ou era cíclica ou, pior ainda, levemente triangular, tudo perdia o sentido.

Não era à toa que Elkington parecia deprimido. Seu delírio já estava em estágio avançado. Melhor não provocar pessoas assim. Melhor deixá-los em paz.

Eu me levantei.

— A história nos torna um pouco mais realistas — disse o intelectual, estendendo a mão. — A não ser que você decida adotar uma visão romântica. Há marés altas e marés baixas, e acho que estamos entrando num período em que as coisas ficarão bem difíceis.

Dei um breve sorriso e corri escada abaixo. Meu prazo para trazer alguma luz para a vida miserável dessas pessoas era curto. O que eu precisava agora era encontrar gente que pensava como eu, gente que realmente me ajudaria a virar a maré.

Por sorte, John Bolton — diplomata americano e um dos idealizadores da guerra no Iraque — estava na cidade. Há anos que eu vinha querendo me encontrar com um neoconservador. Assim como eu, eles eram incompreendidos e, assim como eu, viam a história como um progresso contínuo em direção à democracia e à liberdade, em vez de um círculo vacilante e desorganizado. Não tinham medo do poder: conheciam seu valor. E Bolton era o neoconservador supremo. Durante 15 meses tumultuosos, John foi o embaixador de George Bush na ONU, um homem determinado a imprimir a visão e a autoridade da América em um planeta hesitante e confuso. Era um homem com quem eu poderia conversar.

Fechei a porta do quarto. Não queria que meu pai soubesse do encontro, não por vergonha, mas porque queria evitar confusões desnecessárias. Nem todos têm a sutileza mental necessária para apreciar a América corretamente, sobretudo os liberais, paralisados em uma atitude de ressentimento impotente contra as classes dominantes. Eu, é claro, tinha nascido para ser um dos que comandam, não um dos que reclamam. E foi assim que me vi estendendo a mão, em um gesto de amizade e solidariedade, a um de nossos aliados mais leais. Logo o mundo iria saber que eu era um deles. Ninguém mais ousaria me chamar de ingênuo.

O embaixador Bolton passaria poucos dias na cidade, por isso me hospedei em uma suíte no Hilton e combinei com seus seguranças para encontrá-lo às 15h no salão York. Eles me ligaram várias vezes remarcando, aparentemente por questões de segurança e para despistar qualquer ativista que pudesse ter grampeado o telefone do meu pai.

Enfim, apertamos as mãos sobre o mogno lustroso da mesa de reuniões. A equipe de John nos deixou a sós, trancando a porta ao sair.

— Vossa Excelência.

Ele deu um breve sorriso sob seu bigode longo, de pontas recurvadas. Era um homem atarefado e estava na Inglaterra para se encontrar com seus correligionários do Partido Conservador — neoconservadores e homens sem meias-palavras como ele — e alertar sobre a ameaça iminente representada pelo Irã.

— Espero que a segurança esteja dentro dos seus padrões.

Fiz um gesto que abarcava a sala de reunião, armada como um navio de guerra, com fileiras impecavelmente arrumadas de papéis e lápis.

— Estou certo de que sim — respondeu, tossindo e olhando para o relógio.

— Acho que os EUA têm sido terrivelmente mal-interpretados — eu disse, passando a mão na cabeça. — Só porque as coisas não deram certo no Iraque, todo mundo supõe que os americanos sejam vilões, criminosos... que fizeram isso em proveito próprio. — Sacudi a caneta. — Quando, na verdade, eles são extremamente idealistas e agem pelo bem do planeta!

Bolton afundou o queixo no pescoço. De que todos tinham tanto medo? Ele era apenas um diplomata, bem-intencionado como outro qualquer, não um gângster ou um "criminoso de guerra". Ele estava bebendo água com gás!

— Meu objetivo, embaixador, é lembrar ao mundo que ainda existem razões para o otimismo, que as coisas estão sob controle e que tudo está indo como planejado. Acho que a direita americana traz uma mensagem de esperança que é totalmente abafada pelos noticiários pessimistas. Quero restaurar o otimismo no mundo!

Ele riu, constrangido.

— Bem, vamos ver no que vai dar.

Eu me inclinei sobre a mesa.

— Quais são as boas-novas? Qual é o foco desta vez?

Bolton fixou os olhos no centro da mesa.

— É preciso analisar o momento atual dentro do contexto — respondeu, falando rapidamente —, que é o do fim da Guerra Fria e também da vitória sobre o comunismo, do colapso da União Soviética e do fim da ameaça de aniquilação nuclear.

Dei um suspiro de alívio. Finalmente encontrei alguém que compartilhava das minhas opiniões!

— A proliferação de armas de destruição em massa nas mãos de terroristas ou países perigosos continua a ser uma séria ameaça, mas é uma ameaça bem diferente do que viver sob a certeza de destruição mútua.

— É o que tenho dito!

— A verdade é que, vencidos esses desafios, parece que finalmente poderemos cuidar das nossas vidas sem nos preocuparmos com essas ameaças constantes. O que não quer dizer que o mundo inteiro se encherá de lanchonetes do McDonalds, mas... — Bolton se calou, e seus olhos se apagaram como telas de televisão.

— E o terrorismo? — perguntei.

— Fizemos progressos consideráveis em relação ao terrorismo — ele disse, cordialmente. — Não houve outros ataques em território americano desde o 11 de setembro.

— Mas e Heathrow, embaixador, não sei se o senhor soube...

Seus olhos se suavizaram. Ele sabia do que eu estava falando. Estávamos juntos nessa.

— Sempre que enfrentamos uma longa batalha contra esse tipo de ameaça — ele disse —, não podemos esperar resultados do dia para a noite. A Guerra Fria durou quatro décadas, mas nos mantivemos otimistas a respeito da vitória do nosso sistema sobre o sistema comunista. No final, saímos vitoriosos de fato.

— Eles dizem... — baixei a voz. — Dizem que 12 malas com bombas estão desaparecidas.

Bolton fez uma pausa.

— Não acho que seja subestimar o nível da ameaça ao dizer que a continuação da luta é importante para nos certificarmos de que a ameaça seja a menor possível.

Anotei, rapidamente, as suas palavras.

— Isso é... isso é muito reconfortante.

— O Irã também é um problema — prosseguiu. — No caso do Irã, devido a quatro anos de uma diplomacia atrapalhada por parte dos europeus, acho que nossas opções agora estão limitadas a uma mudança de regime ou ao uso da força.

— Mudança de regime!

O neoconservador olhou fixamente para a mesa.

— A diplomacia com o Irã é um erro. Acho que muitos na Europa creem que estão além da história e que não há mais desafios externos e, quando esses desafios inevitavelmente surgem, acham que podem ser resolvidos pela diplomacia. O uso da força é, algumas vezes, necessário — seu rosto corou. — Você precisa entender, a ONU é muitas vezes imperfeita e ineficaz. Trabalhei 16 meses lá e conheço bem a organização.

— Como é estar lá? — perguntei.

— Era um ambiente muito vulnerável — ele levantou a cabeça. — Ou seja, havia muitas coisas que precisavam ser corrigidas.

Fiz uma pausa.

— Embaixador, o senhor não acha... Não seria melhor se gastássemos todo esse dinheiro com educação e desenvolvimento? Quer dizer, não poderíamos elaborar uma espécie de plano Marshall para o Oriente Médio? Acho que isso tornaria as pessoas bem mais otimistas.

— Não, eu discordo — retrucou Bolton, com um tom metálico na voz. — A fraqueza não contribui para a paz. A fraqueza encoraja a agressão e contribui para a instabilidade e a guerra. Defesa não é agressão. Defesa é defesa.

— Certo — assenti, rapidamente.

— E muitas pessoas têm dificuldade de entender isso.

— O que o senhor está dizendo é que, por trás de todo o poderio militar, a América é, na verdade, um país muito idealista. Os neoconservadores são otimistas. E ninguém entende isso.

Ele avaliou cuidadosamente minhas palavras.

— Acho que os americanos são, de modo geral, um povo muito obstinado.

— E o senhor?

O embaixador piscou os olhos por um segundo.

— Acho que os americanos são idealistas, mas nem sempre percebem que há uma passagem desse idealismo para efeitos práticos que dele derivam.

É bem verdade, pensei. Ele era um homem modesto e não queria pressioná-lo. Podia imaginá-lo bebendo uma cerveja com o John na varanda da Casa Branca ou, talvez, em algum refúgio discreto na Nova Inglaterra. Ele tinha uma reputação de encrenqueiro. No entanto, lá estava ele, um sujeito comum: um acadêmico de bom coração.

— O senhor ainda mantém contato com o sr. Bush?

Até mesmo George Bush acabaria precisando dar uma mãozinha para difundir o otimismo ao redor do mundo. Ele jamais atingiria o nível de Bill Clinton, mas eu estava disposto a manter a mente aberta. Até George Bush, no fundo, devia ser um cara legal.

Bolton hesitou.

— Tenho conversado com outros membros do governo, mas não com ele.

— O senhor acha que eu deveria tentar encontrá-lo?

— Você poderia tentar.

— O senhor me ajudaria?

— Fico feliz em dizer, hum, você sabe, ele... não faz mal perguntar — Bolton admitiu, timidamente.

— Obrigado — eu disse, olhando para sua autobiografia, que tinha levado para ele autografar. Era intitulada *Surender Is Not an Option* ("Rendição não é uma opção").

— Ótimo título — eu disse.

O embaixador sorriu.

— Rendição não é uma opção.

— Rendição não é uma opção — concordei.

Queria que a Scarlett Johansson tivesse me visto de terno.

CAPÍTULO 3

A julgar pela história, com o tempo a turbulência atual cederá lugar a uma era de relativa estabilidade, uma era em que as estruturas políticas, econômicas e sociais terão, em boa parte, subjugado as novas formas de caos. O mundo alcançará um novo equilíbrio, em um patamar de organização mais alto do que o de qualquer equilíbrio precedente.

ROBERT WRIGHT, *Não zero — a lógica do destino humano*

Depois do meu encontro com Bolton, eu estava impaciente para seguir em frente. Conhecer alguém em uma posição tão elevada, que compreendeu o valor da minha missão, me deu um gostinho do que vinha por aí. Eu não tinha tempo a perder.

Àquela altura, já havia percebido que o pessimismo era mais difundido do que eu imaginava. Não era tanto uma conspiração, mas sim uma doença generalizada e não diagnosticada, um conjunto de suposições que afligia mesmo pessoas relativamente normais. Essas suposições tinham de tal modo saído de controle que pessoas de todas as idades e formações as aceitavam como reais. Comecei uma nova lista no meu bloco de notas.

EM QUE OS PESSIMISTAS ACREDITAM

- O mundo é uma bagunça e sempre o será
- A história é circular — um desastre após o outro
- As pessoas não são confiáveis — sempre darão um jeito de bagunçar as coisas
- Não há luz sem escuridão, nem felicidade sem sofrimento
- Sempre haverá guerra e pobreza
- Injustiça e corrupção são coisas da vida

Compreendi que tais suposições negativistas sobre a vida eram a causa de toda a nossa infelicidade. Eram compartilhadas por pessoas de todas as orientações políticas, nacionalidades e faixas etárias. Percebi que os pessimistas não eram apenas os socialistas maníaco-depressivos com complexo de inferioridade, como antes achava. Eram qualquer um que acreditasse nessas coisas mentirosas e profundamente cínicas sobre o mundo.

Foi deprimente constatar como essas crenças eram realmente abrangentes, mas eu estava eufórico por saber que o mundo secretamente ansiava pela cura. Aliás, não era impossível que eu ganhasse o Nobel da Paz pelo meu trabalho. O pessimismo era como um vírus, concluí. As suposições que o sustentavam — tão irresistíveis, tão convincentes e tão tentadoras — passavam de indivíduo para indivíduo, invadindo seus corpos e fazendo-os crer em tudo o que liam no *Daily Mail*. O problema era que a maioria das pessoas aceitava essas crenças sem ao menos questioná-las. Em outras palavras, estavam tão acostumadas a se sentir mal com relação a tudo que *nem se davam mais conta disso.*

O que levava aos sintomas clássicos do pessimismo:

O QUE OS PESSIMISTAS TEMEM

- Logo vai faltar de tudo
- O meio ambiente vai entrar em colapso
- A sociedade, a cultura e a educação estão se desintegrando
- A taxa de crimes vai aumentar a cada ano, para sempre
- Seremos exterminados por bioterroristas
- A catástrofe nuclear é inevitável
- O capitalismo vai devorar a si mesmo e, depois, entrar em colapso
- A tecnologia vai nos subjugar

...e todas as outras coisas na minha lista. Não era de se estranhar que não quiséssemos sair da cama de manhã.

Eu estava no terraço da British Library, aproveitando o calor do sol em meu rosto. Àquela altura, minha lista tinha evoluído para uma matriz 2 x 3 de referências cruzadas, com suposições e diferentes "tipos" de otimistas. Calculei que levaria mais de seis anos para solucionar todos os itens da lista nova, levando em conta a velocidade com que novos problemas vinham se acumulando. Ao final, eu teria 40 anos. Ou estaria morto.

Talvez estivesse tentando fazer coisas demais ao mesmo tempo.

E se mudasse de abordagem? E se, em vez de trabalhar com uma complicada matriz de referências cruzadas de problemas e especialistas, simplesmente entrevistasse pessoas famosas? Não seria mais fácil? Não precisariam ser extremamente famosas, apenas interessantes o suficiente para atrair a atenção do público. É bem verdade que essas pessoas talvez não fossem os otimistas ideais que eu havia planejado conhecer, mas Tim Smit também não era. Agora que eu estava oficialmente escrevendo um livro, tinha uma desculpa perfeita para me aproximar de quem eu quisesse.

Qualquer um.

A primeira coisa que fiz foi enviar um e-mail para o presidente do Irã, o sr. Ahmadinejad. Ouvi falar que ele tinha seu próprio blog e que às vezes respondia aos e-mails. No fundo, certamente era um cara legal. Se eu conseguisse que o agitador de Teerã dissesse algumas palavras sobre o choque de civilizações, seria um golpe de mestre. E se ele não fosse um otimista, eu o converteria. Talvez conseguisse promover o encontro do presidente agitador com os neoconservadores linha-dura. Talvez conseguisse, pessoalmente, negociar o fim do impasse.

Escrevi:

> Caro senhor,
>
> Estou escrevendo um livro sobre os otimistas mais proeminentes do mundo. Gostaria de entrevistá-lo, já que acredito que o senhor tem sido muito mal-interpretado pela mídia ocidental. Temos muitas coisas importantes para conversar — e podemos fazer isso por telefone.
>
> Atenciosamente,
> Laurence Shorter

Também mandei uma carta para o príncipe Charles. Era outro que tinha sido mal-interpretado pela mídia e daria uma contribuição importante para a restauração do otimismo. Graças ao nosso interesse mútuo em iogurtes orgânicos e mulheres da alta sociedade, imaginei que o príncipe e eu nos tornaríamos bons amigos.

E, por fim, decidi, estava na hora de um pouco de glamour.

Naquela mesma noite, encontrei com um amigo que trabalhava para uma instituição beneficente dedicada a conscientizar as pessoas sobre a aids e outras doenças sexualmente transmissíveis. Escutei pacientemente enquanto ele descrevia os desafios para prevenir doenças em países do Terceiro Mundo — um assunto essencialmente deprimente. Então fiz a pergunta que havia promovido aquele encontro.

— Dave, você não me disse uma vez que havia uma atriz de Hollywood trabalhando para a PSI?

— Você quer dizer a Ashley Judd? — perguntou ele. — Ela é uma das nossas embaixadoras globais.

— Ashley Judd! — eu disse. — É ela mesma.

Senti meus olhos brilharem. Não tinha certeza de quem Ashley era, mas o nome me soava familiar. Havia um brilho nele e parecia trazer um significado pessoal.

— Você acha que eu poderia...?

— Claro — ele disse. — Por que não?

Fui pesquisar sobre a Ashley na internet. De fato, era uma atriz de Hollywood, de fato trabalhava para a PSI. Tinha mais ou menos a mesma idade que eu e era uma grande estrela. Senti uma conexão imediata. Ashley tinha o mesmo ar sereno e a mesma inteligência que a Scarlett. Meu cérebro vislumbrou um possível futuro: nós dois tomando café da manhã, dando longos passeios nas Terras Altas da Escócia, conversando noite adentro sobre Hegel e Kierkegaard.

Ashley estava predestinada a se entusiasmar pelo conceito de otimismo. E ficaria lisonjeada, com certeza, pela oportunidade de me ajudar a salvar o mundo do pessimismo.

Dave me deu o número da agente dela em Los Angeles.

— Você tem uma parceria? — perguntou a agente. — Um editor, um patrocinador qualquer?

— Ah, certo — disse. — É claro. Estou desenvolvendo este projeto com a BBC. E tenho um amigo no Channel 4.

Aquilo era um pequeno exagero. Mas estava aplicando um conceito que aprendi na autobiografia de Tim Smit — a "verdade futura": algo que ainda não é verdadeiro, mas que será em breve. Se eu conseguisse fazer com que Ashley participasse do livro, tinha certeza de que a BBC e o Channel 4 iriam se interessar. E muitas outras coisas poderiam acontecer! Seria como uma bola de neve: um otimista famoso levaria a outro. Ashley me convidaria para conhecer seus amigos em Los Angeles, e o projeto iria decolar.

A agente concordou em marcar uma entrevista por telefone. Combinamos a hora e o dia. Sentei e fiquei olhando para o aparelho.

Finalmente, o telefone tocou.

— Ashley! — gritei.

Havia cachorros latindo ao fundo.

Eu a imaginei sentada frente a janelas abertas para uma varanda, admirando o pôr do sol.

— Que horas são aí?

A voz de Ashley era calma e gentil.

— Está cedo — ela disse —, mas tudo bem. Estou sempre disposta a conversar sobre o meu trabalho. Além disso, estou com *jet lag*. Acabei de voltar da Índia.

— Uau! — eu disse. — Você estava de férias?

Sua voz ficou áspera e séria.

— Fui dar assistência às trabalhadoras do sexo.

— O.k....

— Passei três dias em bordéis com garotas adolescentes escravizadas para trabalho sexual.

Engoli em seco.

— Estou ouvindo latidos — eu disse, tentando mudar de assunto. — Você gosta de cachorros?

— Sim — disse ela. Houve uma pausa constrangedora. — Então... você está escrevendo um livro sobre o otimismo?

— Quero mudar o modo como as pessoas pensam... É por isso que queria conversar com você, para que pudéssemos... talvez... — Silêncio do outro lado da linha. — Então, você é uma otimista?

— Ah, sou, sim — disse Ashley —, do contrário não poderia fazer o que faço.

— E o que você faz exatamente?

— O que fazemos nesses lugares — ela disse — é estender a mão aos pobres, com mensagens esperançosas e eficazes que os ajudem a mudar de vida, focadas em uma educação sexual correta do ponto de vista médico.

— Legal... — eu fiz uma pausa. — Então você é otimista?

— Só o fato de estarmos fazendo esse trabalho já é motivo de esperança. Há vinte anos, esses problemas eram varridos para baixo do tapete. Por outro lado — ela suspirou —, a prostituição é a terceira maior indústria do mundo. E está ficando cada vez mais brutal com o envolvimento do crime organizado, o que carrega junto uma extrema violência física.

— Certo.

— E a aids é um problema sério por lá: a Índia tem mais portadores de HIV do que qualquer outro lugar do mundo.

— Mas está tudo indo bem? — gaguejei.

A voz de Ahsley estalou no telefone.

— Conheci crianças vivendo em quartos fedorentos, onde suas mães ganhavam um ou dois dólares para fazer sexo com bêbados. Conheci casais de Bengala Ocidental que foram a Bombaim para que a esposa entrasse no mercado do sexo. Passei uma temporada em um bordel onde as garotas são, literalmente, escravas. Estou falando de uma favela de um milhão de pessoas. Nossos voluntários vão até lá, cuidam da saúde das garotas, fazem o que podem para educá-las.

— Estou escrevendo um livro sobre o otimismo — lembrei a ela.

— Veja as coisas da seguinte forma — disse Ashley. — O dia em que fui para aquelas favelas foi o melhor da minha vida. Passei três dias seguidos em bordéis com mulheres que haviam sido recentemente sequestradas para trabalho sexual, que fazem xixi num canto, em um balde ou no ralo, e foi o melhor dia da minha vida.

— Mesmo?

— Quando estou numa situação assim, eu penso: onde está a pessoa mais suja, mais doente, mais repugnante? É essa a pessoa que eu quero abraçar. Quanto mais repelente e detestável, melhor: eu me sinto bem.

Fiquei arrepiado.

— Você pode explicar... por quê?

— Bem, apesar de a minha situação não ser de modo algum comparável à daquelas mulheres, eu já sofri e consigo me identificar com elas. Posso dizer, com convicção, que essas pessoas não são diferentes de mim. O bem coexiste com o mal dentro de mim.

Senti um calafrio subindo pela minha espinha.

— Eu domino totalmente o meu lado obscuro — ela continuou — porque vivi nele durante muito tempo, antes de começar a me recuperar. Eu tinha muito ódio, e isso estava me devorando. Quando finalmente comecei a aceitar e a lidar com a minha raiva, descobri que poderia transformá-la nesses dons que me dão força. Por outro lado, sinto que estou diante de uma força maior quando faço esse trabalho, uma graça divina e uma luz que me fazem sentir protegida. É uma razão fundamental pela qual sou otimista. Hoje realmente acredito que tudo acontece para o meu bem maior.

Estremeci. Senti vontade de sair correndo para a rua e achar alguém normal para conversar — um policial, talvez, ou uma mulher com um carrinho de bebê.

— É claro que eu nunca me permitiria dizer algo assim para uma escrava sexual. Já é suficientemente agressivo estar na situação em que elas se encontram; sugerir que isso possa ser parte de um renascimento espiritual seria o máximo da insensibilidade.

— Mas podemos aliviar esse sofrimento — eu disse. — Podemos achar soluções.

— Pessoalmente, acredito que o sofrimento vai sempre existir. Aprendi a aceitar isso.

Larguei a caneta.

— Acho que temos concepções diferentes de otimismo — eu disse.

— Pode ser, mas o que aprendi foi isto: aceite a si mesmo e aceite o lado ruim. Deus é amor, portanto, se fizermos coisas com amor, se estivermos cheios desse amor, se amarmos a nós mesmos e deixarmos esse amor fluir, isso irá nos colocar no caminho certo para alcançar toda a paz e a serenidade possíveis nessa vida.

Houve uma longa pausa.

— Obrigado, Ashley. Acho que é melhor desligar.

— Espero ter sido útil.

— Muito — eu disse.

Desliguei o telefone e saí de casa. Por que tinha a impressão de que Ashley tinha invalidado todo o meu projeto? Em vez de nos darmos bem, como eu esperava, a conversa tinha sido difícil e tensa quase desde o começo. E o que é pior, a atriz tinha adicionado novos problemas à minha lista — prostituição e escravidão sexual — em que nem mesmo eu tinha pensado antes.

Andei de um lado para outro na rua. Ashley falava como se ser otimista tivesse algo de ingênuo, como se o sofrimento, a escuridão e o negativismo fossem coisas boas que devíamos aceitar como parte da vida.

Mas era justamente contra isso que eu estava trabalhando. Não preciso aceitar essas coisas.

Estava no meio de uma manhã, sentado no saguão refrigerado e discreto da McKinsey & Co., esperando que a recepcionista me chamasse. Que alívio! McKinsey era uma firma de consultoria empresarial com escritórios espalhados por todo o mundo. Seus analistas eram conhecidos por sua frieza calculada e seu profissionalismo. Estirei as pernas e aspirei o reconfortante cheiro de papel caro e luminárias de aço escovado. O ambiente parecia monástico e pacífico, distante do caos e da estupidez do mundo lá fora. Bastava observar a tipografia elegante e a qualidade do papel na brochura da empresa para lembrar por que eu estava ali.

Depois da conversa com Ashley, decidi mudar de rumo, seguir na direção radicalmente oposta. De que me adiantavam a fama e a celebridade? Era lá, no nível mais alto dos negócios — em que a política, a sociedade e as ideias se encontravam e o destino do mundo era decidido em salas discretas por pessoas educadas e inteligentes —, era lá que eu encontraria alguém que me entenderia.

A recepcionista me entregou um crachá. Observei seus elegantes sapatos de salto alto cruzando o assoalho. Assim era o mundo dos negócios: pessoas felizes, psicologicamente equilibradas, prestando serviços de alta qualidade. Não havia lugar para a escuridão e a ambiguidade aqui. Não havia espaço para a miséria e o sofrimento!

Eu era um otimista, ora bolas! Estava em busca do *lado bom* das coisas.

Subi pelo elevador, admirando as paredes de vidro do prédio. Se havia alguém capaz de perceber que faltava alguma coisa nesse mundo — algo óbvio e simples — seria Ian Davis.

Ian era o CEO da McKinsey. Ouvi falar dele ao ler um artigo que escreveu sobre o "contrato social" entre o mundo dos negócios e a sociedade, no qual argumentava que as empresas precisavam começar a se considerar guardiãs da sociedade e do meio ambiente — não apenas porque era correto, mas para seu próprio benefício financeiro. Ian era a prova viva de que os negócios estavam evoluindo na direção certa, de que as multinacionais, no fundo, atendiam aos grandes interesses da humanidade, apesar das desconfianças da maioria dos europeus. Lembrei-me do que Tim havia dito: que as pessoas que dirigiam empresas ao redor do mundo eram legais, gente como a gente. Este era o cerne da questão. Mas ninguém via isso.

Ian me recebeu com um sorriso.

— Estou encantado com a sua pergunta. Gostaria de dedicar a ela a devida atenção — sentou-se à minha frente. — A melhor maneira de enriquecer este debate é com exemplos históricos. Há indícios contundentes de que, sob muitos aspectos, a condição humana melhorou imensamente. É claro que ainda há pobreza, depressão e problemas horrendos, mas eu escolheria tranquilamente viver neste século, em vez de qualquer outro.

— É verdade!

Até que enfim encontrara um otimista que tinha embarcado no projeto. Talvez pudéssemos começar a trabalhar juntos. Talvez Ian me convidasse a me juntar a ele como palestrante em sua próxima mesa-redonda no Fórum Econômico Mundial.

— E por que a condição humana melhorou tanto? — refletiu o CEO. — A ciência e a tecnologia tiveram papel de destaque, a disponibilidade e a difusão do conhecimento também contribuíram, assim como a mídia. O que impulsionou tudo isso? De modo geral, as pessoas que acreditaram que as coisas poderiam mudar para melhor.

— Concordo plenamente.

Eu me senti radiante por estar de novo na companhia de seres inteligentes — pessoas que não me achavam esquisito por usar frases longas com orações intercaladas e alusões à Lei de Moore sobre a eficiência dos microprocessadores.

— Mas ninguém parece entender isso — eu disse. — Há essa suposição negativa que as pessoas têm, de que nada de bom pode acontecer sem algo de ruim em contraponto, de que o progresso é sempre prejudicial, de que não existe luz sem trevas. Conversei com uma mulher no começo da semana...

Fiz uma pausa para tomar fôlego. Meus olhos estavam começando a se encher de lágrimas, como se eu finalmente tivesse encontrado o caminho de casa depois de anos errando pelo deserto.

— São duas visões de mundo totalmente antagônicas. E as pessoas não se dão conta disso! Mas a história nos mostra que a sociedade é uma evolução contínua em que há cada vez mais cooperação entre as pessoas, impulsionada pelas inevitáveis vantagens da cooperação. O atual sistema global de mercado livre é apenas a mais avançada manifestação disso!

— Sim — disse Ian. — Sim, entendo o que você quer dizer. Mas pode-se argumentar também que a tecnologia e os negócios estão evoluindo rápido demais. A condição humana não está se movendo tão rápido — uma das fontes de tensão no mundo é que as técnicas e as tecnologias sociais não conseguem acompanhar as outras formas de tecnologia.

Ele tomou um gole de água.

— Como você define o otimismo? Qual é o seu referencial teórico? É filosófico, histórico, sociológico?

Os olhos penetrantes e analíticos de Ian pareciam perfurar minha cabeça. Senti minha língua ficar pesada.

— É uma mistura de coisas. É a crença de que as coisas estão melhorando, de que a humanidade está evoluindo.

Ele franziu a testa.

— Acho que o seu referencial precisa ser um pouco mais trabalhado.

— Bem, eu venho trabalhando nele — eu disse. — Tenho trabalhado bastante nele.

— A pergunta que me faço é: quais são os pré-requisitos *para que uma crença positiva* possa se manter? Quando o otimismo não dá certo, pode gerar cinismo ou um sentimento de desespero.

— Claro — eu disse. — Claro. Com certeza.

Ian examinou sua caneta como se fosse um instrumento científico de alta precisão.

— Uma crença positiva é uma condição necessária, mas não suficiente para o sucesso. Não é uma garantia.

— Bem... — discordei.

— E você não mencionou a palavra "risco" — prosseguiu. — Que é diferente de pessimismo. Você pode ser um otimista e ainda assim ter um sentimento genuíno de risco. Não se deve confundir as duas coisas.

Eu pisquei.

— Devo confessar que estou um pouco insatisfeito com o termo "otimismo" — prosseguiu ele.

— Está?

Olhei pela janela para a calçada lá embaixo. Havia uma mulher perambulando sob o sol. Senti uma súbita pontada de inveja.

— Estou — disse Ian. Prefiro a expressão "crença positiva". É menos propensa a interpretações errôneas. A questão é... — ele se reclinou na cadeira, olhando fixamente para a caneta — ...se as tecnologias sociais não estão acompanhando as outras formas de tecnologia, estaremos sempre em perigo iminente? Se você olhar para trás, verá que a história é repleta de progressos descontínuos. — Ele olhou para mim. — Nem sempre o progresso é linear. E agora, devido ao nosso potencial tecnológico, progressos descontínuos podem significar o fim.

— O fim!

— Bem, é binário, não é...? O problema agora é que a tecnologia permite que o negativismo se expresse em uma dimensão catastrófica. Portanto, basta um rebelde, um dissidente sair da linha e... bum! Meu argumento é que agora, e durante os próximos cem anos, estaremos à beira de um desastre. Por isso é tão importante que os benefícios da crença positiva sejam inculcados na vasta maioria da população mundial. Porque, se o mundo é, em sua maioria, otimista, mas tem focos profundamente pessimistas... — ele parou. — Isso pode ser pior do que se todo mundo tiver um sentimento negativo.

— Sim — eu disse —, é isso mesmo. Eu me levantei e sacudi lentamente a mão dele.

— Acho que você está no caminho certo — disse o CEO. — Você só precisa de mais clareza em sua abordagem, mas realmente acho que está no caminho certo.

Saí andando pela Kensington High Street, arrebatado pelo êxtase da pura inteligência mental. Eu me sentia como se estivesse flutuando levemente sobre a calçada.

O projeto otimista não era sobre listas de problemas nem pessoas famosas. Era sobre redefinir o próprio conceito de otimismo. Eu precisava desvendar essa qualidade inefável do otimismo e divulgá-la para o mundo. Precisava desenvolver meu próprio referencial teórico. Talvez pudesse encontrar esses "pré-requisitos para o otimismo" aos quais Ian se referia, e depois tudo daria certo. Se conseguisse fazer isso, conforme Ian deu a entender, as portas da McKinsey e da Davos e da Fundação Clinton e todos esses outros locais maravilhosos — uma vida totalmente nova e extraordinária — se abririam para mim.

Até lá, uma coisa era certa. Se o pessimismo estava nos pondo em risco de aniquilação nuclear, como Ian sugeriu, então os Harold Pinters e John Elkingtons deste mundo não eram apenas uma irritação passageira. Eram um perigo para a humanidade.

CAPÍTULO 4

Nada é intrinsecamente bom ou ruim; nós é que atribuímos essas qualidades.

WILLIAM SHAKESPEARE, *Hamlet*

O dia estava ensolarado, mas senti que vinha chuva. Dei uma espiada no quarto do meu pai. O cheiro de silício e adesivos *post-it*, a escrivaninha, a frieza masculina: o gabinete do meu pai, como sempre fora. Ele havia desligado o aquecedor de novo.

— Tudo bem? — perguntei.

— Estou deprimido! — ele respondeu. *É claro*, pensei. — Acabei de gastar mil libras neste laptop e a banda larga não funciona.

— Tenho certeza de que vai funcionar.

— E eu tenho certeza de que *não vai*. Já passei duas horas pendurado ao telefone com a central de atendimento.

Sentei e olhei para o computador. Ele tinha razão. Ali, onde luzinhas verdes deveriam estar piscando, havia apenas um espaço vazio.

— Mas por que você deixa isso te irritar? — argumentei. — É apenas um computador.

— Não é "apenas" coisa nenhuma — ele subiu as escadas com o passo pesado. — É sempre a mesma coisa. Tudo dá errado!

Olhei, amargurado, para o monitor. Por que meu pai perdia o ânimo tão facilmente? E por que eu era tão incapaz de animá-lo? Era tão óbvio para mim que ninguém deveria se aborrecer tanto com acessórios defeituosos de computador. Principalmente acessórios de computador da Dell. Mas mesmo assim não havia nada que eu pudesse fazer para animá-lo. Fiquei sentado por um tempo na cadeira do meu pai, sentindo todo o peso de sua frustração e desgosto.

Lá em cima, o sol brilhava sobre a minha escrivaninha. Voltei ao trabalho, com a determinação de um viciado. Eu precisava trabalhar com mais afinco, fazer ligações, visitar pessoas. Precisava fazer as coisas acontecerem. Percorri com o dedo minha lista de problemas e otimistas. Não tinha certeza se ainda precisava de uma lista — não depois de conhecer Ian Davis e ouvir sua opinião sobre os "pré-requisitos para o otimismo" —, mas era tudo o que eu tinha. E eu já havia traçado alguns planos. Um deles era o de conversar com Jung Chang, autora de *Cisnes selvagens*, um best-seller autobiográfico ambientado na China durante a Revolução Cultural maoista.

A China era o 23º item na minha lista e um obstáculo importante na minha jornada em direção ao otimismo. Mesmo que eu tivesse êxito em redefinir completamente o referencial teórico do pensamento positivo, o problema da China comunista perduraria, pairando ao fundo e impedindo que me sentisse tranquilo e feliz em relação ao futuro. Isso provavelmente me preocupava mais do que deveria, já que o país ficava a mais de 8 mil quilômetros de distância. Mas havia algo sobre a mera existência do país que me assustava. Porque, mesmo que todo o resto desse certo no século XXI, sempre haveria o Estado chinês para me atormentar — uma cultura estranha que não respeitava os direitos humanos, tinha uma péssima culinária e 99% de chances de se tornar a próxima superpotência mundial. Havia algo de apavorante quanto àquele lugar, algo vasto e inexplicável que me fazia sentir pequenino, impotente.

Eu não gostava dessa sensação.

— Estou preocupado — eu disse para Jung Chang. — Os chineses parecem tão diferentes de nós.

Jung desaprovou. A julgar por sua voz calma, ninguém diria que ela esteve em um campo de trabalhos forçados. A raiva mal podia ser percebida, como pregos sob um tapete.

— As pessoas têm a impressão de que a vida humana tem menos valor na China, de que os direitos humanos são um conceito ocidental. Não é verdade! Ao contrário, o confucionismo põe o ser humano no centro de sua filosofia. Os chineses sempre foram individualistas. De fato, são individualistas até *demais*.

— É mesmo?

Eu nunca havia pensado nisso desse modo. Então eu me lembrei do entregador do restaurante chinês que ficava perto de casa. Ele tinha olhos sonolentos e insolentes, como se passasse as noites em claro treinando para matar pessoas com seu *nunchaku*.

— Mesmo que sejam individualistas, parecem patrióticos demais. Ouvi dizer que os chineses veem todos os estrangeiros como bárbaros — respondi.

Estremeci ao imaginar o tratamento que dispensariam a escritores e visionários como eu.

— A China não é um Estado militarista — disse Jung, em tom confortador. — É improvável que um dia se torne um país agressivo e expansionista. Não vai lançar nenhum tipo de cruzada para invadir o resto do mundo.

— Mesmo?

— É impensável!

— E Taiwan? — eu perguntei. — Não é um problema?

— Se Taiwan reivindicasse a independência, receio que o governo chinês usaria a força, e isso seria desastroso para todo o mundo — ela admitiu.

Fitei, com tristeza, as minhas mãos.

— Mas uma guerra gigantesca seria desastrosa, sobretudo para o *governo*, porque o próprio governo poderia cair. Pense na política do "filho único": a medida imposta pelo estado que força cada família a só poder ter um filho. É extremamente drástica e tem causado enorme sofrimento, mas também é a política de um governo não militarista. Portanto, guerra é a última coisa que eles querem.

— Aham! — eu disse, percebendo minha opinião sobre a China mudar lentamente.

Conversamos por mais meia hora. Senti que Jung estava aos poucos se entusiasmando com o assunto. Modestamente, creio, eu estava ajudando a criar um entendimento entre essas duas grandes e nobres culturas.

A primeira providência era contar para o meu pai. Mais uma prova de que o mundo estava no caminho certo, muito mais do que pensávamos. E agora a China! Logo não haveria mais preocupações, nada que nos impedisse de ser otimistas o tempo todo.

Bati na porta do gabinete do meu pai. Ele ainda estava debruçado sobre o computador, suas sobrancelhas retorcidas em formatos estranhos e aflitos.

— Ei, papai, acabei de falar com a Jung Chang!

— Que bom — respondeu ele, digitando no computador. Esperei que ele dissesse algo mais, mas estava totalmente absorto. — Presumo que você não entenda nada sobre protocolos de configuração de redes sem fio, não é?

— Não, papai.

Xanthe foi me visitar naquela tarde. Só nos conhecíamos há uns dois anos, mas já parecíamos velhos amigos. Acho que despertávamos o que havia de melhor um no outro. Ela era muito atarefada e sociável. Eu era sossegado e caseiro. Eu era uma pessoa aberta, generosa e otimista. Xanthe era uma pessimista que, para piorar, era também jornalista. Surpreendentemente, isso não nos impedia de discutir sobre diversos assuntos sem que perdêssemos a compostura. Sobretudo eu.

— E se não forem os problemas que impedem as pessoas de serem otimistas, mas o modo como as pessoas pensam sobre as coisas? — refletiu Xanthe.

— Como assim?

— Bem, muitas vezes me pergunto por que não sou otimista e às vezes acho que deve ser algo psicológico. Sabe, o modo como meu cérebro funciona. — Ela mexeu o chá na xícara. — Talvez você devesse ver as coisas por esse lado.

— Não sei. Acho que o que estou procurando é algo mais simples. É algo que todos nós temos, mas que todo mundo diz que não devemos ter. É isso que estou tentando mudar.

— E aí, está funcionando? Você está se sentindo melhor?

Meus olhos se fixaram na parede.

— Bem, estou. Na maior parte do tempo.

— Acho que isto realmente pode te ajudar — disse Xanthe. — Você já ouviu falar em Martin Seligman? É um psicólogo americano. Muito famoso.

— Por que razão?

— Ele é o especialista mundial em otimismo.

— *Especialista* mundial?

Olhei para o meu chá. *Eu* é que deveria ser o especialista mundial em otimismo.

— Ele é o fundador de um movimento chamado "psicologia positiva" e um dos pioneiros da terapia cognitiva.

— Terapia cognitiva?

— É, eles acreditam que a ansiedade e a depressão são geradas pelos nossos pensamentos: tudo se resume a isso. Era o que eu queria dizer antes.

— Certo — disse. — Talvez eu dê uma olhada, então.

Uma semana depois, esse tal de Martin Seligman tinha uma viagem marcada da Filadélfia para York, onde daria uma palestra. Descobri isso em seu site. Eu não precisava admitir isto para Xanthe, mas ela estava certa — eu tinha a obrigação moral de conferir quem era esse cara. *Especialista mundial.* Decidi que iria de trem até lá e me sentaria no fundo da sala. Seria menos um encontro do que uma espiadela. Imaginei que Seligman sendo um psicólogo e eu um humanista teríamos algo a contribuir um com o outro.

Rumo ao norte, folheei, sem muito interesse, o livro de Seligman: *Aprenda a ser otimista.*

> Cada um de nós tem seu próprio "estilo explicativo"... um modo de pensar sobre as causas dos eventos que ocorrem em nossas vidas. A base do otimismo não reside em afirmações positivas nem em imagens de vitória, mas na maneira como pensamos sobre as causas.

A maneira como pensamos sobre as causas.

Gostei. Seligman deixou claro que, em seu sistema, as emoções reprimidas e a inveja do pênis não eram lá grande coisa. O que significava, ele sugeria, que os freudianos já eram. Essa era uma boa notícia. Sempre antipatizei com os freudianos. Para vencer a guerra contra o pessimismo, eles teriam que ser os primeiros a serem derrotados, junto com seus divãs de couro, seus consultórios em Hampstead e sua visão deprimente da natureza humana. Eu estava convencido de que Freud tinha arruinado os cérebros outrora perfeitos de Harold Pinter e do meu pai.

Talvez esse Seligman fosse mais esperto do que parecia. Assim como eu, Seligman clamava por mais otimismo. Assim como eu, via as crenças negativas como despropositadas e destrutivas. Por outro lado, o doutor parecia pensar que essa mudança poderia ser feita com uns poucos exercícios básicos. O otimismo — ele escreveu — se resume a três coisas: quando alguma coisa ruim acontece, você: 1) acha que é pessoal; 2) acha que vai durar para sempre e 3) deixa que isso afete outras áreas de sua vida? Se a resposta para essas questões for positiva, você é um pessimista.

Sentei na sala de conferências e esperei pela chegada do grande homem. Um murmúrio de excitação atravessou a sala quando um sujeito corpulento, na casa dos cinquenta anos, se aproximou do pódio.

— Hoje — disse Seligman, com a voz grave — quero lhes falar sobre a felicidade.

Escutei, impaciente, enquanto o doutor descrevia sua busca para descobrir a base científica da felicidade.

— Nós realmente descobrimos que a felicidade é mensurável e que há uma fórmula para isso...

Seligman ligou o projetor de transparências, e todos nós olhamos fixamente para sua fórmula.

SATISFAÇÃO DE VIDA = EMOÇÃO POSITIVA + ENGAJAMENTO + SIGNIFICADO

Alto lá, pensei. Isso é engraçado! Uma *fórmula* para a felicidade. Era isso que eu precisava fazer pelo otimismo.

— Existem atalhos para a Emoção Positiva — disse Seligman. — Você pode tomar remédios, transar, fazer compras —, mas não há atalhos para o Engajamento. A Vida Engajada é quando você está totalmente absorto no que está fazendo e surge quando seus maiores desafios se defrontam com suas maiores forças. E também há o Significado. Os seres humanos inevitavelmente buscam significado e propósito na vida, mas isso só acontece quando você direciona suas forças para servir a um objetivo maior.

Assisti a tudo, impressionado. Para cada uma de suas afirmações, Seligman havia feito uma média de trinta anos de pesquisa clínica. Depois de mais uma hora de complexas explicações, o doutor revelou uma de suas técnicas científicas favoritas para aumentar a felicidade humana.

— Nós a chamamos de Exercício das Três Bênçãos — disse Seligman. — Toda noite da próxima semana, antes de dormir, anote três coisas que correram bem durante o dia. O princípio é que desenvolver a gratidão é um dos principais caminhos para fomentar a felicidade. Esse é um fato comprovado — acrescentou. — As pessoas a quem recomendo esse exercício aumentam sua sensação de felicidade e ela *continua alta* por seis meses.

Um sorriso sorrateiro surgiu no meu rosto. Será que Seligman andava lendo dr. Seuss?

Eu me apresentei a ele no intervalo seguinte. O dr. Seligman passou a vista pelo salão de conferências, que ainda parecia orbitar lentamente ao redor do seu corpo.

— Eu gostaria de sair um pouco daqui — ele disse. — Que tal darmos uma volta pela catedral de York? É umas das catedrais medievais mais belas da Europa.

Os outros participantes nos observaram com inveja enquanto andávamos em direção à porta.

— Gostei do exercício da gratidão, professor, mas...

— Por favor, me chame de Marty.

— Qual é a conexão com o otimismo?

— As Três Bênçãos é um exercício para aumentar a Emoção Positiva sobre o passado. O otimismo está relacionado com a emoção sobre o futuro. Para isso, usamos uma rotina diferente de exercícios.

— Hum.

— O mecanismo básico é simples — disse o doutor. — Se você é um pessimista, desiste fácil; se é um otimista, segue tentando. Os pessimistas apenas têm pensamentos diferentes sobre a adversidade.

Parei.

— Isso é tudo?

— Exatamente. Os pessimistas têm hábitos de pensamento, o que significa que interpretam o fracasso de forma muito negativa. Esses pensamentos negativos criam sentimentos de impotência, que, por sua vez, alimentam a depressão. Os pessimistas tendem a interpretar o azar como algo pessoal. Acham que as coisas ruins acontecem por culpa deles. Também supõem que esses reveses vão durar para sempre e afetar todos os aspectos de suas vidas. Mas se aprendessem a questionar e contestar esses pensamentos, poderiam mudar seu estilo explicativo de pessimista para otimista. — Ele fez uma pausa. — Estamos enfrentando, atualmente, uma epidemia de depressão no mundo ocidental.

— Uma epidemia — repeti.

— A ocorrência de depressão severa é dez vezes maior hoje do que há cinquenta anos. — O doutor baixou os olhos para a calçada. — É por isso que este trabalho é tão importante.

Olhei de relance para ele enquanto caminhávamos pela rua. Talvez o próprio Seligman fosse um pessimista. Se fosse, diferia de todos com quem eu já havia me encontrado. Parecia estar ciente de sua condição. Ele realmente estava *tentando melhorar*.

— Então, esse... esse pessimismo tem cura?

— Sem dúvida — disse ele, com um olhar benevolente. — É uma questão de treino. Você ensina a si próprio a reconhecer os pensamentos negativos que está dizendo a si mesmo *antes de começar a acreditar neles*. Você se torna um perito em contestar suas próprias crenças.

O doutor parou de falar por um momento. Estávamos em frente às monumentais paredes de granito da catedral de York. Ali perto, uma antiga coluna romana se elevava inutilmente no meio da rua.

— Mesmo que os pensamentos negativos sejam verdadeiros, eles raramente são *úteis*. Veja o caso de quem se acha gordo. Talvez sejam, de acordo com a definição de algumas pessoas, mas, para outras, podem parecer normais e atraentes. Ter o pensamento "sou gordo" torna mais improvável que você saia de casa e conheça essas pessoas.

— E quanto a coisas *reais* — perguntei —, como o Osama Bin Laden?

Entramos na catedral.

— Se pedisse a você que descrevesse a melhor e a pior coisa que aconteceram hoje, você gastaria mais ou menos o dobro de palavras para descrever a pior. Isso é porque a evolução deu a você um cérebro que *sempre pressupõe o pior*.

Seligman teve o cuidado de não pisar na lápide de um cavaleiro medieval.

— Ter um cérebro que sempre pressupõe o pior era crucial no período Pleistoceno, quando precisávamos lutar para sobreviver. Mas hoje se tornou uma desvantagem. Também significa que, se você é um político ou um jornalista e quer chamar a atenção das pessoas, é mais fácil se disser a elas o que está errado. É claro que há coisas ruins acontecendo, mas o mais interessante é que quando você dá boas notícias de fato, *as pessoas não acreditam*. O quê? Nós temos três vezes mais... o quê? Há menos poluição? As pessoas no Terceiro Mundo estão enriquecendo?

Ele riu. Nós dois rimos. Que grande sujeito, pensei. Na verdade, ele não era nem um pouco pessimista.

— Não. Sou profundamente otimista. Acho que quando você compara os dias de hoje com o século passado, em que houve duas guerras mundiais, uma grande depressão, o fascismo, o stalinismo... — A voz do doutor ecoou pelas lajes.

Quando chegamos ao fim da nave da catedral, Seligman se voltou e apontou para o altar.

— Você está vendo aquelas gárgulas sobre a abside? Consegue ver a parte de trás de suas cabeças?

Eu forcei os olhos na escuridão, distinguindo a face das gárgulas, com suas carrancas e seus dentes arreganhados e assustadores.

— Só vejo a parte frontal das cabeças. Não têm a parte de trás.

— Exatamente — sussurrou Seligman. — Os artesãos medievais que esculpiram essas estátuas entalharam a parte de trás das cabeças com esmero, em todos os detalhes, mas você não pode vê-las porque estão dentro da parede. Eles tiveram todo esse trabalho porque achavam que Deus iria admirar suas obras. E isso — ele disse, — exige otimismo.

Ergui os olhos para o majestoso teto abobadado.

— As grande realizações culturais se originam, principalmente, nos períodos otimistas da história — disse o doutor. — Civilizações pessimistas realizam pouco que seja realmente durável.

Ele sentou em um dos antigos bancos da catedral. Eu imaginei que nos encontraríamos ali de novo, secretamente, durante os anos vindouros — o chefão do otimismo e seu pupilo. O doutor olhou para mim.

— Cá entre nós, ando sendo chamado para reuniões nas mais altas cúpulas do governo para falar sobre isso.

— Ah!

— Há quem acredite que essa seja a chave para o futuro da política britânica. E não apenas da política britânica. A verdade é que há pessoas investindo milhões de libras em pesquisas científicas para provar que há uma visão pessimista da humanidade. Há muita coisa em jogo, sabe. E não me refiro apenas à ciência... — Ele baixou a voz. — Há grandes investidores interessados nisso, investidores de capital privado.

Escutei tudo, extasiado. Eu me sentia como Kevin Costner em *JFK — a pergunta que não quer calar*, quando os segredos sórdidos do poder são finalmente revelados nas cercanias do Capitólio, em Washington. Seligman me olhou, pestanejando distraidamente.

— Na guerra de ideias, essa é a maior de todas, Laurence. Por isso o que você está fazendo é importante. Mas você realmente precisa de um bom título. O movimento como um todo precisa de um título: "Psicologia positiva", "felicidade", "bem-estar"... A pessoa que conseguir chegar a um rótulo melhor do que esses — ele me encarou — será levada rapidamente a um cargo político.

Engoli em seco.

Naquela noite, meu pai estava de bom humor. Eu não conseguia entender a razão para essa mudança de atitude. Estava escuro e chuvoso lá fora, e os pessimistas continuavam dominando os noticiários. Mas ele tinha um ar satisfeito. Estava achando graça de alguma coisa? Eu finalmente havia conhecido alguém que de fato compreendia o que eu estava tentando fazer, que enxergava minha proposta no contexto histórico apropriado. Assim como Ian Davis, Seligman tinha me dado um novo rumo — um rumo muito mais importante e filosoficamente interessante do que apenas ficar riscando problemas em uma lista.

— Seligman diz que não são os nossos problemas que nos deprimem. São nossos pensamentos.

— Hum.

— É por isso que ele ensina as pessoas a questioná-los. Principalmente se você tem um estilo explicativo pessimista.

— Aha! E se esses pensamentos forem verdadeiros?

Hesitei.

— Bem... essas crenças raramente são úteis.

— Então ele acha que eu não deveria ter certos pensamentos, mesmo que sejam verdadeiros? Eu deveria fingir que nada está acontecendo.

— Não. Presta atenção...

Esfreguei a testa. Papai apagou a luz e se encaminhou para a porta.

— Por falar nisso, o computador está funcionando de novo.

— Está?

— Está. Por sorte, eu acreditei o suficiente nos meus pensamentos para levá-lo de volta até a loja. — Ele sorriu. — A placa de rede sem fio que me venderam estava com defeito.

Fui me deitar. *A pessoa que conseguir chegar a um rótulo melhor do que esses será levada rapidamente a um cargo político*. As palavras de Seligman ecoavam na minha cabeça, reconfortando-me com sua poderosa alusão a grandes forças e bons augúrios. Suas técnicas eram, sem dúvida, interessantes, mas eu não precisava me preocupar com isso. Minha tarefa era outra: levar sabedoria às pessoas. A todas as pessoas. Descobri que o otimismo simples, claro e universalmente desejado era verdadeiro, sob toda a desordem e discussões. Redefinir o sentido da palavra — transformá-la em algo que todos quisessem e pudessem entender. O dr. S. havia dado o primeiro passo. Eu seguiria a partir daí.

Na manhã seguinte, passei por uma barraca de frutas em Euston. O vendedor estava resmungando consigo mesmo. Parecia aborrecido.

— Vai mal, vai mal... — ele disse. — Muito mal.

— O que vai mal? — perguntei.

— Tudo — ele respondeu, levantando os olhos distraidamente. — Muito mal...

— Mal para quem?

— Para quem você acha? — ele retrucou bruscamente.

Fiquei olhando para ele. Essa era a minha chance.

— Sorria — eu disse.

— Por quê?

Pensei rápido.

— A evolução nos deu um cérebro que sempre pressupõe o pior. Ter um cérebro que pressupõe o pior era crucial antigamente, quando precisávamos lutar para sobreviver, mas hoje é uma desvantagem. Pense em suas bênçãos. Mesmo que você esteja clinicamente deprimido, sempre pode encontrar algo que mereça um agradecimento.

O homem apanhou uma maçã.

— Dá o fora!

Anotações para os pessimistas

TÍTULO DA PALESTRA: Pré-requisitos do otimismo

INTRODUÇÃO: "Então..."
(Olhar para a plateia)

1. SENTIDO DE UM OBJETIVO DE VIDA
O sentido de objetivo de vida de muita gente gira em torno de coisas triviais, como suas casas ou seus filhos. A maioria dos pessimistas é extremamente materialista para compensar a falta de outras qualidades. Contudo, é possível mudar essa situação. Ter um objetivo de vida é uma das qualidades mais importantes que os otimistas têm em comum. Como escreveu o dr. Seligman:

> Os seres humanos inevitavelmente buscam sentido e propósito na vida, mas isso só acontece quando você direciona suas forças para servir a uma causa maior do que você mesmo.

(Exemplifique)
(Debata /Conte uma história)
DEVER DE CASA:
Comece algum tipo de movimento global. O ideal é que esse movimento seja de natureza otimista, já que as pessoas se sentem atraídas por afirmações alegres e positivas. Se for uma ideia realmente boa, como erradicar a pobreza e as dívidas do Terceiro Mundo, você sentirá uma corrente de energia percorrendo

seu corpo como uma motosserra. Como resultado desse carisma reluzente, você será convidado a falar em conferências internacionais, ao lado de gente como Bill Clinton e Angelina Jolie. Você participará de mesas de discussões com eles em Aspen e Davos, tomará café em estações de esqui e opinará sobre diversos problemas mundiais. Logo você iniciará sua própria turnê mundial de palestras e terá seus seguidores. Você poderá até ser convidado a estrelar um filme sobre sua própria vida. Será maravilhoso.

(Grupos de discussão /chá /debates)

2. QUESTIONE SEUS PENSAMENTOS

Apresentarei agora uma técnica muito eficaz. (Contar uma piada aqui) O que você precisa fazer é conversar consigo mesmo — se necessário em voz alta, no meio da rua — a qualquer momento que você se sinta suscetível a pensamentos pessimistas. Assim, o pessimista que há dentro de você se sentirá envergonhado e desistirá. O dr. Seligman, autor do livro *Aprenda a ser otimista*, dá a seguinte dica:

> Levante-se, bata com a palma da mão na parede e grite: "Pare!" Esta é uma entre várias técnicas simples, porém altamente eficazes, de interromper os pensamentos, utilizada por pessoas que estão tentando romper com padrões de pensamento já implantados.

Se isso não funcionar, você precisa ter uma conversa séria consigo mesmo. O dr. S. sugere que você ande de um lado para outro nas ruas, como um advogado bem-pago, e submeta sua mente a um interrogatório rigoroso. Descubra as lacunas em sua argumentação, force a si mesmo a encontrar provas para refutar esses argumentos. Mesmo que sua mente tenha razão, isso vai intimidá-la.

Por outro lado, já percebi que muitos pessimistas gostam de ser negativos. Mas não se dão conta disso. Se você for uma dessas pessoas, pode sair da sala. Não sei se alguma dessas técnicas psicológicas vai funcionar para você. E, a longo prazo, você provavelmente tem razão.

Todos estão contra você, e você provavelmente terá uma morte horrível.

(Grupos de discussão /chá /debates)

CAPÍTULO 5

Morte, não seja orgulhosa.

JOHN DONNE

— Como vão as coisas, Loz? — Mark sorriu e me deu um tapinha no braço. — Como anda o otimismo?

Mark tinha acabado de vender mais uma empresa. Toda vez que vendia uma empresa, reparei, seus dentes ficavam um pouquinho maiores. Eram dentes de realeza. Dentes de macho alfa. Ele mostrava a quantidade suficiente de gengiva, não mais. Tomei um gole de cerveja e tentei não olhar para aqueles dentes.

— Está tudo indo muito bem — respondi.

As sobrancelhas de Mark se contraíram.

— Você já encontrou a resposta?

— Resposta é o que não falta — eu disse, inquieto. — Não sei é como encaixar todas elas em uma mensagem só.

Meu amigo pareceu preocupado.

— Isso não é muito otimista, Loz.

Eu não estava me sentindo muito otimista. Já fazia quase um mês desde meu encontro com o dr. Seligman e ainda não tinha encontrado o Fator Pular da Cama, a misteriosa energia que vinha procurando. Nem tinha ainda formulado uma nova definição para o otimismo. Sem minha lista de problemas, eu me sentia à deriva. Qual era esse pré-requisito que eu deveria descobrir? Quando minha vida começaria a mudar?

Deitado aquela noite, o olhar perdido no teto do quarto de hóspedes da casa do meu pai, pensei em Mark e em seu enorme apartamento em Mayfair. Naquele instante, ele provavelmente estava em frente à sua escrivaninha, analisando projeções de fluxo de caixa. Mark, sem dúvida, tinha o FPC. Eu não fazia a menor ideia sobre onde ele o havia conseguido. Talvez tivesse vindo junto com os dentes. Tinha certeza absoluta de que ele acordava às 6h, os caninos em prontidão, para fazer seus exercícios diários. Ouvi falar que ele corria de manhã três vezes por semana e treinava boxe. E, todo dia, ia ao escritório e tomava uma xícara de café atrás da outra, enquanto fazia planos para dominar o mundo. Quem sabe dominar o mundo fosse um pré-requisito indispensável para o otimismo? Ou, talvez, o café? Eu me afundei de volta na poltrona. Não podia ser nenhuma das duas coisas. Ambas me davam cólicas estomacais.

E havia Ian Wilson, o remador internacional que se gabava de levantar todo dia às 5h para vender aparelhos de ginástica.

— A vida é competitiva — ele me disse. — Abandone algumas pessoas em uma ilha deserta e elas vão devorar umas às outras. É por isso que levanto às 5h. *Pam*! Pronto para o trabalho.

No entanto, toda vez que eu saía de casa com a intenção de ser dinâmico, acabava desacelerando até parar de vez para admirar as árvores. Simplesmente não conseguia mais me empolgar com o projeto — com ou sem lista. Estava mais interessado em me sentir bem. Virei a cabeça e tentei dormir. Alguma coisa ainda estava faltando, e eu não sabia o quê.

Alguns dias depois, num jantar, sentei em frente a uma mulher de aparência sombria. Ela remexia em silêncio o prato de frango à sua frente, enquanto os outros convidados batiam papo. Uma pessimista, pensei. Talvez ela tivesse uma explicação para aquela nuvem sufocante de apatia. Debrucei-me sobre a mesa e perguntei:

— O que te deixa mais pessimista?

A mulher olhou, pensativa, para o prato.

— Ah! — ela disse, como se fosse algo que tivesse esquecido em casa, junto com a chave do carro. — A morte! Sem dúvida. A morte e a perda de entes queridos.

— A morte? — Fui pego de surpresa. — Você quer dizer a morte natural?

— É. Não há como evitá-la.

Passei o resto do jantar em silêncio. A morte!

Não era um pouco mesquinho ficar se preocupando com a morte? A morte não é tão ruim, é? Aprendi que morrer — se você não pensa demais sobre isso — não é uma coisa tão terrível, principalmente para quem mora no sul de Londres e precisa andar 15 minutos para pegar um ônibus. Senti pena da mulher.

No dia seguinte, no entanto, suas palavras continuavam ressoando em minha cabeça. Encontrei um livro de Carl Jung no gabinete do meu pai. O medo da morte, li, está na raiz de todas as nossas tristezas. Tudo o que fazemos para chamar atenção, nos sentirmos melhor sobre nós mesmos ou ganhar o afeto e a aprovação de nossos amigos não passa de uma estratégia subconsciente para fugir das garras da morte.

Bom contador de piadas? Empresário bem-sucedido? Está fugindo da morte!

Será que eu tinha um medo *subconsciente* da morte, um medo do qual não estava ciente? Era essa a explicação para a asfixiante nuvem cinzenta que pairava sobre mim? Talvez não fossem as más notícias, afinal. Talvez eu estivesse sofrendo do terror sublimado de cair no esquecimento.

Questionei meu pai sobre o assunto.

— Sim — ele riu. — É intolerável! Não pedimos para nascer. Não pedimos para ser postos neste mundo e depois nos interessarmos por ele para, então, vê-lo desaparecer. É absurdo!

Talvez Xanthe tivesse uma opinião mais otimista sobre o assunto. Para uma jornalista, ela até que sabia um bocado sobre psicologia. Sobre todos os tipos de "logias", aliás.

— Fui a uma conferência na semana passada — ela me contou —, e um sujeito falou sobre a ciência da velhice. Eles esperam em breve prolongar enormemente a expectativa de vida do ser humano, talvez até erradicar de vez o envelhecimento.

— É isso! — eu disse, batendo com o punho na grama. — Sabia que eles estavam fazendo algo a respeito.

— Ele é um gerontologista da Universidade de Cambridge, e, ao que parece, é bastante controverso.

— Preciso conhecê-lo.

Ela folheou o programa.

— O nome dele é Aubrey de Grey.

— Aubrey de Grey... — repeti, saboreando o nome. — Soa como um cavaleiro medieval.

— Acho que ele passa a maior parte do tempo na CNN.

Pesquisei sobre Aubrey na internet. Sem dúvida ele era um cavaleiro que sabia criar sites. Seu site explicava tudo:

SENS (Estratégias de Engenharia Genética para Retardar a Senescência)
Uma abordagem prática para o desenvolvimento de uma medicina antienvelhecimento.
Você pensa que curar o envelhecimento seria ruim? Pense de novo.

Que história maluca é essa de que eu posso chegar a viver mil anos? Respostas.

Eureca!, pensei. A imortalidade tinha um endereço na internet. No fim da página havia um link para o departamento de genética da Universidade de Cambridge. Apesar do estilo floreado, o doutor era real. Liguei para ele.

— Não é uma questão de "se", mas de "quando".

— Quando? — perguntei.

Sua voz era grave e professoral.

— Vamos levar dez anos para dobrar a expectativa de vida de um camundongo. Se isso acontecer, haverá um grande clamor para desenvolvermos técnicas aplicáveis aos seres humanos. Tudo vai acontecer muito rapidamente.

Senti o quarto esfriar. Agora que estávamos entrando de verdade no assunto, havia algo de macabro e assustador em tudo isso. E se perdêssemos o controle do processo? E se os terroristas usassem a tecnologia para criar ratos de três metros de altura com expectativa infinita de vida? A tecnologia era uma das coisas que muitos pessimistas — *e até eu mesmo* — consideram sinistra e deprimente. E se destruísse a raça humana?

Foi numa tarde ensolarada, em que ventava bastante, que finalmente consegui chegar a Cambridge. Esperei na estação de trem enquanto as folhas de outono faziam círculos ao redor dos meus pés. Aubrey de Grey, como todos os meus otimistas até então, concordou em se encontrar comigo imediatamente. Observei os estudantes que iam e vinham, envoltos em seus longos cachecóis e suas preocupações triviais, alheios à minha missão e ao fardo que eu carregava pelo bem do mundo.

Enquanto ponderava sobre minha responsabilidade em relação à humanidade, um estudante ziguezagueava entre os carros em uma antiga bicicleta de corrida. Ele tinha uma enorme barba ruiva e usava um gorro de esqui roxo e alaranjado. Só em Cambridge, refleti, os estudantes podiam circular vestidos desse jeito. Para minha surpresa, o ciclista deu um cavalo de pau e desceu da bicicleta, acenando para mim.

— Laurence Shorter? — ele perguntou.

— Professor! — engasguei.

Eu estava esperando alguém circunspecto e elegante, talvez em um casaco de caxemira. Aubrey calçava tênis All Star. Ele tirou a mão do bolso da jaqueta.

— Bem-vindo a Cambridge — ele disse.

Sentamos no pátio de um *pub*, e eu preparei meu equipamento de gravação.

— Como devo posicionar minha cabeça? — perguntou o doutor. — Olho para a câmera?

Ele ajeitou o cabelo com suas mãos enluvadas.

— Quantos anos você tem? — perguntei.

— Quarenta e três — ele disse, observando minhas mãos. — Mas sei que sou mais saudável do que a média.

— Sei — eu disse. — E você está procurando a cura para a morte.

— Não é uma cura para a morte — ele me corrigiu. — É uma cura para a velhice. Na verdade é uma mescla de coisas. — Ele sorveu a espuma de uma caneca de Guinness. — Estamos reunindo sete áreas diferentes de conhecimento para encontrar uma solução realmente eficaz. Deixe-me explicar. São terapias de rejuvenescimento que reparam os danos que se acumulam em nosso metabolismo ao longo de nossas vidas. Esses danos precisam se acumular até certo nível para serem considerados nocivos para nós. Isso significa que, para mantermos indefinidamente o vigor da juventude, não precisamos erradicar o envelhecimento de uma vez por todas, mas apenas manter o nível geral de danos *abaixo do limiar* em que começam a se tornar funcionalmente problemáticos. Em outras palavras, nunca precisaremos erradicar totalmente o envelhecimento, mas ainda assim, em termos de saúde, será como se tivéssemos erradicado. Você está me entendendo?

— Você está dizendo que o tratamento seria contínuo, algo como reter um vazamento?

— Exatamente. O que nos dará tempo para que a tecnologia avance. Toda vez que alguém chegar a 50 ou 60 anos, nós vamos rejuvenescê-lo uns trinta anos.

Esfreguei as têmporas e tentei acompanhá-lo.

— Isso é rejuvenescimento de verdade — Aubrey ressaltou, passando a mão no cabelo. — A pessoa continuaria jovem, tanto física quanto mentalmente, até o dia em que calcule erradamente a velocidade do caminhão vindo em sua direção.

— Isso é brilhante! — respondi, me deixando levar pelo loquaz entusiasmo do doutor.

Mas e o lado ruim? Um futuro regido por cientistas em jalecos, com mau hálito e nenhum conhecimento de música pop?

— E na pior das hipóteses? — perguntei. — Engenharia genética fora de controle, nanomáquinas, clones, genes alterados, a superpopulação...?

Aubrey alisou a barba, satisfeito.

— Cem mil pessoas morrem de velhice *por dia* — ele disse. — Se conseguirmos atrasar o ritmo do envelhecimento por pelo menos um dia, salvaremos cem mil vidas. Em um ano, isso significa 35 milhões de vidas. Não sei o que você acha disso, mas são números estonteantes.

— É um argumento forte.

— Se Fleming tivesse interrompido seu estudo sobre a penicilina — continuou o doutor — por se preocupar com os efeitos sobre o aumento demográfico, não teríamos antibióticos!

Eu o observei dar uma golada em sua Guinness. Será que Aubrey era mesmo o próximo Alexander Fleming? Ele tinha seus críticos. Antes de ir visitá-lo, tive acesso a uma carta aberta escrita por colegas do professor no mundo acadêmico. Não era favorável. O eminente gerontologista Rich Miller persuadiu 28 outros cientistas a assiná-la.

> Cada uma das propostas específicas que compõem a agenda de trabalho da SENS é, em nosso presente estado de ignorância, extremamente otimista... não merece nenhum respeito por parte da comunidade científica.

Chamei a atenção de Aubrey para isso.

— Ah, a carta — ele disse. — Se você conversar com um gerontologista tradicional, ele poderá desdenhar da ideia. Mas, em última instância, por minhas ideias serem tão radicais e meus prognósticos serem tão intransigentes, não posso simplesmente ser um cientista simpático, gentil e diplomático — deu um risinho. — É como disse Gandhi: "Primeiro eles o ignoram, depois riem de você, depois brigam com você, e então você, vence." É, aquela carta foi um passo decisivo para mim — ele arqueou, com elegância, uma sobrancelha. — Não me iludo, mas sei que neste momento estou na liderança da guerra mundial contra o envelhecimento.

Eu me recostei, impressionado.

— E como funciona essa... terapia?

— Logo no início — respondeu Aubrey, modestamente —, a terapia será extremamente complexa, cara e *perigosa*, para ser sincero. Necessitará de internação mínima de um mês e todo tipo de tratamentos com células-tronco e tratamentos genéticos e muitas outras coisas... Na verdade ainda não faço ideia, mas será muito complexo.

Dei um peteleco em um amendoim para fora da mesa.

— Então... Quais são as minhas chances?

— De chegar lá? — pestanejou Aubrey. — Se você se cuidar, e se o resto do seu corpo não seguir o exemplo do seu cabelo — ele olhou de relance para a minha testa —, você tem uma boa chance.

— Você acha que meu cabelo é um problema? — eu passei a mão na cabeça, cautelosamente.

— Há muitas coisas que não se podem prever... mas se você tivesse acesso imediato a esse tratamento, e se ele não o matasse antes de curá-lo, então você teria... digamos... — Ele fez uma pausa. — Uma chance de 30% a 40%.

— De viver até mil anos?

O doutor passou a língua na espuma da cerveja que grudou em seus lábios.

— É. Quer dizer, de estar saudável o suficiente para sobreviver até que o tratamento esteja disponível. E, então, eu diria que suas chances de completar mil anos seriam de 50%.

— Essa é uma probabilidade considerável de se viver até os mil anos — eu disse.

Ele sorriu.

— Empolgante, não é?

Uma brisa soprou sobre nossos copos. Eu tinha 40% de probabilidade de ter 50% de chance de chegar aos mil anos. Isso era bom ou ruim? Eu me imaginei na hora da verdade — uma pílula vermelha diante de mim sobre a mesa. À frente, um futuro assustador; atrás, um passado pessimista.

— Você acha que isso realmente vai nos tornar mais felizes? — perguntei.

— Não faço a mínima ideia se vai nos tornar mais felizes — disse o professor, com convicção. — *Mas isso não me interessa*... Tudo o que sei é que não sou a favor do envelhecimento. E não acho que precise de uma razão melhor.

— Não nos tornaríamos terrivelmente inseguros? Quer dizer, se a vida for tão longa, ficaremos apavorados de correr qualquer risco.

— Sim — ele admitiu. — As pessoas podem se tornar mais avessas a situações de risco. Esse é um dos problemas possíveis. Mas não estou preocupado com isso. As coisas serão mais seguras. Precisarão ser. Serão fabricados automóveis mais seguros, com sistemas de navegação altamente avançados. Não haverá mais colisões.

— A tecnologia pode resolver tudo!

— Tem sido assim até agora — disse o doutor.

Hesitei.

— E quanto às pandemias, e os problemas de moradia, e a exploração predatória do meio ambiente?

Aubrey olhou para suas unhas, impaciente, como se aquele e outros momentos desperdiçados pudessem levá-lo a uma morte prematura.

— Vamos ter bastante tempo para nos preocuparmos com isso depois. Por enquanto, nossa prioridade tem de ser acabar com a carnificina. Tudo o mais é detalhe. — Ele deu um golinho na cerveja. — Sabe, a morte prematura, involuntária, não é vista com bons olhos em quase todos os outros contextos, portanto basta ter o senso de justiça mais rudimentar para afirmar que, sejam quais forem os problemas que resultem do combate ao envelhecimento... valerão a pena.

Fiquei em silêncio, ponderando esse argumento irrefutável.

— As pessoas deixarão de ser frágeis — disse Aubrey, reclinando-se para apanhar um pouco de sol. — Todos serão jovens. Não haverá mais velhos. Isso fará toda a diferença. Será como quando éramos estudantes: você terá toda a sua vida pela frente, com milhões de escolhas para fazer e um milhão de anos para realizá-las. Isso me parece bem legal! — E acrescentou: — Minha mãe está no hospital. Seria ótimo não ter que me preocupar com ela.

Observei uma embalagem de salgadinhos vazia rodopiando ao sabor do vento outonal. Perguntei:

— Você é um otimista, certo?

— Sou, quer dizer, não desisto fácil. Quando era garoto, as pessoas sempre diziam: "Não crie grandes expectativas, você só vai se decepcionar." Bem, não dei ouvidos para esses conselhos e nunca tive problemas!

Olhei para o reflexo negro da minha Guinness. Aubrey tinha a capacidade — invejável em um homem barbado — de criar um universo que girava incessantemente ao seu redor. Talvez fosse disso que eu precisava. Talvez minha busca não tivesse nada a ver com a morte.

Fui para casa em um estado de espírito filosófico. Talvez fosse pela incerteza. Eu ainda estava sob o impacto de uma expectativa de vida enormemente ampliada. A chuva começou a cair de nuvens cinzentas e pesadas, respingando nas janelas do trem. Passamos pelas planícies da Ânglia Oriental, e imaginei o campo repleto de gente: seus veículos e edifícios futuristas e suas crianças de mil anos de idade.

De algum modo, isso não faria a menor diferença.

CAPÍTULO 6

É difícil dominar as paixões abrasadoras que nutrimos por familiares e amigos mais chegados. A melhor forma de extingui-las é romper todos os laços.

The Hundred Thousand Songs of Milarepa

Foi só no fim da nossa longa conversa na catedral que o doutor Seligman me falou sobre Matthieu Ricard. Estávamos prestes a sair da catedral de York quando o famoso psicólogo se voltou para mim.

— Se você está em busca de otimistas, há alguém que precisa conhecer. — O professor levantou uma sobrancelha. — Matthieu Ricard é um monge budista. Também é o intérprete do Dalai Lama e um cientista renomado. É uma grande celebridade na França. — Ele escolheu bem suas palavras antes de continuar. — O mais surpreendente em Matthieu é que ele foi submetido a todos os meus testes e o resultado foi sempre o mesmo. É a pessoa mais feliz que já conheci.

Vindo do doutor Seligman, era um senhor elogio. Afinal de contas, Seligman era o pai da psicologia positiva. Ele havia conhecido um bocado de pessoas felizes e examinado todas elas. Pelas leis da probabilidade, isso fazia de Matthieu Ricard a pessoa mais feliz do mundo.

— Há um importante neurocientista, chamado Richie Davidson — continuou ele —, que identificou as áreas do lobo frontal esquerdo que se acendem quando você está feliz. E, na curva de Richie, há uma pessoa que está quatro desvios padrões mais feliz do que qualquer outra no mundo, cujo cérebro acende mais... É o Matthieu. — O doutor balançou a cabeça, em admiração. — Estatisticamente, isso significa que ele mora em outro planeta. E tem uma aura... — ele disse, baixando a voz, pensativo. — Mas auras não são minha especialidade...

— Ele é um otimista?

— Este é o paradoxo — ele exclamou. — Os budistas não *deveriam* ser otimistas. Para eles, tudo é uma ilusão, incluindo conceitos como “bom” e “ruim”. Mesmo assim, Matthieu é o maior de todos os otimistas. Se você conseguir que ele explique esse paradoxo de forma satisfatória, terei o maior interesse na explicação.

Assenti, obediente. O que Seligman dissesse, eu faria. Além disso, estava precisando desesperadamente de um novo enfoque sobre o assunto. Afinal de contas, tinha acabado de lidar com o problema mais importante do universo — a própria morte — e ainda assim não conseguia ver qualquer melhora em meus sentimentos. Havia algo mais profundo acontecendo?

Assim que voltei para Londres, enviei um e-mail para o monge, cruzando os dedos e rezando para não ter perdido sua visita anual ao cibercafé. Ele respondeu logo depois:

> Caro Laurence,
>
> Obrigado por sua mensagem calorosa e gentil!
> Acho que o otimismo é mais profundo do que as pessoas geralmente pensam e reflete uma confiança profunda no potencial para mudança e prosperidade que todos temos no que há de mais profundo em nós.

Três ocorrências da palavra "profundo" no mesmo período — o sujeito evidentemente acreditava no que pregava.

> Moro no Nepal, mas estarei de passagem em Paris no dia 21 de janeiro.
> Você gostaria me encontrar?

Sim, gostaria.

O Homem mais Feliz do Mundo!

Meu pai bateu à porta.

— Adivinha? — ele disse. — Achei um comprador para a casa!

— Uau. — Senti um nó na garganta. — Papai, isso é... ótimo.

Eu sabia que estávamos tentando vender a casa. Só não tinha previsto que a venda fosse acontecer justamente quando resolvi desistir de procurar um trabalho pago e me dedicar à busca pelo otimismo.

— Não se preocupe — ele disse. — Tenho certeza de que vamos achar um lugar para você morar.

Sacudi a cabeça.

— Não, papai... Eu escolhi meu caminho. Preciso segui-lo sozinho.

A vida provavelmente tinha ouvido falar da minha promessa de derrotar o pessimismo e decidido me levar a sério. Tudo fazia parte do poder estranho e perturbador do meu livro. Estava fazendo coisas acontecerem na minha vida, estava me *forçando* a ser otimista.

E isso não era tudo.

Zara era uma garota holandesa alta e vivaz que eu havia conhecido há dois meses em um centro de ioga — lugar que passei a frequentar depois de perceber a alta densidade de mulheres atraentes nas vizinhanças. No começo, não prestei muita atenção em Zara, mas na minha terceira ou quarta visita parei para estudá-la a distância. Ela parecia mais à vontade que as outras — apesar de não usar sandálias nem inconvenientes tatuagens de hena. Tinha noção de estilo. Mas o que chamou minha atenção foi outra coisa: ela era cheia de vida e entusiasmo. Sua presença tinha algo de contagiante. Quando ela ria, percebi, o armário da cozinha vibrava. Era uma risada otimista. Uma risada com a qual eu podia me imaginar dando a volta ao mundo.

Senti um frio na barriga. *Meu Deus*, pensei, *e se a Zara for a garota certa*?

Estava esperando pela "garota certa" há séculos — desde sempre, na verdade. Mas ultimamente essa busca tinha se intensificado. Havia subitamente me dado conta — como se tivesse acordado de um sono longo e inquieto — de que a maioria dos meus amigos já estava casada e tendo o primeiro ou segundo filho. Como isso aconteceu? Estive sonhando esse tempo todo? Não havia tempo a perder.

— Você sabe quem é o professor Martin Seligman? — perguntei, enquanto tomávamos chá em uma tarde de inverno. — Você já ouviu falar de seu trabalho pioneiro em terapia cognitiva?

Zara deu um leve sorriso.

— Conheço o trabalho dele. Estudei com psicoterapeutas existenciais. Assim como os praticantes da terapia cognitiva, os existencialistas se preocupam com as conceitualizações que estão no âmago da luta humana com o sexo e a morte.

Fiquei atordoado. Zara era inteligente e bela o suficiente para ser uma séria pretendente. Só tinha um problema. Ela não acreditava no conceito de casamento. Também não acreditava no conceito de relacionamentos — nem, por falar nisso, em conceito algum. Assim como eu, Zara estava em uma viagem pessoal de descoberta. Mas, ao contrário de mim, suas paixões eram a liberdade, o desprendimento e a natureza ilusória de toda a existência.

— O que você quer dizer com não acreditar no casamento? — perguntei, em nosso primeiro encontro.

— É só uma convenção — ela explicou. — E convenções causam problemas.

Franzi a testa. Estávamos claramente destinados a ficar juntos. Tudo indicava isso, da nossa paixão por rosas até nosso interesse em comum por Chopin. Ainda assim, ela tinha essas ideias, ideias radicais e inconvenientes. Senti meus ombros se contraindo pela tarefa que tinha pela frente: precisava fazê-la mudar de opinião. Seria um desafio, mas eu teria êxito. Tinha certeza disso.

Quatro semanas mais tarde, Zara me contou que estava vendendo seu apartamento e indo embora de Londres para viajar pelo mundo. Senti um calafrio.

— Mas por quê? — eu disse. — Para onde?

— Índia! — ela disse. — Estou planejando essa viagem há anos!

Meus nervos se retesaram. *Calma*, disse a mim mesmo. Isso é apenas um teste. Levaria algum tempo até que Zara percebesse que sua vida havia mudado para melhor. Até lá, eu faria suas vontades e encorajaria seus planos para uma breve ausência de Londres. À medida que nos tornássemos mais íntimos, ficaria claro que uma ausência de um ano estava fora de questão.

Por sorte, ela ainda não tinha marcado o voo. Estava esperando pelos resultados de uma longa disputa legal e não tinha nada melhor a fazer do que passar o tempo comigo e conhecer otimistas. Isso não me surpreendeu. Era apenas o destino em ação nos mantendo juntos.

Foi então que me lembrei de Matthieu Ricard: "felicidade"... "budismo"... Era exatamente o tipo de coisa que Zara amava.

Contei para ela sobre o encontro.

—Uau — ela disse. — Finalmente você está abordando o otimismo sob um ponto de vista interessante!

Dei de ombros, timidamente.

— Você acha que esse cara é um *iluminado*?

— Não sei — eu disse. — O que isso quer dizer, aliás?

— Alcançar a Iluminação é a meta de todo budista. Significa o fim do sofrimento, um estado de bem-aventurança.

— Ah.

Havia um garoto na minha escola que se dizia budista. Benjamin costumava zanzar por aí em seu uniforme de judô, dizendo às pessoas que elas viviam uma ilusão. Era gordo e sardento. Se você o cumprimentasse com um bom-dia, ele respondia: "Ah, mas *é mesmo*?" E se você ficasse zangado, ele o derrubava com um golpe de judô.

— Sua própria raiva te derrotou — ele dizia.

Era isso a Iluminação?

Infelizmente, eu tinha apenas mais algumas semanas para convencer Zara de como eu era espiritualmente evoluído. Tudo dependia de Matthieu Ricard. Convidei-a para ir comigo encontrá-lo em Paris. Ela aceitou.

Ao menos havia alguma certeza em minha vida.

No dia seguinte, concordei em ajudar meu pai a limpar o porão — um porão cavernoso que continha toda a minha infância. Era um trabalhão. Quando desci, papai estava enfiando alguma coisa num saco de lixo. Eu o peguei em flagrante no facho da lanterna.

— O que você está fazendo? —perguntei. — Você não pode jogar fora meu ursinho de pelúcia!

Ele deu um suspiro e jogou meu ursinho em uma pilha de brinquedos velhos.

— Um dia você vai ter que se desfazer dessa tralha, Laurence.

— Por quê?

— Não tem espaço suficiente — ele disse. — Como vai o livro? Ou virou uma série de programas de rádio?

— É maior que isso.

Contei a ele sobre Matthieu Ricard.

— Ah, budistas: os maiores otimistas. Eles acreditam que seja possível escapar do sofrimento. Há!

— Os budistas não acreditam em Deus — eu disse, citando informações que havia acabado de imprimir de um site. — Eles só creem em uma consciência suprema. Todas as entidades, incluindo o "próprio eu", são uma ilusão. A única maneira de evitar o sofrimento é romper todos os laços com outros seres humanos.

— Sim — ele respondeu —, acho isso bem reconfortante. Talvez você aprenda algo com esse sujeito.

Apanhei meu ursinho da pilha.

— Por que eu precisaria aprender alguma coisa?

Meu pai deu de ombros e quebrou a moldura de um retrato com o joelho.

Sexta-feira.

As portas se fecharam e o Eurostar saiu deslizando silenciosamente da estação. Estávamos a caminho da França. Tomei um gole de café e olhei de soslaio para Zara. Ela parecia sexy e desalinhada de um modo casual e discreto. Assim como Ashley Judd, Zara tinha uma beleza sutil que passava despercebida pela maioria das pessoas, uma beleza que combinava perfeitamente com meu gosto refinado. Fiquei olhando para ela, satisfeito. Que partidão! Mesmo que Zara tivesse ideias esquisitas sobre espiritualidade — coisas como "liberdade" e "amor universal", que me causaram tanta aflição durante as últimas semanas —, eu sabia que seriam passageiras. Qualquer dia desses, ela despertaria e se tornaria uma pessoa normal e madura. Era só uma fase. Enquanto isso, eu me satisfazia em demonstrar um interesse de amigo. Isso estava nos unindo. Talvez eu conseguisse aceitar um pouco mais o budismo? Abri o livro *Introdução ao budismo* e li a primeira página. Havia uma lista de preceitos intitulada "As Quatro Nobres Verdades".

ESTAS SÃO AS CHAVES PARA A PERFEIÇÃO HUMANA

Eu me empertiguei de leve ao percorrer a lista. Elas não eram exatamente triviais. A número três era particularmente severa:

> A libertação do sofrimento chega quando uma pessoa se livra de todos os desejos.

Eu me debrucei sobre o livro. E quanto aos desejos saudáveis, como o amor? Havia dias que eu ansiava por aquele fim de semana. Se Zara fosse apenas uma ilusão, ou parte de alguma consciência suprema e disforme, então como explicar os longos fios de cabelos castanhos que começaram a aparecer na minha jaqueta? E por que eu não conseguia parar de pensar nela?

Virei a página.

Cada prazer contém a semente de uma tristeza futura.

— Ah, Deus...

— O que você está achando? — perguntou Zara, me observando com curiosidade.

— Ótimo — respondi, rapidamente. Se eu não tomasse cuidado, a garota acabaria entrando para um mosteiro budista e eu nunca mais a veria de novo. Talvez houvesse cometido um grave erro ao convidá-la para conhecer Matthieu.

— Você não precisa ir ao encontro — eu disse. — Pode passear por Paris ou fazer compras.

Zara riu.

— Você está brincando? Eu não vim aqui para comprar roupas. Quero conhecer o budista.

Algumas horas depois, Matthieu nos recebeu ainda no corredor de seu apartamento. Enquanto ele acenava, nos convidando para entrar, fiquei parado, hesitante, farejando o ar. Havia algo estranho na atmosfera daquele lugar.

Uma monja em uma roupa de cor açafrão apareceu e se ofereceu para guardar meu casaco.

— Não, obrigado — eu disse, sorrindo discretamente. Passei a vista pelo quarto à procura de incenso, uma das coisas favoritas de hippies e meditadores. Uma estranha luz emanava da lareira. Eu estava decidido a não ser sugado pela "aura" deles. Sem dúvida gostariam que eu ficasse por lá e me tornasse um devoto. Eu poderia arrumar as flores e receber os visitantes. E isso seria o fim de minha busca pelo otimismo!

— É comum — perguntei — que um monge tenha um apartamento tão bonito?

— É de um amigo meu — respondeu Matthieu, cordialmente, ajeitando sua túnica enquanto nos sentávamos. — Deve-se aceitar o que quer que surja em nosso caminho. Certo dia eu estava no Taiti, na casa de Gauguin, o famoso pintor, sentado à beira da piscina. Imagine: o pôr do sol, as palmeiras. Perguntei a mim mesmo: E se eu fosse dono deste lugar? E se *pertencesse* a mim? E daí!? — ele deu uma risada. — De que modo aquilo deveria me fazer feliz?

Aha, pensei. Desprendimento de bens materiais. A Nobre Verdade número cinco, sem dúvida.

Matthieu olhou de relance para seu relógio e me lembrei de um comentário do manual budista:

> O tempo é uma invenção humana, uma ilusão que não existe.

Isso não parecia incomodar Matthieu.

— Temos uma hora — ele sorriu.

Antes de prosseguirmos, a monja apareceu com uma bandeja de chá e bolo. Fiquei aliviado por descobrir que as Nobres Verdades não proibiam que as pessoas comessem biscoitos.

— É verdade que o senhor é a pessoa mais feliz do mundo? — perguntei.

— Bobagem — disse Matthieu, constrangido.

— O dr. Seligman me disse que o senhor é a pessoa mais feliz que ele já conheceu.

— Pode ser... e daí? — Matthieu justificou-se, encabulado. — Ele aplicou alguns testes científicos e, na verdade, meus resultados foram 200% acima da média. Mas o que isso significa? É uma bobagem.

Houve uma pausa tensa. Matthieu riu, mudou de assunto e passou a falar dos efeitos das ondas gama sobre a atividade cerebral. Mas era tarde demais — eu tinha descoberto seu ponto fraco. Ele não sabia aceitar elogios.

— Esse é o bom da ciência — continuou Matthieu. — Se algo é verdadeiro, é verdadeiro. É apenas ciência. E o budismo é isso. Ciência. Os budistas vêm praticando esta ciência há dois mil anos e agora ela está chegando ao ocidente.

— Portanto o pessimismo e a autonegação estão agora à disposição de todos — eu disse com sarcasmo.

Matthieu sorriu.

— O budismo é o sistema mais otimista que você pode imaginar. Somos as únicas pessoas que acreditam que é realmente possível escapar do sofrimento. O verdadeiro otimismo é uma confiança profunda de que as pessoas possuem os recursos internos para lidar com o que vier pela frente. — ele pôs a mão sobre o coração. — É uma felicidade interior que não depende de circunstâncias exteriores.

Olhei maliciosamente para ele. Matthieu parecia possuir felicidade interior *e* riqueza exterior.

— Se você é otimista, isso significa que terá uma vida melhor?

O francês riu.

— Você está brincando? Passo a maior parte do tempo em um mosteiro. Preciso acordar às 5h e comer bolinhos de arroz no café da manhã.

— Mas não há uma espécie de consciência de massa em funcionamento que cria sua própria realidade, como acontece com terremotos e outros desastres naturais? — perguntou Zara, subitamente. — De algum modo não somos responsáveis por essas coisas?

Olhei para ela, aborrecido.

— Quanto mais otimista você é — interpretei —, mais as coisas dão certo para você. Não é?

— Não! — respondeu Matthieu. — Esse é o otimismo idiota. Otimistas idiotas acham que tudo vai funcionar como eles querem. Imagine seis bilhões de pessoas no mundo, todas tendo seus desejos atendidos. Isso nunca vai acontecer... — ele deu uma risadinha marota. — Nunca! Lembre-se — ele disse — de que situações externas *nunca* farão você feliz porque *nunca são permanentes*. Por isso, se você condicionar demais sua felicidade a fatores externos, como um relacionamento, por exemplo... — Ele olhou de um para outro de nós. — Então, é claro, você será infeliz, porque o relacionamento, com o tempo, vai terminar.

Larguei meu biscoito na mesa.

— Mas relacionamentos são importantes — eu disse, fixando os olhos nele. — Não dá para se desligar de tudo e abandonar o mundo.

Matthieu apanhou sua xícara de chá.

— O amor verdadeiro não pode se restringir a um ou dois seres específicos. O amor entre homens e mulheres é limitado, muito limitado. Pode acabar se misturando com sentimentos muito egoístas.

Ele deu um sorriso inocente. Eu tinha caído na armadilha. Como todas as pessoas espiritualizadas, Matthieu estava determinado a nos converter ao caminho do Nada. Mas eu ainda nem tinha chegado a Alguma Coisa!

Estendi o braço em busca da mão da Zara.

— É assim que você imagina o futuro? — perguntei. — Um mundo sem posses, sem relacionamentos, sem desejos?

Ele deu de ombros.

— O futuro não interessa. O que interessa é a percepção. O que interessa é treinar a mente para aprender a ser feliz.

— Mas já sou feliz — respondi.

Ele sacudiu a cabeça.

— A felicidade genuína é uma aptidão. Leva tempo para ser aperfeiçoada. Ninguém aprende a jogar xadrez em um só dia, ou a andar a cavalo... não! Mais difícil ainda é aprender a usar a mente, que é nossa principal interface com a realidade. Por isso o treinamento é tão importante. Os negativistas e infelizes empacam porque têm uma visão distorcida da realidade. Eles se apegam a *coisas* porque acreditam que essas coisas são boas ou ruins, mas isso é um erro. Por exemplo... — Ele desenhou uma forma no ar com as mãos. — O que é uma mulher? Para você, é uma coisa bela. Para uma *baleia*, não significa nada.

Ele impostou a voz, liricamente.

— Você deve perder a ilusão de que algumas coisas são boas e outras más. Você precisa terminar sua dependência a situações externas...

Zara largou a minha mão.

— Mas...

— ...Só assim você pode preservar sua felicidade, mesmo que seja mandado para a cadeia ou... que sua namorada o abandone, ou o que quer que aconteça!

— Eu *já* sou feliz — eu disse, sentindo meu rosto corar. — Sou um otimista.

— O que é mais otimista? — ele perguntou. — Aceitar que você está doente e precisa de cura ou fingir que não está? Nós só enfatizamos o sofrimento a fim de eliminá-lo.

— Mas eu *sou* feliz — insisti.

Olhei de relance para Zara.

— Em que você está se apegando? — ela perguntou, de repente. — Faça essa pergunta a você mesmo.

Ele me estudou cuidadosamente.

— Veja, não dá para você...

Matthieu se intrometeu.

— Parece que você está se apegando a um conceito de *self* que já não está mais funcionando...

— ...que não te faz feliz — concluiu Zara.

— Porque é uma ilusão — disse o monge. — Você acredita em você mesmo?

— É claro!

— Exatamente — ele disse com suavidade. — E enquanto se apegar a esse conceito... a essa ilusão do *self*, você sempre vai sofrer. O *self* não é viável. É como um arco-íris. É visível, mas é criado pelo sol, pelas nuvens, pelo ângulo de visão. Parece estar lá, mas se faltar um desses elementos ele some. Puf! Nunca existiu. Entendeu? Abra mão de tudo isso! Esse é o caminho para ser feliz.

— Não quero ser feliz — me lamuriei. — Quero ser eu!

A câmera de vídeo fez um clique e parou de gravar.

— Você precisa trocar de fita — eu disse, baixinho, e Zara começou a trocá-la. Lá fora, uma sirene disparou pela rua, mudando de som ao passar pelo prédio.

Senti uma vontade irresistível de me deitar.

Talvez Matthieu tivesse razão. Talvez eu não existisse, afinal. Talvez eu pudesse apenas relaxar e deixar que tudo flutuasse por mim. Zara entraria em um mosteiro e eu me tornaria um professor de ioga. O esforço não valia a pena.

Então eu me lembrei de uma coisa.

— Um homem como você — eu disse, observando Matthieu. — Tão calmo e, ainda assim, tão... atarefado... — Seus olhos perderam a expressão. — Posso perguntar... você já atingiu a *Iluminação*?

O monge piscou. Eu quase podia ouvir Zara se encolhendo do outro lado do quarto. Esse era o mais proibido dos assuntos.

— Não, não — ele disse, apressadamente.

Houve uma pausa.

— Ouça — ele disse —, não é preciso alcançar a Iluminação para ser feliz. — Ele se levantou e amarrou a túnica na cintura. — Não há um modo único de se chegar lá. Não é preciso ser um monge e abrir mão de todas as suas posses e relacionamentos.

— Não?

— Claro que não! É isso que passo a vida dizendo para as pessoas. Você vive no mundo, faz o melhor que pode, reserva um tempo todos os dias para a meditação e reconhece que as coisas que estão fora de você não trazem a felicidade eterna. Preciso ir agora, infelizmente. Tenho uma entrevista marcada em um estúdio de televisão.

— Podemos ir juntos? — sugeri.

O budista concordou em nos dar uma carona até o hotel. Sentado no banco de trás do táxi, imprensado entre a minha amada e o monge de túnica vermelha, eu balançava de um lado para outro enquanto o táxi circulava pelo trevo de alta velocidade do Arco do Triunfo. Milagrosamente, tudo parecia estar em ordem.

Matthieu tinha dado suas opiniões sem fazer uma lavagem cerebral na minha namorada e eu havia sobrevivido à conversa sem ter que abandonar minhas crenças. Zara nem mesmo parecia interessada no sujeito.

Escapei por um triz.

— Foi um encontro interessante — eu disse, tomando com prazer um café com leite. — O que ele quis dizer, afinal, foi que é possível ser espiritualizado *e* normal. Não é preciso abrir mão de todos os relacionamentos e ir morar em um *ashram*.

Zara olhou para mim por cima do livro que segurava.

— Não concordo com tudo que o Matthieu falou.

— Mesmo assim — eu disse —, faz sentido, acho.

— Talvez, mas ele sem dúvida tem razão sobre uma coisa. Ligações sentimentais só podem trazer sofrimento. O amor só existe em liberdade. E a liberdade no amor.

Suspirei. Zara tinha leves problemas psicológicos. Normal para uma terapeuta.

De volta à Inglaterra, passei um e-mail para Matthieu parabenizando-o pela entrevista. Ele respondeu com um trecho do livro que estava prestes a lançar sobre a felicidade. Para minha surpresa, ele dedicou um capítulo inteiro ao otimismo. Apesar da irritação por ver que o monge roubou minha ideia, tive que admitir que o trecho estava bem escrito. Era, também, um nobre reconhecimento do próprio fracasso. Matthieu foi esperto ao resumir meus argumentos mais importantes:

> Para um otimista, não faz sentido perder a esperança. Podemos sempre dar a volta por cima (em vez de ficar desolados, conformados ou indignados), limitar os danos (em vez de deixar que tudo se perca), encontrar outras saídas (em vez de ficar lamentando o fracasso), reconstruir o que foi destruído (em vez de dizer: "Está tudo acabado!"), entender a situação atual como um novo começo (em vez de perder tempo se lamentando sobre o passado e lastimando o presente), começar do zero (em vez de acabar sem nada), entender que será preciso um esforço contínuo na melhor direção possível (em vez de ficar paralisado pela indecisão e pelo fatalismo) e aproveitar cada instante para se aprimorar, aproveitar as coisas, agir e desfrutar a paz interior (em vez de perder tempo remoendo o passado e temendo o futuro).

Sorri. Otimismo 1 x 0 Budismo.

CAPÍTULO 7

Quando me encontrei com o arcebispo Tutu, dei-lhe um forte abraço; ali estava um homem que havia inspirado toda uma nação com suas palavras e sua coragem, que havia renovado a esperança das pessoas durante o mais sombrio dos tempos.

NELSON MANDELA

No dia seguinte, alguém quebrou o vidro da janela do meu carro. Notei o estrago a cinquenta metros de distância. "Sou desapegado", disse a mim mesmo ao me aproximar do veículo. "Isso não é nada, apenas um objeto material transitório." Olhei pela rua, mal-humorado. "Merda." Havia centenas de carros à disposição. Por que justo o meu? Chutei uns cacos de vidro contra a parede. Era um sinal mandado pelo universo? Será que eu tinha pisado na bola de novo? Não estava sendo bem-sucedido como um pensador positivo, era isso. Se tivesse sido um otimista de verdade, nada teria acontecido.

Zara me ligou. Ela parecia alegre e entusiasmada.

— Comprei minha passagem para a Índia! — ela anunciou. — Finalmente estou a caminho!

— Isso é ótimo — eu disse.

— Comprei uma passagem só de ida — ela acrescentou.

Voltei a pé para casa e tentei trabalhar. Não consegui. Fiquei andando em círculos no meu quarto. Precisava me concentrar. Precisava encontrar uma saída para aquela situação.

O rádio da cozinha estava ligado. Sem querer, e cheio de culpa, ouvi as notícias do dia: terremoto no Paquistão; ataque suicida a bomba em Nova Délhi; cinquenta mortos no Iraque. Pus água para ferver. Não tinha tempo para isso agora. Zara viajaria em três semanas. Depois de todo o meu esforço, ela ainda assim continuava acreditando que relacionamentos eram construções sociais ilusórias projetadas para impedi-la de alcançar sua realização pessoal.

O mundo teria que esperar.

— Sabe — disse meu pai, desligando o rádio —, Voltaire escreveu *Cândido*, sua grande obra-prima sobre o otimismo, depois que a cidade de Lisboa foi destruída por um terremoto.

— Viu só!

— Você não entendeu. O livro de Voltaire era uma sátira. Ele achava que os otimistas eram uns idiotas.

Talvez Voltaire tivesse razão. Talvez eu fosse um idiota.

Estava na hora de mudar de abordagem.

Quando eu ainda era um jovem assessor empresarial nos anos 90, meus chefes certa vez me mandaram um livro americano de autoajuda intitulado *Os 7 hábitos das pessoas altamente eficazes*. Foi enviado juntamente com meu bônus inicial como leitura obrigatória e uma amostra do que estava por vir. Eu tinha apenas 20 anos, mas aquele livrinho inocente me pareceu um insulto tão grande à minha identidade de inglês jovem e cético que convidei alguns amigos para testemunharem sua imolação na lixeira.

— O livro parece legal — disse Steve.

— É — disse Daniel. — Por que esse ódio?

— Passa o livro pra cá — eu disse, e o joguei na lixeira. — É diabólico porque faz perdedores acharem que podem ser vencedores. E quando vencedores são perdedores disfarçados e estão no controle do mundo, então estamos ferrados.

Daniel me olhou, perplexo.

— A maioria dos americanos se enquadra nessa categoria — acrescentei.

As coisas mudaram, e eu já não era mais tão cabeça-dura. Estava mais velho, mais desesperado e apaixonado por alguém que tinha opiniões cruéis e fora do comum sobre relacionamentos pessoais. E além do mais, eu deveria estar estudando o pensamento positivo.

Entrei discretamente na sessão de autoajuda da megalivraria Waterstone, lembrando a mim mesmo de que eu era um consultor empresarial experiente e não tinha motivo para ter medo de livros. Além disso, não sabia mais a quem recorrer.

Olhei em volta, torcendo para que ninguém me confundisse com um hippie.

Este parece bem inofensivo, pensei, apanhando um livro levíssimo com uma capa alegre e florida. O título era *A Visualização Criativa pode mudar sua vida*. Dei uma olhada na primeira parte.

> Na Visualização Criativa, você utiliza sua imaginação para criar uma imagem mental, uma ideia ou uma sensação nítida de algo que você deseja e, depois, continua a se concentrar nessa ideia, sensação ou imagem, transmitindo-lhe energia positiva, até que se transforme numa realidade objetiva.

Por mais estranha que parecesse, essa passagem me soava familiar, como se fosse algo que, no fundo, eu sempre soube. Continuei a ler. Talvez pudesse usar esse método para visualizar uma falha técnica no avião da Zara. Talvez eu pudesse visualizar alguém igualzinho a ela, porém mais adequada, quem sabe até com um cachorro e uma casa em Fulham.

Continuei a examinar a prateleira e abri outro livro. Estranhamente, também tinha flores na capa. O título era *Serviço de pedidos cósmicos*, e afirmava que tudo o que você precisa fazer é pedir o que quiser para o universo e seu pedido se realizará.

> Mas cuidado com o que você desejar e pedir: tudo pode acabar se realizando ao mesmo tempo!

Interessante, pensei, eles todos parecem estar dizendo as mesmas coisas. Pus o livro de volta na prateleira e saí discretamente pela porta lateral.

Senti um revigorante aumento de confiança, um frescor semelhante ao que sentimos quando nos barbeamos pela primeira vez com uma Gillette. Tive, então, uma súbita clareza de propósitos. A insistência de Zara em viajar não passava de um desafio, um teste para a minha determinação. Desde que eu não vacilasse e não entrasse em pânico, tudo daria certo — só precisava ser fiel à minha crença. O que eu precisava fazer agora era recolocar meu projeto nos trilhos. O otimismo era meu trunfo. Era algo que Zara entendia, algo que ela admirava, algo em que poderíamos trabalhar juntos.

Enquanto isso, eu precisava agir. Agir de forma clara e decisiva em relação a algum problema mundial urgente, algo que preocupava todo o mundo e que seria impossível ignorar. Precisava de algo simples e inequívoco, algo deprimente e universal, como a fome ou a pobreza ou...

— A África — disse Zara, quando nos encontramos naquela noite. — Você não vai falar da África?

— É isso! — respondi.

Como pude esquecer a África? Fazia parte da minha lista desde o início — item 35, entre o preço dos alimentos e a ausência de uma divindade tangível e intervencionista —, mas eu a tinha deixado de lado, intimidado pela magnitude do problema. A África era um ponto central para os pessimistas, uma fonte constante de preocupação e culpa, a desculpa perfeita para os céticos se sentirem mal quanto à humanidade e desistirem do mundo. Nada de budismo ou psicologia. A África precisava de muita atenção. Mas quem poderia me ajudar?

— Desmond Tutu? — Zara sugeriu.

— Tutu! — eu disse. — Por que não?

O arcebispo Tutu certamente era o otimista supremo: uma lenda na luta contra o *apartheid*, fundador da Comissão para a Verdade e Reconciliação e um veterano em campanhas pela paz. Ele estava tão ocupado em trazer perdão e reconciliação para o planeta, e tão ubiquamente presente em cada iniciativa global, que às vezes me perguntava se ele não havia se clonado e oferecido os clones para distribuição comercial.

Será que ele teria tempo para nos receber?

Naquela noite, sentei à minha escrivaninha e tentei visualizar um encontro com Desmond Tutu. Eu me imaginei em um escritório luxuoso, com estátuas de alabastro e pinturas a óleo de clérigos. Tutu usava uma sotaina roxa e eu estava de paletó.

Esperei. O que era para acontecer? Os livros de autoajuda deixavam claro que eu deveria fazer meu pedido e deixar tudo nas mãos do universo. Mas e depois? A imagem se desvaneceu.

Sem querer contar apenas com a força do pensamento positivo, mandei logo um e-mail para o escritório de Tutu, indagando quando poderíamos nos encontrar. Disse que levaria minha assistente, Zara, uma psicóloga experiente, e que tínhamos assuntos importantes para discutir com ele. Meu tom era confiante e magistral. A secretária respondeu em menos de uma hora.

> Sinto muito, mas o arcebispo está sempre em viagens e não posso sobrecarregar sua agenda com reuniões.

Peguei o telefone. Como se essa resposta fosse me contentar! Sabia que se conseguisse esse encontro, Zara e eu teríamos um último feriado épico juntos

— e nossa união certamente estaria selada. Não iria desistir. Liguei para o escritório de Tutu e implorei, com uma persistência implacável e irresistível, até que a secretária finalmente se rendeu.

Duas semanas depois, estávamos em Cape Town.

Seis e quarenta e cinco da manhã. Na capela da catedral de São Jorge, esperando o início da missa. Não tínhamos marcado encontro, mas a secretária de Tutu sabia que eu estava lá. Ela disse que faria o possível. Eu não pedia mais que isso.

Sorri para Zara. Surpreendentemente, há dias que não discutíamos sobre compromissos emocionais. Ela nem reclamou quando a apresentei como minha namorada. Parecia que finalmente havia aceitado seu destino como minha futura esposa. A maré estava começando a virar.

Esquadrinhei a capela em busca da secretária de Desmond.

Estranhamente, minhas mãos estavam começando a suar.

— Relaxe — disse Zara. — Acredite que as coisas vão dar certo. Esse é o espírito do otimismo.

— O que você quer dizer com "acredite"?

— Crie uma intenção clara e positiva de que o encontro vai acontecer, e vai acabar acontecendo.

Ela deu um sorriso radiante.

— Vou tentar — respondi.

Um murmúrio de expectativa percorreu a congregação quando um homem de batina roxa atravessou a nave. Ele lançou à multidão um sorriso cansado. Tentei atrair seu olhar, mas ele não pareceu me notar.

Tutu realizou a cerimônia e então fechou sua Bíblia com um ar de alívio.

— Bem-vindos! — ele bradou. — Bem-vindos, bem-vindos!

Os fiéis aplaudiram como se tivessem testemunhado o próprio Deus celebrar a missa.

— Não foi *tão* boa assim — sussurrei.

A secretária de Tutu apareceu e nos levou até um café movimentado. Lá dentro havia pelo menos 15 fãs de Tutu esperando por seu herói.

— Estamos com fome! — gritou Desmond, surgindo à porta.

Eu me espremi entre dois fiéis: uma freira do Canadá e um alemão taciturno. O arcebispo estava imprensado no meio, como um garoto em seu aniversário, segurando uma xícara de chocolate exageradamente grande na mão. Estava fazendo o possível para dar atenção a todos ao mesmo tempo. A freira do Canadá — com seu colarinho levantado e uma bolsa estilo Margaret Thatcher — estava monopolizando a conversa com histórias sobre sua diocese. Seu objeto de adoração parecia entediado. Aproveitei a oportunidade.

— Arcebispo — eu disse. — Sou Laurence Shorter, o otimista...

O recinto saiu de foco quando concentrei meu olhar na celebridade internacional.

—Mmm... — disse Tutu. — O otimista. Bem, devo preveni-lo que *não sou um otimista.* — Olhou ao redor da mesa em busca de apoio. — Eu *definitivamente* não... sou... um... otimista. Sou... um Prisioneiro da Esperança!

Senti como se tivessem me dado um tiro no peito. Um coro de suspiros de admiração emanou do fã-clube de Tutu.

— *O otimismo* — ele disse, apontando o dedo para o teto — pode transformar-se em *pessimismo* rapidamente se a situação vai mal. *Esperança* é outra coisa!

Ele gargalhou, cruelmente. Eu agora era o centro das atenções — possivelmente do ódio — de todo o café.

— Mas esperança não é o mesmo que otimismo? — insisti.

— Que otimismo? Não! — Ele fez uma careta para o meu gravador. — A esperança é um artigo de fé! Significa que, apesar de todos os indícios em contrário, tudo vai dar certo!

— Isso *é* otimismo — insisti, mas o arcebispo me ignorou.

Àquela altura, meus colegas de café da manhã estavam começando a me olhar como se eu fosse o embaixador de alguma outra espécie, provavelmente do reino dos insetos. O próprio ganhador do prêmio Nobel estava votando contra o meu projeto, em público. Carol, do Canadá, afastou levemente sua cadeira para a esquerda. Será que ela não sabia quem eu era?

Tutu sorriu ironicamente.

— Sempre dissemos, por exemplo, que o *apartheid* chegaria ao fim... mas todos os sinais indicavam que deveríamos perder a *esperança*! Que deveríamos ser totalmente *pessimistas*! Quer dizer, a comunidade internacional *apoiava* o governo do *apartheid. Sua primeira-ministra* chamou Mandela de *terrorista.* Se fôssemos apenas *otimistas* teríamos desistido!

Ele olhou em volta, recorrendo à multidão.

— Este é um universo moral — ele declarou. — Não há como a injustiça... ha, ha, ha!... prevalecer. Mas esse é um artigo de fé! Não é algo que dependa de como estão as coisas. As coisas parecem ir muito mal.

Dei um gole no chá. Eu precisava fazê-lo entender que estávamos falando da mesma coisa — que ele era, na verdade, um otimista, e que eu não era um bobo ingênuo, mas sim um jovem muito legal. Talvez assim ele parasse de me tratar como um colonizador idiota dos anos 80.

— Mas o que há de melhor nos otimistas não é justamente serem esperançosos? — argumentei.

Desmond franziu a testa.

— Agora você está *trapaceando*, me obrigando a falar sobre o assunto que iríamos discutir mais tarde. Não precisa mais ir ao encontro! *Nossa entrevista acabou.* Adeus!

Entrei em choque. Nem sabia que tínhamos um encontro marcado. E acabei estragando tudo. Corri para o banheiro e fiz um movimento de ioga para me acalmar. Se eu desistisse agora, a reputação do otimismo estaria em perigo.

Quando voltei, o café da manhã havia terminado. O arcebispo tinha ido embora. Saí correndo do café e segui sua secretária rua abaixo.

— Você está de carro? — ela perguntou.

— Não! — retruquei, desesperado.

— Podemos lhe dar uma carona até o escritório.

Ela alcançou Tutu.

— Eles estão indo com você — ela ordenou.

— *Essa não*! — ele suspirou. — Só se você prometer ficar de boca fechada!

Quando dei por mim, já estava dentro de uma BMW. Zara estava no banco de trás e Tutu ao volante. Desmond olhou pela janela.

— Boca fechada! — ele disse.

O trajeto até o escritório durou vinte minutos. Tutu contemplava a rua, achando que eu desapareceria se ele não olhasse para mim. Não sabia o que tinha feito para ofendê-lo, mas não importava. Estava em um carro com Desmond Tutu — e ele estava dirigindo! Senti como se as portas do universo houvessem sido abertas e finalmente me deixassem entrar. Daqui para frente, tudo daria certo.

No cruzamento seguinte, Tutu virou-se.

— Vou te dar um conselho: Não seja otimista. Seja esperançoso. A esperança não depende da realidade. — Ele olhou para Zara pelo retrovisor. — A esperança diz que *o bem vai triunfar sobre o mal.* Mas, até lá, é preciso tolerar a pobreza e a tortura.

Ele acenou para o tráfego. Um oceano de carros esperava educadamente no cruzamento, dando passagem sem buzinar.

— Incrível! As pessoas às vezes são realmente bem gentis.

— Talvez eu consiga fazer com que o senhor mude de ideia — disse.

Tutu me ignorou e manobrou o carro em direção a um estacionamento comercial. Um porteiro liberou nossa entrada.

— Tenho uma fé inabalável nas pessoas — disse o clérigo, em voz baixa, enquanto estacionava o carro. — Acho que as pessoas são essencialmente boas. — Ele me olhou de cima abaixo. — É verdade que na maioria das vezes os fatos contradizem isso, mas mesmo assim...

Ele levou as mãos à cabeça.

— *Essa não*! Por que estou falando com você?

Tutu nos conduziu por uma escada, passando por unidades comerciais pré-fabricadas e numeradas. Olhei ao meu redor, perplexo. Onde estava o palácio? Onde estavam os guardas uniformizados e as fontes ornamentais? Será que havia me enganado?

Para o meu alívio, o gabinete do arcebispo estava repleto de placas comemorativas e prêmios vindos dos mais diversos países. Senti que meu rosto voltava a ganhar cor. Era uma sensação boa estar cercado pela aprovação tácita de grandes homens. Poderia ser um deles, disse a mim mesmo. Poderia ser um líder mundial. Por que não? Olhei ardentemente para um medalhão dourado.

— Você já conhece minha namorada? — ele perguntou, apontando para a fotografia de Aung San Suu Kyi, uma dissidente birmanesa. — Eu nunca a vi pessoalmente, mas gosto de chamá-la de namorada. — Ele piscou para Zara e voltou a olhar para o retrato. — Eles nem ao menos deixaram que ela visitasse seu marido quando ele estava morrendo. São criaturas cruéis. Cruéis, cruéis, cruéis. Mas também são filhos de Deus. *Ahhh*! Ainda bem que não sou Deus! *Ha, ha, ha*!

Eu ri, educadamente. Não era de se estranhar que Tutu não soubesse diferenciar esperança de otimismo. Ele era um cristão!

O velho se sentou.

— Sim?

— Otimismo — lembrei a ele.

Ele juntou as mãos e franziu a testa. Franzi a testa em resposta.

— O senhor pode até não concordar com o otimismo — eu disse —, mas pelo menos é melhor que o pessimismo.

— Não — ele teimou. — Acho que o otimismo leva facilmente ao pessimismo... É sério. Porque assim que as circunstâncias materiais mudam, as coisas se complicam.

— Mas...

— Ouça, os pessimistas em geral são pessoas que realmente não estão indo tão mal. Mas são cínicos porque se apegam às coisas erradas. Apegam-se a *coisas externas*...

Ah, não, pensei, *de novo não.*

— Você se torna cínico porque acha que coisas externas podem fazê-lo feliz... Sabe como é, um carro de luxo, uma casa legal, uma bela esposa, mas faz tempo que se sabe... e não é preciso ser cristão para entender isto... que todas essas coisas materiais, riqueza, sucesso, sexo... não têm realmente a capacidade de satisfazer.

Lancei um olhar pesaroso para Zara. Por que todo otimista que eu conhecia precisava se meter em nosso relacionamento pessoal? Todo mundo *sabe* que as coisas materiais são superficiais e insatisfatórias. Mas algumas coisas são menos superficiais que outras. Como contas conjuntas e apartamentos de dois quartos no oeste de Londres.

— Então o que é a esperança? — perguntei com voz firme.

— Acho que é uma coisa mais profunda que há nas pessoas. Os seres humanos têm uma capacidade de adaptação surpreendente. Estive no Haiti faz pouco tempo, e a pobreza é... esmagadora. Mesmo assim as pessoas conseguiam rir, elas estão sorrindo, são legais e chamam aquilo... de lar! Aqueles barracos sujos e miseráveis, sabe... um lar! Há alguma coisa dentro de nós dizendo que fomos feitos para algo melhor.

— E a África? — perguntei, com cuidado. — Você se sente "esperançoso" de que ela possa se ajeitar?

Ele me olhou com severidade.

— Se você fosse apenas um pouco mais modesto e lembrasse só um pouquinho da sua própria história, não seria tão leviano.

— Como assim?

— Sempre digo aos europeus, *gostaria apenas que vocês não tivessem memórias tão curtas*. Vocês foram responsáveis por duas guerras mundiais, pelo Holocausto e, mais recentemente, inventaram a limpeza étnica. Vocês são os especialistas! — Ele caiu na gargalhada. — Sim, a África — ele disse como se estivesse pensando alto. — Vai dar trabalho, mas as coisas vão se ajeitar. É, vão se ajeitar.

A secretária pôs a cabeça na porta.

— O tempo acabou!

Tutu sorriu debilmente e continuou a falar, sussurrando.

— Costumávamos celebrar vários funerais. Quando conversávamos com as pessoas, dizíamos a elas: "Sabem de uma coisa? Alguns de vocês serão assassinados. Alguns de vocês serão torturados. Vocês não verão esse maravilhoso *desfecho*. Mas isso não importa, vai acontecer!" E houve um momento inacreditável durante a luta em que as pessoas foram notavelmente altruísticas, quando diziam: "Não importa que eu seja torturado ou morto, desde que isso contribua para a conquista da nossa liberdade." Deve existir algo que faz esses jovens dizerem que nem mesmo a morte importa. A total... sua aparente total ANIQUILAÇÃO não importa. — Ele bateu com a mão na perna da cadeira. — E isso não é *otimismo*.

Naquele ponto, já tinha compreendido o sistema de Tutu. Esperança era outro nome para otimismo. E otimismo era outro nome para estupidez. Estávamos falando sobre exatamente as mesmas coisas. Apenas usávamos vocabulários diferentes.

Mas o velho cavalo de guerra não ia mudar de opinião.

— A polícia... Eles tiravam fotos de Mandela e de simples mortais como eu. E gostavam de nos usar para praticar tiro ao alvo! Eles usavam nossas fotos e isso era... — risadas. — Ele revirou os olhos e assoviou. — A esperança — ele disse. — Sim... A esperança é um deus que aceita todos nós. Mesmo os assassinos. E é aí que você diz: *Acho que preciso me tornar uma pessoa melhor*. E não é porque só assim Deus vai me aceitar. Não, Deus já me aceitou.

Ele pôs a mão no meu joelho.

— A Bíblia diz algumas coisas extraordinárias. Diz que Deus o escolheu antes da criação do mundo. Deus disse: *Laurence, você será meu filho predileto*. — Baixei os olhos, hipnotizado por seus dedos gigantescos. — E porque você é o filho predileto de Deus, você pode evoluir e tornar-se... um *santo*.

— Isso é muito interessante — respondi.

— Todos nós temos a capacidade de nos tornar santos — disse Tutu, pausadamente. — A melhor coisa que Deus já criou é *você*. — Deu um tapinha em meu joelho. — Você! Principalmente! Não há nada melhor, Deus não poderia ter feito melhor. Você é a melhor coisa que Deus criou... Entende?

Assenti.

— Ótimo! — ele se levantou da cadeira. — Agora dê o fora!

CAPÍTULO 8

A pergunta é: quando você parou de evoluir? Quando deixou de ter aqueles instantes de revelação? Foi nesse momento que você morreu. Quase todo pessimista é um morto-vivo. Não importa que respirem, acordem e comam... estão mortos.

TADDY BLECHER

Cabo da Boa Esperança.

Dobramos a extremidade do cabo, e o sol se escondeu por trás dos pinheiros, deixando nossos olhos na sombra enquanto admirávamos a cidade grande lá embaixo. Tinha aguardado ansiosamente por aquele momento: sair da Cidade do Cabo para aproveitar uns dias de férias antes de voltarmos para casa. O panorama abaixo — os reluzentes navios brancos, o cais agitado, os guindastes e as gruas de uma movimentada cidade portuária — me encheu de alívio. Ali estava a África no que tem de melhor: limpa, próspera e segura. Aquele era o futuro do continente: pequenos hotéis de luxo e vinhedos, laranjais e restaurantes.

— Você está vendo — eu disse, ao fazermos outra curva — o que o pensamento positivo e a livre-iniciativa podem fazer por um país!

Zara sorriu. Acelerei.

— Tutu sabia exatamente do que eu estava falando. Só era teimoso demais para me dar razão.

Ah, sim — pensei —, *as coisas estavam indo exatamente como planejado.*

Em pouco tempo chegamos ao nível do mar. O sol estava se pondo e não demoraria a escurecer. Decidi tomar um atalho.

— Uau! — disse Zara. — Isso aqui deve ser uma favela.

— Estranho — eu disse, consultando o mapa.

Pequenas fogueiras ladeavam a estrada. O asfalto se tornou irregular. Fixei o olhar no caminho à frente.

— Já deveríamos ter chegado à estrada costeira — eu disse, tentando não ficar nervoso. — Isso não está no mapa. Acho que é Khayelitsha. O local sobre o qual nos falaram.

Zara abaixou o vidro para se debruçar na janela. A favela se estendia por quilômetros ao nosso redor.

— Você pode fechar a janela? — eu disse. — Por favor?

— Olha que vista! — disse Zara. — Podemos parar?

— Não acho que seja uma boa ideia — resmunguei. — Já estamos um pouco atrasados.

— Atrasados pra quê?

— Apenas... atrasados — respondi, irritado, vigiando a margem da estrada.

— Mas estamos de férias! — ela reclamou.

Parei o carro e Zara abriu a porta.

— Espera, vou tirar uma foto. É só um segundo.

Ela saltou do carro. O sol mergulhava lentamente no horizonte.

Quando levantei os olhos, Zara tinha desaparecido. Disse um palavrão e desci do carro, bem a tempo de vislumbrar o vestido vermelho dela desaparecendo entre fileiras de barracos. Ela tinha perdido a noção do perigo?

— Zara! — gritei.

Olhei para o carro alugado atrás de mim, com sua pintura reluzente, cheio de equipamentos eletrônicos. Fiquei ali por um instante, angustiado. Quando finalmente encontrei Zara, ela já estava no meio da favela, conversando, de cócoras, com uma garotinha. Havia uma pequena multidão ao redor dela. Olhei para eles.

— Ei — eu disse. — O que você está fazendo?

Zara deu um sorriso.

— Tira uma foto nossa? Prometi mandar uma cópia para eles.

— Claro — eu disse, suando. —Vai ficar linda...

Ela acenou para que o resto da família da garota se aproximasse. Um jovem de olhos injetados veio se chegando de mansinho e chamou um amigo. Aquilo pendurado no cinto dele era um facão?

Olhei para trás, na direção do carro. Se alguém o roubasse, estávamos perdidos. Eles iam nos matar a tiros ou a pancadas? Iam nos forçar a beber óleo de rícino?

— Está escurecendo — eu disse, avaliando qual seria o melhor trajeto de fuga. *Melhor dar o fora*, pensei. Comecei a recuar.

— Espera — disse Zara. — Já estou indo.

De volta ao carro, agarrei com força o volante.

— Isso foi legal! — disse Zara. — Nós provavelmente somos os primeiros forasteiros com quem eles conversam há dias.

Cerrei os dentes e assenti com a cabeça.

— Por que você está tão nervoso?

— Não estou nervoso — respondi abruptamente.

Ela virou o rosto e olhou pela janela.

Passei o resto da viagem em silêncio. Assim que completasse minha missão e salvasse o mundo do pessimismo, voltaria lá e andaria sem medo pela favela. Entraria lá com os bolsos cheios e as mãos abertas. Mas, naquele momento, eu tinha assuntos pendentes. Tinha um livro para escrever, um relacionamento para salvar. Não estava pronto para morrer. Fiquei pensando enquanto o horizonte desaparecia na escuridão. A África era uma bagunça. Ninguém deveria se preocupar com essas coisas quando está de férias.

Tínhamos mais um otimista para encontrar antes de pegar o avião de volta para a Inglaterra — um empresário de Joanesburgo que tinha fundado sua própria escola de negócios.

Quem me falou sobre Taddy Blecher foi Desmond Tutu, ou melhor, a secretária de Tutu, que nos passou o contato quando saíamos do escritório. O mais interessante a respeito de Taddy era o fato de ele ter encontrado uma solução para a pobreza: uma universidade projetada para educar sul-africanos pobres e transformá-los em empresários. Coisa de gênio. Tudo o que precisávamos fazer agora era levar essa ideia para o resto do mundo e todos os problemas gerados pelo crime, pela pobreza e pela violência de rua seriam resolvidos numa só tacada. Nunca mais precisaria temer pela minha vida.

Fomos de táxi até o centro comercial de Joanesburgo. Fazia um calor de quarenta graus e as ruas estavam apinhadas de gente, mas eu não estava com medo. Logo chegaríamos à CIDA, a escola de negócios do Taddy. Eu me recostei no banco e esperei que o campus surgisse. Seria um alívio muito bem-vindo depois da sujeira das ruas da cidade.

O táxi parou e levantei os olhos do jornal. Ainda havia pedestres por todos os lados. Estávamos em uma avenida movimentada, sob uma fileira de arranha-céus.

— Por que paramos aqui?

— Veja — disse Zara, apontando para um prédio. — É o campus da CIDA.

Franzi a testa. Onde estavam as quadras de esporte e os gramados meticulosamente aparados? E os alunos sossegados à sombra das árvores? Uma secretária veio ao nosso encontro e nos conduziu ao prédio. Era um antigo espigão, um arranha-céu construído na próspera década de 80, tempo dos grandes bancos mercantis. Senti o suor aflorar nas minhas costas. Não era o que eu tinha imaginado. Seguimos a moça através do térreo amplo e sem paredes internas.

— Que barulho é esse? — perguntei, olhando preocupado para o teto.

O som de sapateado e pés se arrastando reverberava lá de cima.

— Aula de salsa — ela respondeu, com um sorriso sonolento.

Ela nos conduziu através de uma sala de palestras improvisada usando uma cortina. *Caos!*, pensei, apertando a mão de Zara.

— O senhor Blecher já vai recebê-los.

— Ele está atrasado? — perguntei. — É que não temos muito tempo.

Sentamos em um sofá e lembrei com saudade da nossa bonita hospedaria e do gim-tônica que estaria em minha mão naquele momento se eu não estivesse no centro comercial mais perigoso do planeta. Por que arrastei Zara para lá? Eu *odiava* instituições de caridade. São deprimentes. A própria existência de ONGs sugeria um mundo com problemas incorrigíveis e alguma figura odiosa contra a qual se revoltar, como o governo americano ou as grandes multinacionais. Eu só queria saber de soluções, de preferência relacionadas à expansão harmoniosa pelo mundo de lojas de café, supermercados orgânicos e cibercafés com cabines individuais e bebidas de graça. Farejei o ar em busca do odor de café fresco.

Pelo menos a CIDA era uma escola de negócios, disse a mim mesmo. Passei a vista pelos certificados emoldurados nas paredes. Um deles celebrava a fundação de uma nova faculdade, patrocinada pelo Virgin Group.

— Olha só, ele conhece Richard Branson!

Zara deu de ombros.

— Oi, pessoal! — disse Taddy, surgindo no corredor. — Já vou recebê-los.

Eu o observei entregar alguns documentos para a secretária. Tinha as maneiras reconfortantes e o tom de voz cauteloso de uma enfermeira de hospital psiquiátrico.

Conhecia bem o tipo. Baixei os olhos para o folheto da CIDA:

> Taddy é um experiente ex-gerente de projetos da Monitor Company, uma empresa internacional de gerenciamento estratégico, na qual foi eleito consultor do ano por três anos consecutivos.

Taddy era o tipo de empreendedor de olhos brilhantes que encantava todo mundo. Sem dúvida era amado por todos — as secretárias, os sócios e os auxiliares de escritório. Em sua adolescência, provavelmente comandava a sociedade de debates, o jornal escolar e o time de lacrosse — tudo ao mesmo tempo.

Taddy reapareceu. Era quase possível ver o halo de "sim" ao redor de sua cabeça.

— Aceitam chá, café, uma bebida mais forte? — ele deu um risinho tranquilo e fomos atrás dele até a sala da diretoria. Eu sentia a energia que emanava dele se derramando sobre mim como um sorvete com sabor de gente. Ele tinha cara de menino — a imagem perfeita de um Harry Potter trintão, com direito aos óculos e à gravata exagerada. Na parede atrás de nós havia um pôster com os seguintes dizeres: PROPRIEDADES DO CAMPO UNIFICADO LOCALIZADO NO LAGRANGIANO DO CAMPO UNIFICADO — um padrão de linhas entrecruzadas com rótulos enigmáticos, como um mapa do universo da era elisabetana. Que diabo era aquilo?

— Vocês estão juntos? — perguntou Taddy.

Meu coração disparou. Até Taddy Blecher percebia. Nossa intimidade era um fato óbvio.

— Estou dando uma força no projeto do otimismo — disse Zara.

— Estamos juntos — eu disse.

— Isso é ótimo! — Taddy abriu as mãos como um apresentador de *talk show*. — Por que não disseram logo?

Sentamos à mesa de reuniões e nos serviram drinques.

— Vou contar uma coisa, adoro o que vocês estão fazendo. — Ele pôs uma das mãos sobre o coração, depois a outra. — Acho isso incrível. O otimismo é muito importante para mim. Graças ao otimismo, criamos uma universidade inteira. Nosso objetivo é criar a primeira universidade que funcionará sem dinheiro nenhum... Por que, afinal de contas, deveria haver pessoas pobres na África? É loucura!

A porta se abriu e um estudante entrou na sala. Ele precisava falar com Taddy.

— Estou com o Laurence aqui... — disse Taddy. — Ele vai me entrevistar agora e veio da Inglaterra só para isso. Não é formidável? — Ele parecia sinceramente dividido. — Portanto, a resposta é *sim*, mas *depois*, o.k.? O rapaz saiu. — *Ótimo*.

Taddy fez uma pausa por um instante, para deixar que o silêncio nos envolvesse novamente.

— Você não faz ideia da loucura que foi isso aqui, o que realizamos — disse, em voz baixa. — Aguentei por 11 anos as pessoas achando que eu estava maluco, que havia enlouquecido de vez. Não dá para descrever com palavras... Imagine que você não tem dinheiro algum, nem imóveis, nem a possibilidade de uma verba governamental, seus estudantes não vão pagar *nada*, sem professores, currículo, ou reconhecimento oficial. Você deve 40 mil rands (ou R$12.800) para um banco e decide que vai fundar uma *universidade livre*, e não tem absolutamente nada, e quer criar algo incrivelmente belo, e TODOS dizem que você está maluco.

— Os pessimistas — respondi.

— É! E você enfrenta um período incrivelmente difícil porque está cercado por todo um *sistema* de pessoas que esqueceram que é possível *criar coisas belas*. Veja esse campus... Viemos para Joanesburgo, a capital mundial do crime, e todos disseram: "Você está louco, vai acabar sendo assassinado e seus alunos serão assaltados." Mas nós vislumbramos o que Joanesburgo poderia se tornar. E agora, sete anos depois, ninguém mais está se mudando da cidade, estão todos voltando para cá, a taxa de criminalidade caiu 80%. E é assim com tudo o que fazemos.

É claro!, pensei. Se eu fosse Taddy Blecher teria feito exatamente a mesma coisa.

Ele passou as mãos sobre a mesa, como se estivesse conjurando um feitiço do interior da madeira envernizada.

— As pessoas sempre pensam que mudar o mundo tem a ver com coisas tangíveis, como conseguir 50 trilhões de dólares de algum lugar e doar para a África ou construir um sistema viário, mas a verdade é — e por isso sou tão otimista — que *nada disso tem a ver com dinheiro*. Não deram nada para a América, não deram nada para a Índia ou para a China. Eles estão fazendo tudo sozinhos.

Ele olhou para Zara.

— Você sabe o que significa educação? A palavra "educação" vem do latim *educare* — "conduzir para fora". Significa fazer aflorar o gênio de cada ser humano, a beleza que há em todos. É isso o que estamos fazendo, estamos reinventando a educação, retomando seu verdadeiro sentido. Estamos criando as mais belas universidades da África. Todo dia vemos a genialidade e o brilhantismo desses estudantes: ganham prêmios internacionais, conseguem empregos em corporações do setor financeiro. Eles vêm de campos de refugiados, são crianças de rua!

Tomei um gole de água, furtivamente. Eu me sentia como o geólogo que, no primeiro mês de uma expedição de três anos na floresta tropical, encontra por acaso o veio de ouro sobre o qual escrevia há anos e que ninguém acreditava que existia. Um autêntico otimista! Era preciso agir com cuidado. Taddy era perigosamente carismático, talvez até irresistível — principalmente para mulheres com vocação espiritual. Mas o que ele dizia era ouro puro. Baixei os olhos para o meu ditafone, que estava fielmente gravando cada palavra. *Manda ver, rapaz.* Tudo o que eu tinha a fazer era me recostar, cutucá-lo de vez em quando e deixar a coisa rolar.

— Vivemos em um campo de possibilidades infinitas — disse Taddy. — Temos possibilidades infinitas de encontrar soluções para os problemas que temos.

— Esse trabalho te faz muito feliz — eu disse.

— A última vez que estive triste foi há 11 anos — ele respondeu. — É sério. Mas eu batalho para isso: desenvolvo um trabalho que considero muito significativo, faço questão de descansar, passo tempo com as pessoas que amo... Medito três, quatro horas por dia.

— Você medita? — Apertei meu copo de água. — Isso tem algo a ver com o... campo lagrangiano?

Olhamos para o estranho pôster na parede.

— Gente, cada um segue seu próprio caminho. O que posso dizer é que meu aprendizado foi em um sistema escolar tradicional. — Ele examinou a superfície da mesa, como se as linhas entrecruzadas do campo lagrangiano também estivessem entalhadas lá. — Mas, a certa altura, parei de explorar e questionar, e esqueci de como me sentia quando criança, de como a vida era bela. Tudo o que me interessava era quando ganharia um milhão de rands e quando ganharia dez milhões de rands, e foi então que aprendi a *meditar*... E um dia estava meditando com um grupo grande de pessoas quando tive uma Iluminação... E saí correndo para a rua, comecei a pular, a abraçar as árvores, eu ria e chorava e estava incrivelmente feliz, e foi quando tive certeza absoluta de que antes estava na prisão, e tive a avassaladora revelação de quem era o carcereiro — e quem era?, era eu mesmo.

Observei Zara com o canto do olho. O rosto dela brilhava de admiração.

— E foi então que entendi — continuou Taddy. — Não preciso mais ficar na prisão! Posso fazer o que quiser! Eu poderia estar descendo o rio Amazonas, poderia estar colhendo arroz na China, por que então estava pensando apenas no minuto seguinte, no dia seguinte? "vou conseguir uma promoção, então meu chefe vai fazer isso, então eu vou fazer aquilo..." uma percepção muito restrita da vida, uma vidinha patética e mesquinha que criei para mim mesmo quando, na verdade, eu era um gigante que poderia ser totalmente livre! E, acreditem, estava prestes a ir embora da África do Sul, pronto para emigrar, havia embalado 43 caixas de roupas e outros pertences, recusado seis ofertas de trabalho e salários multimilionários, deixado para trás todas as minhas roupas e tudo o que eu tinha, quando decidi começar uma nova vida e ir para os povoados negros da África do Sul tentar ajudar as pessoas a encontrarem a si mesmas.

Passei os olhos pelo boletim que ele tinha me dado mais cedo.

> Boletim de conscientização da CIDA
> A meditação transcendental é uma técnica mental natural, fácil de aprender, que abre a percepção para a infinita reserva de energia, criatividade e inteligência que existe no fundo de todos nós.

— Essa meditação transcendental... — eu disse.

Taddy abriu as mãos.

— Não interessa no que você acredita, nem seu sistema de crenças — ele disse. O que importa é fazer alguma coisa. Nossa universidade já educou milhares de jovens — crianças de rua, cheiradores de cola, membros de gangue — que agora estão trabalhando em bancos, firmas de contabilidade, fundando suas próprias instituições de caridade. Tivemos a honra de ter como chanceler a sra. Mbeke, a primeira-dama da África do Sul. Conheci todas as pessoas que tinha vontade de conhecer: Nelson Mandela, Bill Gates e Bill Clinton...

— Você conheceu...

— *Ouça*. Nosso mundo pode ser como o céu com o qual sonhamos. Não há razão para não termos o céu na terra!

Senti os pelos do meu braço se eriçando. Senti o propósito da minha vida se desfazendo sob meus pés, revelando a pequenez dos meus objetivos. Bill Clinton!

— Não estamos dizendo para as pessoas que saiam por aí e abram uma universidade livre para os pobres. O que estamos dizendo é que, em algum lugar muito sereno do seu coração, há uma voz muito poderosa e importante — não importa como você a chame, sua alma, intuição, Deus, o que você achar melhor, não precisa de um nome — que lhe diz o que fazer. Você precisa de um objetivo maior, você está neste planeta por algum motivo e vem ignorando essa voz há dez, cinquenta, setenta anos, mas, em algum momento, se conseguir romper as barreiras do medo e apenas escutar o que realmente acha que deveria estar fazendo, *uma vida de beleza inigualável espera por você.*

Ele fez uma pausa. Zara estava extasiada. Olhei, sem jeito, para o meu café. Se eu falasse usando apenas grandes metáforas como o Taddy, talvez conseguisse transcender as barreiras do medo e me tornar o gigante que realmente era. Talvez esse fosse o segredo.

— O que você come no café da manhã? — perguntei.

— Aveia — disse Taddy. — Com passas.

— Obrigado — eu disse. — Perfeito.

Ainda estava quente lá fora quando saímos do prédio.

— Que homem sensacional! — disse Zara.

Concordei, paciente. Logo eu seria tão grande quanto Taddy. Ou maior.

— Estou me sentindo tão perceptivo — disse a ela. — Somos ou não somos sortudos em viver em um mundo tão belo e infinitamente maravilhoso?

— Talvez você devesse experimentar a meditação, Laurence. Pode ajudá-lo a superar seus medos e encontrar seu objetivo maior.

— Medos? — eu disse. — Que medos?

Segurei a mão dela para atravessar a rua.

— Tem a ver com abrir mão das coisas — ela disse. — Taddy abriu mão de tudo o que importava para ele antes de encontrar sua verdadeira vocação.

— Do que devo abrir mão? — eu ri. — Não tenho uma carreira! Nem uma casa. E ninguém ia querer meu carro.

Zara parou na calçada e me observou cuidadosamente.

— O que você mais preza no mundo?

Olhei para ela e corei.

— Não sou apegado a coisa alguma, se é disso que você está falando.

Anotações para os pessimistas

Por favor, retornem aos seus assentos.

1. TRANSCENDENDO AS BARREIRAS DO MEDO

Em algum lugar no seu coração há uma voz poderosa que diz o que você deveria estar fazendo. Se você conseguir ultrapassar as barreiras do medo e der ouvidos a essa voz, tudo será maravilhoso. Ou então, primeiro ouça a voz e depois rompa as barreiras. Não importa a ordem. Se você tem dificuldade em ouvir a voz, pode meditar. Mas isso só é necessário se você tem uma percepção muito restrita da vida e realmente precisa de ajuda.

(Inserir um exercício aqui)
(Pedir a participação da audiência)

2. MEDITANDO

Como dito anteriormente, isso só é necessário se você estiver em um nível muito elementar de pessimismo. Lembre-se, você não existe de verdade, logo tanto faz se você meditar ou não. Deixe isso para lá e vá dar um mergulho. Observação: toda vez que você olha pela janela do seu escritório, está meditando. O uso de iPods pode desclassificá-lo. (Inserir uma piada aqui)

Algumas observações úteis sobre o budismo:

• O mundo é ilusório. Não se confunda achando que você é uma baleia ou um objeto inanimado.

• Não dependa de outras pessoas para ser feliz. É melhor ter muitos parceiros amorosos para que eles nunca saibam exatamente o que você sente.

Lembre-se, nada é duradouro, nem mesmo a opinião errônea e ingrata de sua namorada sobre as relações humanas.

CAPÍTULO 9

Uma verdade é indiscutível; o que quer que seja, é correto.

ALEXANDER POPE

É difícil explicar o que aconteceu em seguida. Depois de nossas férias deslumbrantes na África do Sul e de uma arrebatadora amostra do que seria nossa vida juntos, Zara foi ao aeroporto e se mandou para a Índia. Ela já falava nisso há tanto tempo que eu estava certo de que nunca iria acontecer. E então aconteceu.

Fui com ela até o portão de embarque, carregando sua bagagem de mão. Ela me olhou, preocupada:

— Você não vai ficar triste, Laurence, vai?

— Triste? — Dei de ombros. — Por que eu ficaria triste?

Uma lágrima escorreu pelo rosto dela.

— Ah, Laurence.

Três dias depois, acordei no meio da noite. Pendurado na maçaneta da porta, o casaco de Zara pendia misteriosamente ao luar. Tateei a cama em busca dela. Ela não estava lá. Meu corpo estremeceu, tomado por uma onda de pavor. Não sentia tanto medo assim desde que minha babá me esqueceu em um posto de gasolina numa rodovia de Nova Jersey.

Durante a semana seguinte, afundei num poço de angústia e desespero. Sentia-me como se a realidade tivesse sido rasgada ao meio, comigo no centro. Como poderia escrever um livro sobre otimismo agora? Um otimista deve ter confiança no futuro, não ser vítima do terror e da incerteza. Se uns poucos dias de sofrimento como aqueles me tiravam do rumo, como enfrentaria os próximos seis meses? E como lidaria com um problema de verdade — digamos, um ataque termonuclear?

Sentei e examinei as notas que tomei durante as entrevistas. Devia ter deixado passar alguma coisa. Tinha acreditado piamente em nosso relacionamento, mas, mesmo assim, minha futura esposa estava, naquele exato momento, em um *ashram* hindu de amor livre, usando um diáfano sári púrpuro. Isso era ridículo e inexplicável. Era totalmente errado.

Fechei os olhos e tentei meditar, mas minha mente estava girando em círculos, como a de um rato com problemas no cérebro. E se eu conseguisse convencê-la a mudar seus planos? A criar juízo? Apanhei uma folha de papel e comecei a tomar notas. Era bastante óbvio que Zara sofria de bloqueios psicológicos em relação a compromissos amorosos e tinha medo de se entregar para alguém. Ela precisava viver um relacionamento estável e afetuoso para conseguir superar sua concepção infeliz do universo e se tornar uma pessoa plena. Escolhi com o maior cuidado as palavras com as quais diria isso para ela e as enviei por e-mail, sugerindo que iria visitá-la assim que tivesse uma oportunidade.

Ela não recebeu bem as minhas palavras e respondeu:

> Fiquei preocupada com seu último e-mail. Eu simplesmente não posso entrar em um "relacionamento" agora.

Disse a mim mesmo que permanecesse calmo. Era um caso de calma ou morte.

Por sorte, eu tinha um plano. E um novo ídolo: Taddy Blecher não passou horas sozinho em frente ao computador, enviando e-mails para celebridades e fazendo anotações em seu diário. Ele trabalhou com *outras* pessoas, *muitas* outras pessoas. Era daí que tirava sua energia. O mesmo valia para Tim Smit. Esse era o segredo do otimismo deles. Eu precisava transcender as barreiras do medo e do ego, e arregimentar seguidores. Precisava reativar o movimento em prol do otimismo — fundar um núcleo de estudos, uma instituição de caridade, começar uma revolução. Só então eu teria um objetivo. Só então deixaria de pensar o tempo todo na Zara. Talvez até a esquecesse completamente.

Encomendei cartões de visita e contratei um web designer para criar um site. Ele me mostrou o produto final em um café na Victoria Street. O site era limpo e vazio, como um supermercado recém-inaugurado. Aprovei. Seus fóruns para trocas de mensagens logo estariam lotados com pessimistas descontentes de todas as partes do mundo.

Depois escrevi uma carta para o presidente Clinton. Era discreta, porém estimulante. Era respeitosa, porém honrada. Estávamos conversando de homem para homem.

> Caro Bill,
> O Projeto Otimista é uma iniciativa pioneira que reúne os ensinamentos dos otimistas mais proeminentes do mundo, com o objetivo de aplicá-los em nível global — ou organizacional.

Sorri para mim mesmo. Soava tão profissional. Eu estava particularmente satisfeito com o trecho "ou organizacional".

> Como um dos líderes mais experientes de hoje, o senhor está em condições de nos ajudar a divulgar a importância do otimismo como fator gerador de uma mudança coletiva. Nós o convidamos a dividir conosco sua visão para o futuro.

Bill perceberia o toque de gênio, o tom de um futuro líder. Ele jamais imaginaria que só havia um de mim e que meu escritório ficava no quarto de hóspedes da casa do meu pai em Londres. Ele certamente diria que sim.

Era o meu destino.

Minha próxima parada era Nova York.

Central Park.

Estava deitado ao sol, observando os arranha-céus de Manhattan agigantando-se sobre as copas das árvores, como antigos ímãs construídos para atrair otimistas do mundo inteiro para a América.

Tinham atraído a mim, pelo menos.

— Você vê o Clinton correndo de vez em quando por aqui? — perguntei, sem segundas intenções, para uma estudante de arte. Ela estava sentada em uma pedra com vista para a trilha de jogging.

— Estou ocupada — respondeu.

Recuei. Era evidente que a moça estava traumatizada por anos de rudes cantadas baratas. A culpa não era minha.

— Vivemos em um campo de possibilidades infinitas — eu disse, abrindo as mãos. — Estou escrevendo um livro.

Ela apanhou o bloco de desenho e foi sentar no outro lado da pedra.

Talvez a culpa fosse da cidade, pensei. Mas não ia deixar a mentalidade estreita de seus habitantes me desestimular. E já fazia mais de uma hora que não pensava em Zara. Minha estratégia de distanciamento estava funcionando. Eu estava em Nova York para assistir a uma conferência de oradores e entusiastas do movimento New Age no hotel Sheraton da Sétima Avenida. O encontro se chamava VIVENDO SEM MEDO e era minha grande oportunidade de provar a Zara que eu era uma pessoa espiritualmente evoluída, e não o neandertal materialista que ela acreditava.

O saguão estava apinhado de participantes em um estado de alegre excitação, correndo de um workshop para outro. Um homem de bata branca girava habilidosamente um bastão em volta da cabeça, sorrindo para a multidão que circulava a seu redor. Fiz uma careta quando o tecido macio de algodão do seu xale roçou em meu rosto. Mulheres de meia-idade em saias estampadas passavam por mim, rindo alegremente.

Fui até a recepção e conferi a programação da conferência: regressão a vidas passadas, hipnose astral, meditação kundalini... palestras sobre ser "livre" e encontrar seu "guerreiro interior". *Jesus!* Era o mundo sinistro de budistas e pessoas em busca de espiritualidade, o mundo que havia arrastado minha amada para a Índia. Andei cautelosamente pelo saguão, sentindo um arrepio inesperado de medo — eu estava em território inimigo. Uma mulher trajando uma túnica esvoaçante se aproximou de mim, com um sorriso acolhedor. Seu traje parecia ter sido confeccionado no reino perdido da Atlântida.

— Você está participando do evento? — ela perguntou.

— Não — respondi com firmeza. — Sou um jornalista.

Os participantes jorraram do salão de festas quando a cerimônia de boas-vindas terminou. Ergui o microfone frente ao rosto como se fosse um crucifixo.

— Por que você está aqui? — perguntei a uma senhora.

— Para sentir o amor — ela suspirou, levando a mão ao peito. — Para me recarregar e me conectar e simplesmente me sentir maravilhosamente bem!

— Quer dizer que você é uma otimista?

— Ah, sim... — ela concordou. — *Muito* otimista. — Ela se inclinou sobre o microfone. — Se você me perguntasse se o copo está metade cheio ou metade vazio, eu diria, sem hesitar: "metade cheio".

Ela sorriu, satisfeita com sua contribuição.

— E se fossem dois copos?

Estávamos em uma fila de autógrafo, encabeçada por um careca sorridente de camisa havaiana.

— Aquele é Wayne Dyer — disse a mulher, radiante. — Você sabe quem é Wayne Dyer?

Wayne Dyer estava no alto da escada, autografando o livro *Inspiration, Your Ultimate Calling.* Na capa do livro, que todos na fila tinham em mãos, havia uma foto dele com uma camisa branca e uma borboleta pousada na mão. Wayne brincava e flertava inocentemente com as mulheres de meia-idade que esperavam para conhecê-lo. Sem dúvida ele era popular. Por que não entrevistá-lo?

— Oi, Wayne — eu disse. — Sou da Inglaterra.

O sorriso esmaeceu. Eu era o único homem na fila e não trazia uma cópia do livro dele.

— Minha agenda está quase lotada — ele respondeu, quando pedi uma entrevista —, mas você pode falar com meu RP. Ele está bem ali.

Exatamente como pensei: por trás dos apertos de mão, o cara era um *showman*, um empresário teatral, como todos os outros "gurus espirituais". Encontrei com ele mais tarde em um estúdio no térreo. Estavam dando retoques em sua cabeça enquanto ele testava o som e sorria para a câmera.

Wayne concordou em me deixar fazer três perguntas, mas apenas a última me parecia relevante:

— A borboleta é de verdade?

Wayne Dyer parecia cansado.

— A borboleta na capa do meu livro? Não, acho que foi digitalizada.

— Obrigado — eu disse.

— É só isso que você queria saber?

— É.

A tarde se arrastou. A empolgação inicial de ter aberto uma brecha nas linhas inimigas passou e eu estava começando a me sentir deprimido. E se isso não servisse para nada? E se Zara nem tomasse conhecimento da minha fuga em busca da liberdade? Eu precisava aprender alguma nova técnica espiritual para fazê-la mudar de ideia. Era por isso que todo aquele pessoal estava ali, não era?

Decidi tentar a sorte com Caroline Myss, uma das conferencistas. Caroline era famosa, ao que parece, por desfazer "bloqueios psíquicos" do corpo das pessoas — bloqueios que impediam a vida de fluir sem percalços. Essa possibilidade me estimulava muito. Aparentemente eu tinha um desses bloqueios e agora poderia me livrar dele, fazendo com que tudo voltasse a entrar nos eixos. Eu a avistei no saguão, entretida em um bate-papo.

— Com licença. Posso dar uma palavrinha com você?

Ela me olhou, espantada.

— Não, não pode — ela disse. — Estou almoçando com amigos.

— Desculpa — eu disse.

Observei-a engolir uma garfada de salada. Será que ela estava fazendo uma varredura em meu campo energético em busca de bloqueios psíquicos? Ela suspirou e olhou de novo para mim.

— Trinta segundos — ela disse —, não mais. Me acompanhe até o saguão.

Ela atravessou o vestíbulo, cumprimentando de passagem seus simpatizantes, enquanto eu falava da minha missão. Eu me perguntava quando ela ia fazer sua limpeza psíquica.

— Na busca espiritual — ela disse, subindo a escada —, você precisa ir além do otimismo.

— Para onde?

Ela olhou para mim.

— Você sabe o que quer dizer aceitação?

Fiquei parado na entrada do saguão, sem saber o que dizer. Uma assessora de imprensa estava aguardando para prender um microfone sem fio na camisa de Caroline, que me passou sua xícara de café vazia.

— Aceitar o negativo — ela disse. — E não fugir da realidade. O.k.?

Uma onda de aplausos a envolveu quando ela subiu ao palco.

Eu me afastei, deprimido. Que bem aquilo me faria? A ideia era justamente *mudar* a realidade.

Só tinha tempo para mais uma entrevista: Byron Katie, uma mulher que havia ensinado a si mesma a ser feliz o tempo todo, usando o método de não dar crédito a seus pensamentos. Não acreditar nos meus pensamentos parecia uma medida extrema, mas refleti que talvez isso me desse a munição de que eu precisava para mudar a atitude de Zara. Eu me aproximei do estande de Byron

Katie. Cópias de seu último livro estavam empilhadas na lateral. Folheei uma delas, distraidamente.

> Desde o princípio dos tempos, as pessoas vêm tentando mudar o mundo para que possam ser felizes. Isso nunca funcionou, porque essa estratégia aborda o problema de trás para frente.

Não me soava muito otimista.

— Sou otimista — disse Byron Katie, enquanto eu ajustava o microfone. — Agora que estamos discutindo o assunto, diria que sou constantemente otimista. Não importa o que aconteça, imediatamente entendo a razão, e é *sempre* boa.

— Como assim? Qualquer coisa?

Olhei para a assistente dela, Melony, que sorria tranquilamente.

— Durante anos eu era incapaz de ver — disse Katie. — Mas de modo algum isso me refreou. Eu caía e tropeçava e trombava nas coisas, e era tudo mágico e maravilhoso.

— Sei.

— Sou realista. A maioria das pessoas não é. A maioria das pessoas está em guerra com a realidade. Nunca estão em paz porque acreditam em seus pensamentos, e os seus pensamentos não aceitam as coisas como *são*. E por isso elas sofrem.

— Quer dizer que se eu simplesmente aceitar a realidade tudo vai ficar bem?

— Tudo já está bem.

— E se eu quiser que fique *melhor*?

— Então você não está entendendo nada. Isso não é aceitação. É fingir que aceita, enquanto continua querendo mudar as coisas. Lembre-se, quando acredito em meus pensamentos, eu sofro, mas quando questiono meus pensamentos, não sofro.

Baixei os olhos. Katie era uma mulher atraente, de olhos castanhos e hipnóticos. Corria o risco de começar a concordar com ela por razões indevidas. Contudo, era crucial que eu conservasse algum tipo de controle mental enquanto aquela senhora tentava descartar os últimos dois mil anos da civilização ocidental — uma civilização baseada no pensamento racional. E os benefícios da razão? Comparado ao laptop do meu pai, meu cérebro era realmente um produto perfeito da criação. Estava ligado há mais de três décadas sem um único defeito de software. Só precisei dar *reset* uma vez, isso depois de uma bebedeira de 18 horas seguidas.

Apanhei um pacotinho de castanhas.

— E se for um pensamento verdadeiro? — argumentei. — Como, digamos, a guerra no Iraque? O que devemos fazer, então? Fingir que não está acontecendo?

— Como você se sente quando esse pensamento surge? — ela perguntou, me olhando firme.

— Sobre o Iraque? Eu me sinto... angustiado?

— Que pensamento é esse? Qual é esse pensamento estressante? "Eu me sinto mal com todas essas pessoas morrendo"? "As pessoas *não deveriam* estar morrendo"? É isso?

— É por aí.

— Bem, vamos questionar esse pensamento... As pessoas *não deveriam* estar morrendo. Mas estão. Você pode, portanto, me dar uma boa razão para conservar esse pensamento estressante que não corresponde à realidade?

— Acho que pode me motivar a mudar a situação.

— Ficar estressado vai ajudá-lo a mudar a situação? Ou você poderia dar o melhor de si para mudar as coisas sem se sentir assim?

Já não tinha certeza de mais nada. Meu pensamento rodava em círculos.

— Só sei que algumas coisas não são como deveriam.

— Eu também pensava assim. Vivia deprimida. Sofria de agorafobia, era paranoica. Minha autoestima era tão baixa que eu dormia no chão.

— E aí, o que aconteceu?

— Acordei um dia e vi uma barata andando no meu pé... Naquele instante, abri os olhos e renasci para um mundo que ninguém tinha me dito que existia. Não havia medo, não havia dor e não havia sofrimento. Basicamente o que percebi naquele momento foi que, quando acreditava nos meus pensamentos, eu sofria, e quando questionava meus pensamentos, não sofria. Simples assim.

— Então quer dizer... — massageei minhas têmporas. — Quer dizer que o problema com a guerra no Iraque não é a matança nem as bombas... São os pensamentos que temos sobre a guerra?

Ela assentiu.

— E se eu tiver um problema na minha vida...? Como agora, por exemplo, tenho sensações negativas, ansiedade, posso sentir meu estômago doer... está aqui. Não posso fingir que não esteja.

— Como você chama essa sensação? — respondeu. — Ansiedade? Então questione isso. Você *sabe* se é ansiedade? Tudo está bem até darmos nomes para as coisas, até associarmos algum tipo de problema a elas. Mas você rotulou a sensação como "ruim". Se estiver ao lado de um verdadeiro otimista, você pode até dizer: "Isso é terrível", enquanto ele vai apenas sorrir e dizer: "Sabe de uma coisa, o que há de tão terrível nisso? Nada!"

Olhei para dentro de mim, tentando me convencer de que o que sentia em minhas entranhas fosse apenas uma agitação passageira, uma fantasia criada pela minha imaginação.

— Continua lá — concluí.

— Certo — disse Katie.

Ela sorriu e olhou bem nos meus olhos, incandescente em sua poltrona como algum elemento radiativo recém-descoberto. Os minutos escoaram. Esperei que ela desse um sinal de que a entrevista havia terminado, mas ela só ficou sentada ali. Parecia enfeitiçada pela minha presença. Não sabia mais para onde olhar. Ouvimos as buzinas do pesado tráfego matinal, trinta andares abaixo.

— Bem — eu disse cerimoniosamente —, obrigado.

Eu me levantei e apertei a mão dela — não sabia mais o que fazer. Quando desci, comprei um café com leite e o engoli quase de um gole só. Uma sineta tocou, e o saguão se encheu de gente. Eu os observei, agradecido, enquanto circundavam minha cadeira, sorrindo e rindo, alheios à bizarra experiência que eu tinha acabado de viver. E, de repente, a cafeína fez efeito.

Eu tinha que dar o fora daquele lugar.

No metrô, observei a fisionomia carrancuda dos passageiros. *Aceitação!* Dei uma gargalhada. *Por que eu deveria aceitar aquilo*? Estava me sentindo solitário e cansado.

Naquela noite, liguei para o amigo de um amigo, alguém que me disseram que seria um bom contato em Nova York. Expliquei meu projeto. Depois perguntei se ele conhecia alguém com quem devesse me encontrar.

— Qualquer pessoa?

— Qualquer pessoa mesmo — respondi. — A primeira que vier à sua cabeça. Desde que seja otimista.

Eu já estava desesperado. Fiquei observando embalagens de sanduíches sendo sopradas ao vento na Avenida das Américas. O ímpeto inicial de confiança que senti ao chegar a Nova York havia passado e, depois de seis dias na cidade, ainda não tinha feito nenhum progresso em direção ao meu objetivo maior — descobrir uma forma de entrar em sintonia com a Zara. Quando tentei provocá-la em meu último e-mail, escrevendo que agora que estava na terra da liberdade, eu me sentia despreocupado, livre e no controle da situação, ela não se mexeu. Até pareceu feliz por mim, o que só fez piorar as coisas. Minha única esperança era que alguma mágica acontecesse nos dias que me restavam nos EUA para incrementar minha confiança e inverter o equilíbrio de forças que insistiam teimosamente em favorecê-la.

Por isso dei aquele telefonema. Percebi que estava na hora de ativar o elemento do acaso, de lançar minha isca nas águas negras da sincronicidade e fisgar alguma experiência imprevista que viesse mudar a minha vida. Não era assim que toda busca deveria ser? Ao acaso?

Na tarde seguinte, fui até um café na Quinta Avenida. Tudo o que tinha era um nome e um cargo: Srikumar Rao, professor da escola de negócios da universidade de Long Island.

Meu contato explicou que Srikumar era a pessoa mais otimista que lhe veio à cabeça naquele momento.

Quando cheguei, Srikumar estava sentado ao balcão, usando um casaco acolchoado e cantarolando alegremente. Eu estava trinta minutos atrasado.

— Desculpe — eu disse.

— Sem problema!

Srikumar estendeu a mão. Notei suas unhas impecavelmente cortadas. Por que ele estava sendo tão amável? Estava tentando me vender alguma coisa? Senti meu corpo se retrair como a cabeça de um caracol.

— Antes de começarmos — disse Srikumar, polidamente, — posso saber qual é a sua definição de otimismo?

— É difícil de explicar — eu disse. Minha definição de otimismo estava começando a se desfazer. — Estou em busca de... como me sentir bem em relação a tudo. Como pular da cama de manhã. Pensei que você talvez pudesse me dar algumas sugestões.

— Posso, com certeza!

Ele sorriu e me levou até uma mesa. Antes mesmo de eu ter tempo de apanhar o microfone, Srikumar já tinha feito um resumo de sua carreira e de seu muito bem-sucedido curso de *Criatividade e controle pessoal*. Aparentemente, era um dos cursos mais concorridos na escola de negócios de Long Island. Como se isso não bastasse, Srikumar tinha acabado de escrever um livro, que tirou de sua pasta e pôs na mesa à minha frente.

— "Você está preparado para o Sucesso"?

— Não sei.

Srikumar se debruçou sobre o microfone.

— Acredito que, se você não se sente *vivo* e energizado quando acorda pela manhã, ao pensar no seu trabalho... se *várias* vezes durante o dia você espontaneamente não *cai de joelhos* em gratidão pela boa sorte que lhe foi concedida... se você não está *vibrando com a vida* todos os dias... então você está perdendo seu tempo.

Perdendo meu tempo!

— *É possível* construir uma vida ideal. Vou repetir: É possível construir uma vida ideal. Estou certo de que qualquer um pode fazer isso. Todos os dias eu acordo de manhã e sou literalmente *tomado* pela gratidão de fazer o que faço... e ainda ser pago por isso.

— O quê? *Todas* as manhãs?

— Sim!

Fitei, irritado, o casaco acolchoado de Srikumar. O Fator Pular da Cama, pensei. Era meio nojento visto assim de perto.

— Então me diga — eu disse, friamente. — Qual é o segredo?

— Você não está vivendo na realidade!

— Ha, ha.

— Não, é sério. Todos nós criamos modelos mentais para ver o mundo, mas a maioria de nós erra ao confundi-los com a realidade. *Não* são a realidade. Por exemplo, você provavelmente tem um modelo mental de que seu trabalho ideal e sua companheira ideal estão esperando por você *lá fora*.

— Você está descrevendo seus alunos — eu o adverti.

— Não, todo mundo — ele me corrigiu. — Todos nós usamos modelos mentais. Você, por exemplo, deve sonhar com uma certa relação amorosa e com uma certa carreira, que define em termos do que aparentam ser — do ambiente externo. Como será o meu chefe, quanto será o meu salário, como serão as pessoas com quem vou trabalhar, e, de algum modo, se todos esses elementos se juntarem, você pensa que será feliz. Não é verdade! Não funciona assim. Mesmo que, por algum milagre, tudo o que você postulou exista em algum lugar, garanto que você voltaria a ficar infeliz em seis meses ou menos. Porque a situação ideal não está *lá fora*, está entre as suas orelhas.

Eu não estava gostando daquele tom professoral.

— Olha, já sei de tudo isso.

— Ótimo. Então você sabe que a primeira coisa que precisa fazer é limpar sua mobília interna. Parar de viver em um universo *centrado no eu*. Sabe como é, tudo o que acontece — o que cada coisa tem a ver *comigo*? Um acidente de trânsito acontece e sua primeira reação é: essa não, quanto tempo vou me atrasar? Oferecem um cargo melhor para sua esposa no exterior e a primeira coisa que você pensa é: como isso vai me afetar?

Fiquei olhando, cansado, para a mesa.

— O problema — continuou Srikumar — é que, se você estiver sempre preocupado com o "eu", será *sempre* infeliz, é inevitável. O universo nunca vai se adaptar à sua ideia de como tudo deveria ser e você *vai* sempre estar angustiado. Se o seu otimismo estiver sempre focalizado em você mesmo, estará condenado.

— Estou preso neste corpo — respondi, com uma irritação repentina. — Não posso *ser* outra pessoa. O que há de errado em querer que a minha vida dê certo? Parece dar certo para um monte de gente.

— Isso é o que todos dizem — riu Srikumar. — E não é verdade. Por isso recomendo aos meus alunos que tentem se perguntar conscientemente: como posso contribuir? Que serviços posso prestar? Em vez de pensar o contrário, no que a sociedade ou a vida podem lhe dar, ou no que é possível tirar de um relacionamento. Digo isso para os meus alunos, e são pessoas se preparando para administrar empresas multinacionais.

Um garçom se aproximou. O café estava fechando e precisávamos fechar a nossa conta. Eu me levantei.

— Espere! — disse Rao. — Ainda não terminamos de limpar a sua mente.

Ele gesticulou para o garçom, e eu mergulhei de volta na cadeira.

— O próximo passo é estar consciente do que eu chamo de "tagarelice mental" — seu monólogo interno, os incessantes comentários que a sua mente faz sobre a vida. Às vezes isso nos deixa acordados à noite. Na maior parte do tempo, não prestamos atenção a isso, supomos que faz parte da vida.

Baixei os olhos para a minha xícara de chocolate. Estava quase no fim. Surpreendentemente, Srikumar não havia dado nem um gole em seu café. Por que eu não era tão focado assim? Estaria no trabalho errado? É fácil para Srikumar passar sermões, pensei. Ele encontrou a profissão certa. Se eu fosse um guru dos negócios, com milhares de estudantes e meu próprio curso, eu também seria feliz.

— Na verdade, é crucial estar atento a isso — disse Srikumar —, porque a tagarelice mental e os modelos mentais são o que usamos para *definir e criar nossa realidade*. Pensamos nestes modelos como sendo a realidade, mas na verdade são construtos que criamos com nossa tagarelice mental. Não podemos desligá-la, e, com o tempo, os julgamentos negativos vão se acumulando. Acabam formando um enorme obstáculo no caminho da nossa vida ideal. A má notícia é que não dá para desligar a mente nem silenciá-la, e ela continua tagarelando. A boa notícia é que não precisamos chegar a este extremo! Basta estarmos atentos. Quando nos tornamos cientes do que permitimos germinar dentro de nós, as ervas daninhas em nossas vidas murcham por si mesmas. — Rao apanhou seus papéis. — É simples assim. O que eu lhe aconselho, Laurence, é isto: ande com um bloco de notas ou uma folha de papel durante os próximos dias e anote tudo o que se passa em sua cabeça. Principalmente os pensamentos negativos.

Ergui uma sobrancelha.

— Sei o que você vai dizer agora. Devo questionar meus pensamentos e nunca acreditar em nada do que a minha mente diz. E devo aceitar a realidade.

Eu o peguei de surpresa.

— Exatamente!

Suspirei.

— O problema — ele disse — é que você se estressa quando as coisas não vão como você esperava. Quando a realidade não corresponde aos seus sonhos.

Eu me levantei. Havia sonhos e sonhos. Meus sonhos eram reais. Os de algumas pessoas não eram.

— Há uma diferença entre sonhos e destino, não há?

— Talvez — ele fechou o zíper de seu casaco. — Mas o estresse em sua vida é causado por uma única coisa: sua reação quando não consegue o que quer.

Ele abriu os braços: o apresentador de um canal de televendas para americanos espiritualmente famintos.

— Desprenda-se do que vier. Aceite o que o universo oferecer. Você pode conseguir o que queria, ou não. E permita que lhe dê uma última dica...

— Obrigado — eu disse —, mas acho que precisamos sair daqui agora.

Anos dando aulas ensinaram Srikumar a não se irritar com malcriações.

— *O que quer que você estime e que o faça se sentir agradecido irá melhorar a sua vida.*

— Ah, gratidão — eu disse. — Claro. Você provavelmente já ouviu falar em Martin Seligman?

Srikumar ignorou minha pergunta. Eu o acompanhei até Times Square. O sol do fim de tarde se refletia em faixas nas paredes de vidro do prédio da Ernst & Young.

— É interessante que você esteja pesquisando sobre o otimismo — ele disse. — Minha filosofia de vida é que tudo o que acontece conosco é para o nosso bem. Em outras palavras... — Ele me olhou, gentilmente — ...é impossível cometer um engano.

Dei de ombros.

— Receio que eu tenha cometido muitos enganos.

— Ouça — ele disse, no alto da escada do metrô. — Não importa que isso seja verdade ou não, se você acreditar que é verdade, sua vida será muitíssimo melhor. E se você der um passo além e disser: "Talvez seja *realmente* verdade, não existe a possibilidade de enganos", então o céu na terra não será mais uma fantasia, será onde você estará vivendo.

Ele estendeu a mão, em camaradagem.

— Obrigado, Laurence. Mantenha contato. E boa sorte!

Amante

CAPÍTULO 10

O Terrível já aconteceu.

HEIDEGGER

Londres, 2007.

Uma estação inteira do ano se passou desde minha viagem a Nova York. O inverno deu lugar à primavera, e me mudei da casa do meu pai para o apartamento de Xanthe em St. John's Wood, um bairro bonito e elegante no norte de Londres. Zara ainda estava na Índia, mas agora nos comunicávamos com mais frequência. A vida parecia bastante boa, principalmente vista de St. John's Wood, com suas delicatessens, seus quiosques de flores e suas casas brancas repletas de cerejeiras florescendo. Eu tinha dado a volta por cima.

Xanthe se revelou ainda mais pessimista do que meu pai.

— Já te falei — disse Xanthe. — Não quero ser otimista. As coisas vão mal em todos os lugares. É a lei das médias. A guerra no Iraque é um desastre. Pessoas inocentes estão sendo mortas e mutiladas o tempo todo. Você vai fingir que está tudo bem?

Olhei com serenidade através da janela do meu quarto para as árvores em St. John's Wood, que se agitavam ao sabor do vento.

— Está tudo perfeito, Xanthe. Você precisa apenas questionar seus pensamentos, e, depois, quando conseguir se desprender das coisas, vai entender.

— Tenho minhas dúvidas sobre esse desprendimento. Não são justamente as emoções que fazem a vida valer a pena?

Minha risada fluiu como um rio sereno em uma manhã tranquila de verão.

— O mundo é uma ilusão, Xanthe, e tudo nele tem um propósito. Aceitar a realidade: esse é o *verdadeiro* otimismo.

Dei uma olhada para o meu computador. Um e-mail havia acabado de chegar da Índia.

— Com licença — eu disse. — Preciso de privacidade agora.

— Sim, ó Mestre.

Minhas mãos tremiam um pouco ao abrir o e-mail.

> Oi!
>
> Acabei de me mudar para uma casa nova. É maravilhosa! Já me imagino morando nela durante muitos anos.

— Aceito a realidade — entoei. — Toda realidade é boa.

Na manhã seguinte, fui me encontrar com uma mulher chamada Immaculée Ilibagiza. Immaculée é uma sobrevivente do genocídio de Ruanda e tinha acabado de lançar um livro narrando suas experiências. Fiquei entusiasmado em conhecê-la. Agora que entendia a verdadeira natureza do otimismo, não me empolgava mais com pessoas famosas e palavras grandiosas. Eu me sentia atraído por gente como a gente, pessoas comuns que sobreviveram a situações incomuns. O otimismo é bom, venha de onde vier, concluí, mas, quando vem de alguém que perdeu tudo, você é obrigado a prestar atenção.

Entrei na fila de autógrafos do livro e observei atentamente a autora. Para minha surpresa, Immaculée era muito bonita. Imaginava que qualquer sobrevivente do genocídio estaria marcado pela idade e pela dor. Mas aquela mulher parecia jovem e cheia de vida, muito distante do que se esperaria de uma pessoa que sobreviveu a um dos piores massacres da história.

— Immaculée, estou escrevendo um livro sobre o otimismo. Quero mudar o modo com as pessoas pensam e restabelecer a esperança no mundo. Você me daria uma entrevista?

— Ah, obrigada — ela respondeu, com um sorriso de agradecimento.

Ela me deu um exemplar do seu livro, *Sobrevivi para contar: o poder da fé me salvou de um massacre*. Uma cristã, observei. O que essas pessoas espiritualizadas têm em relação a mim? Olhei de relance para o meu reflexo no espelho da recepção. Deve ser a minha aura. Elas conseguem senti-la.

— Sou uma otimista, sem dúvida — disse Immaculée, enquanto assinava o último exemplar. — Mesmo que uma pessoa tenha lhe feito mal, ela sempre pode mudar.

Sentamos em confortáveis sofás de couro no saguão do hotel, e ela me contou sua história.

— Fiquei escondida em um banheiro durante semanas — ela disse. — Eu não podia me mexer, não podia fazer nada. Eles estavam procurando por nós 24 horas por dia. Depois de três meses, eu era um esqueleto!

Ela deu uma risadinha, como se estivéssemos trocando amenidades sobre um evento social embaraçoso, um encontro amoroso que não deu certo ou um jantar. Os hutus, no entanto, passaram dias caçando Immaculée. Chegaram a poucos centímetros dela, separados por uma porta que poderia ser aberta a qualquer instante.

Eu me recostei, encantado. Immaculée não só era linda e otimista como havia passado por uma "experiência de quase morte". Por que tinha perdido meu tempo conversando com empresários e psicólogos? Ela era exatamente o que eu procurava.

Ela arrumou uns fios de cabelo que caíam em sua testa.

— Você sabe como é ficar esperando que alguém venha matá-lo?

— Não!

— Algo instintivo em sua mente diz: "Eles vão te matar, não há para onde fugir! Talvez eles abram sua barriga, talvez batam em sua cabeça!" E você se pergunta: "Como a minha alma vai se desprender do meu corpo?"

Imaginei os machetes resvalando pelas paredes do corredor.

— Eles ainda estavam lá fora te procurando?

— Ah, estavam.

— Ainda queriam te matar?

— Ah, eles queriam me matar...

Eu me inclinei para frente.

— Aquilo tudo estava me apavorando tanto que decidi rezar, para apagar aquelas imagens, para que meu cérebro não tivesse tempo de pensar em mais nada. Passava o tempo todo rezando! Tinha a Bíblia na ponta da língua! Rezava para não enlouquecer. Tentei me convencer de que *morrer não é um castigo. Quantos bilhões de pessoas morreram desde o início do mundo?*

— E os assassinos? — eu disse. — Fale mais sobre os assassinos.

Immaculée cruzou os braços.

— Eu estava tão desapontada com eles, tão desapontada com todos os seres humanos. Por isso, eu apenas rezava e meditava sobre a vida de Jesus, e, então, tive uma visão: *Perdoe-os!*

Franzi a testa.

— Perdoá-los?

— Sim! Lá estava Jesus na cruz, e ele dizia: "PERDOAI-OS, POIS NÃO SABEM O QUE FAZEM". — Ela riu. — *Sim!*, pensei, *eles não têm como saber o que estão fazendo*. Isso não pode me desencorajar.

— Ah! — eu disse, calmamente. — Você se refere ao poder da aceitação.

— Isso! — disse Immaculée. — Consegui perdoá-los. Sabe, uma criança pode nos machucar ou até nos matar, sem querer. Uma criança pode pegar uma arma e *bang!*, nos matar de repente. Mas você fica com raiva dessa criança? Não!

Ela se recostou, alegremente, no sofá.

— Interessante — eu disse. — Quer dizer que você questionou seus pensamentos negativos...

Eu me recostei e cocei o queixo. Immaculée era católica apostólica romana, mas isso era apenas um fato cultural. Na verdade, ela era uma praticante de nível avançado do otimismo: aceitação, desprendimento e autoquestionamento. Cristã ou não, ela tinha questionado seus pensamentos e, assim, sobrepujado seus medos.

Isso se encaixava perfeitamente no meu esquema para o otimismo:

OTIMISMO AVANÇADO (Figura 1)

Nível 1	→	*Nível 2*
Determinação		Renúncia
Persistência		Desprendimento
Controle da realidade		Aceitação da realidade
Objetivos pessoais		Objetivos de vida superiores

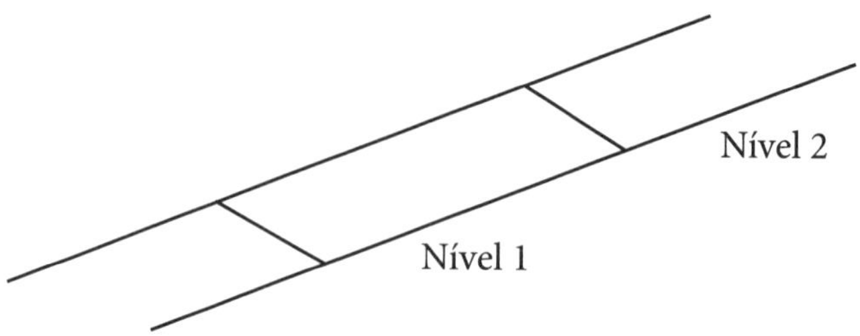

É lógico, pensei: é uma escada! Uma escada que precisa ser escalada. Essa revelação tinha vindo alguns dias antes, durante um momento de profunda reflexão: não existe apenas um tipo de otimismo, percebi, *esse troço tem vários níveis.*

Nada tinha a ver, compreendia agora, com os noticiários ou com o progresso econômico nos países em desenvolvimento. O FPC que eu procurava era completamente interno. Era um estado de espírito.

O otimismo à moda antiga — persistência, objetivo de vida, não desistir nunca — ficava lá embaixo, no Nível 1, ao lado de forçar a si mesmo a sorrir e fazer afirmações positivas. É um mecanismo de sobrevivência importante, mas não era o otimismo de verdade que eu buscava, aquele que preenchia os "pré-requisitos" que Ian havia me encorajado a procurar. Para conseguir isso, era preciso subir os degraus. Lá em cima estava o otimismo inteligente, sobre o qual Srikumar e Matthieu Ricard haviam falado. É claro que eles não sabiam que estavam falando sobre otimismo. Achavam que era outra coisa, como budismo ou espiritualismo. Mas agora eu tinha como redefinir o termo e torná-lo acessível a todos.

Ainda não sabia ao certo onde se localizavam todas as peças. Descobriria no caminho. Por exemplo, alguns conceitos como o autoquestionamento — a técnica de Martin Seligman para questionar os próprios pensamentos — talvez não estivessem no Nível 1 *nem* no Nível 2. Poderiam ser degraus para subir de um nível para outro. Se eu queria restaurar a reputação do otimismo e encontrar o FPC, precisava localizar os degraus e o espaço entre eles. E localizar o degrau mais alto da escada. Um referencial teórico baseado em uma escada não pode ter apenas dois níveis. Ou não seria uma escada. Eu precisava achar os outros degraus.

Voltei ao saguão. Immaculée ainda estava falando. A melhor coisa sobre otimistas do Nível 2, pensei, é que tudo *dá certo* para eles. Immaculée, por exemplo, salvou sua vida graças ao desprendimento.

— Houve um momento em que fui completamente feliz naquele banheiro — ela suspirou.

— Sei — dei um sorriso de aprovação. — Você questionou seus pensamentos e manteve o controle. É tudo uma questão de aceitar a realidade por um processo de reinterpretação. Sem dúvida, essa mudança de atitude salvou sua vida.

— Ah, certamente — ela disse. — Às vezes me dava vontade de simplesmente ir lá fora e acabar com tudo, com a tortura! Muita gente fez isso... meus vizinhos, minha avó. Ela disse apenas: "Não aguento mais", foi até a rua e eles a mataram!

Enquanto Immaculée continuava sua história, eu me perguntei: E se eu não fosse o sofisticado otimista do século XXI que sou? E se eu fosse um representante de uma espécie superinteligente de um futuro no qual meu livro sobre o otimismo havia se tornado o manual de treinamento básico para todos os seres racionais, principalmente psicólogos em missão de exploração que seriam enviados de volta no tempo para estudar o comportamento da raça humana?

Se fosse esse o caso, eu escreveria a história de Immaculée assim:

RELATÓRIO PARA O UNIVERSO FUTURO: ESTUDO DE CASO SOBRE O OTIMISMO DE NÍVEL 2

Assunto: A atitude incomum de Immaculée Ilibagiza em relação à morte

A moça, com medo de morrer, está prestes a ser descoberta por seus assassinos. Sua mente está repleta de pensamentos terríveis, tão pavorosos que ameaçam sobrepujá-la. Em um esforço para se controlar, a moça emprega as seguintes estratégias para controlar sua própria mente:

1. "Reza", a fim de não dar espaço para os pensamentos aterrorizantes. Citação: "para que meu cérebro não tivesse tempo de pensar em mais nada."
2. Quando isso não resolve e os pensamentos surgem de qualquer modo, ela os questiona. Citação: "morrer não é um castigo. Quantos bilhões de pessoas morreram desde o início do mundo?"
3. Em sua nova compreensão dos fatos, os assassinos ainda representam uma ameaça, mas perderam seu poder, porque ela abriu mão de todos os pensamentos negativos a respeito deles. Citação: "Uma criança pode pegar uma arma [...] Mas você fica com raiva dessa criança? Não!"

Conclusão: a moça de nosso estudo utilizou técnicas cognitivas poderosas para sobrepujar com sucesso seus pensamentos negativos e inúteis, aumentando, assim, suas chances de sobrevivência.

P.S.: Por favor, me levem de volta. Detesto a comida daqui.

— Você ainda se sente otimista? — perguntei.

— Muito! Principalmente a respeito do meu país. Eu o vi sair do nada, totalmente destruído. Lembro de quando estava em Kigali, logo após o genocídio, e vi corpos espalhados pela estrada... tudo o que se via eram cachorros correndo, comendo as pessoas... são coisas que não se veem nem em filmes... coisas que nunca passaram pela sua cabeça... você se pergunta: "É o fim do mundo? Estou sonhando? É um pesadelo?" Saber como meu país estava e ver como está agora... Ah, tenho muita esperança.

Immaculée se levantou.

— Sei que muita gente ainda está sofrendo, mas isso não me desencoraja. Na África, as coisas dão errado sucessivas vezes, mas tudo pode ser resolvido em um piscar de olhos. Sei que, se as pessoas ao redor do mundo compreenderem a situação e se elas importarem com os outros seres humanos, tudo pode mudar rapidamente. Assim que isso acontecer, a África poderá finalmente se curar.

— Ótimo — eu disse. Atravessamos juntos o saguão enquanto um negro alto entrava no hotel. Immaculée sorriu.

— Meu marido.

O homem parou para comprar algo na recepção.

— Como vocês se conheceram? — perguntei, educadamente.

— Em Nova York — ela disse. — Eu o visualizei.

Parei.

— Você fez o quê?

— Fiz uma lista de suas qualidades, do marido que eu queria. Imaginei cada detalhe. Até desenhei seu rosto!

Eu me voltei para ela.

— Você encomendou cosmicamente o seu marido?

— Foi — ela disse. — E ele é igualzinho ao meu desenho!

Meu coração palpitou como se eu fosse uma garota adolescente.

— Você acha que daria certo com alguém que já conheço?

— Por que não? Mas você precisa estar disposto a seguir qualquer caminho que Deus traçar para você. Você precisa confiar.

— Ah — eu disse. *Confiança*. — Confiar em quem?

— Ouça — disse Immaculée. — Quando procurei emprego na ONU, meu marido disse: "Você está louca! Você acabou de chegar ao país, seu inglês não é muito bom. Você faz ideia de quantas pessoas querem um emprego na ONU?"

Mas eu visualizei o emprego. Sabia que precisava deixar meu currículo em algum lugar e rezar a Deus. E não deixei Deus esquecer: "O Senhor pode fazer qualquer coisa e sabe o que isso quer dizer, significa *todas* as coisas. O Senhor sabe o quanto eu preciso desse emprego." E pode acreditar, fui até lá sem conhecer ninguém, me apresentei a uma pessoa que estava ao meu lado, pedi a ela que me dissesse onde ficava o departamento de pessoal, deixei meu currículo e fui embora. Três semanas mais tarde, me ligaram. Basta confiança — ela acrescentou. — Confiar nos dá o poder de enxergar as coisas com clareza, de prever o futuro.

— Prever o futuro — repeti.

Era um aspecto do pensamento positivo que ainda não fazia parte do meu novo referencial teórico. Quando muito, eu o havia relegado a algum aspecto dúbio de Nível 1. Afinal de contas, Visualização e Pedido Cósmico nada tinham a ver com aceitação e soavam como pensamento mágico. Mas talvez eu tivesse deixado passar alguma coisa. Afinal, Immaculée não era uma senhora californiana de meia-idade que sonhava ter uma piscina maior. Era uma ruandesa que sobreviveu a um dos piores massacres dos últimos dois mil anos.

— Temos a obrigação de limpar nossos corações — ela disse, seriamente. — O que está em nossas almas é o mais importante. O que está fora não passa de ilusão — ela estalou seus dedos longos. — Pode desaparecer a qualquer momento.

Que seja! Eu dei um abraço nela.

Estava ensolarado lá fora, pela primeira vez em muitos dias. Podia sentir minhas endorfinas assumindo a *pole position* na pista de corrida das minhas artérias. Meus pés saltitavam ordenadamente no asfalto. Se Immaculée havia sobrevivido ao genocídio de Ruanda e ainda acreditava na força do pensamento positivo, então talvez não fosse preciso aceitar a "realidade", afinal de contas. Talvez aquelas pessoas estivessem erradas. Otimismo, fé, sonhos — tudo isso era plenamente respeitável. Era correto desejar as coisas, era correto sonhar.

E eu iria sonhar.

CAPÍTULO 11

O propósito que o guiava não era impossível, ainda que fosse sobrenatural. Queria sonhar um homem: queria sonhá-lo em todos os detalhes e impô-lo à realidade.

JORGE LUIS BORGES

Xanthe estava de pé no corredor, chateada com alguma coisa.

— E você? — perguntou. — Nunca se chateia com nada?

— O que iria me chatear? — respondi. — Não há nada que eu deseje.

— É mesmo? Nem a Zara?

— Você não entende — eu disse. — Mantemos contato. Já está bom para mim.

— Ela vai voltar?

— Não sei. O amor só existe em liberdade. É preciso ter confiança — prossegui. — Você precisa acreditar que tudo vai dar certo. É assim que funciona.

Xanthe não se convenceu.

— Você não tem saudades dela?

— Vivo no presente, Xanthe. Tento não me preocupar com o passado ou com o futuro.

Olhei para o meu bloco de notas, no qual tinha desenhado um esboço do rosto de Zara. Ao lado, listei suas qualidades:

INTELIGENTE
ESPIRITUAL / ESPIRITUALIZADA
BOM GOSTO
IGUALZINHA À MINHA MÃE

— Seja como for, não *precisamos* estar juntos. Estamos interconectados.

— Sei — disse ela, encostada na parede. — Quer dizer que você aceita a realidade, como um autêntico otimista.

— É isso aí.

— Suponho que já tenha assistido ao filme sobre o qual todo mundo está falando.

— Que filme? — me endireitei na cadeira.

— *Quem somos nós?* É sobre essas coisas todas... pensamento positivo e essa tal visualização. O pessoal da minha turma de psicoterapia estava falando sobre o filme.

Ela se afastou, saltitante e satisfeita.

— Não acredito que você ainda não tenha ido ver.

Subi as escadas, injuriado, e liguei meu computador. Visualização deveria ser a minha praia. Eu tinha saído no encalço de Immaculée e estava trabalhando pesado na minha teoria geral do otimismo. Seria terrível se todos já soubessem do que se tratava.

Para minha tristeza, no entanto, descobri que havia dois filmes muito badalados sobre o pensamento positivo. O primeiro era o tal de *Quem somos nós?* O segundo era *O Segredo*. Consultei, ansiosamente, páginas e mais páginas de críticas sobre os filmes. Aparentemente, tratavam dos mesmos assuntos que encontrei na seção de autoajuda da livraria — Visualização Criativa e Pedido Cósmico — e revelavam todos os truques que Immaculée me ensinou, mas com um verniz científico. Achei um blogueiro metafísico que dava explicações para esses fenômenos. Seu blog estava cheio de referências à "física quântica".

> Resumo: A essência desse "segredo", de acordo com os pesquisadores, se baseia nas verdades espiritual e metafísica de que, se fragmentássemos tudo o que vemos, o resultado seria uma energia pura, "não física", que poderia ser *fisicamente* direcionada para criar o que desejamos (veja também: *energia mental* ou *energia psíquica*).

É claro que eu não ia assistir àqueles filmecos. A simples possibilidade já me aterrorizava. Mas era crucial que eu descobrisse de que tratavam antes de essas ideias vazarem para o grande público.

Encontrei um artigo na web escrito por um sujeito chamado Khaled. Ele alegava que estava frequentemente "criando seu dia" ao "influenciar o campo quântico", uma ideia que teve ao assistir a *Quem somos nós?* Havia um número de telefone no site. Liguei para Khaled.

— Queria conversar com você sobre visualização — eu disse. — Estou escrevendo um livro e o roteiro para uma grande série de TV. — Exagerei um pouco, talvez, mas era importante causar boa impressão. — Preciso de ajuda com... certos probleminhas.

— Por que não? — ele disse. — Você pode vir até o meu escritório.

— Algum lugar mais reservado — acrescentei —, se não for incômodo.

Dei a ele o endereço de um bar perto da Victoria Station.

Fui me encontrar com Khaled na noite seguinte. Ele era um libanês com algum sotaque e cordiais olhos azuis.

— Você já tentou essa tal visualização?

— Já — disse Khaled.

— Me fale mais sobre isso.

Pedimos cervejas, e o jovem fez um breve resumo da sua vida. Cresceu como exilado na Libéria e sua vida foi marcada pela tragédia quando a guerra civil no país africano eclodiu, três anos antes. O negócio da família foi destruído, Khaled foi à falência e sua vida virou de cabeça para baixo.

— Foi assim que você descobriu a Visualização Criativa?

— Foi. Como nada mais parecia dar certo, talvez isso funcionasse.

— Você estava desesperado.

— Completamente desesperado. Perdi todo meu dinheiro, e minha vida pessoal estava aos pedaços. Mas comecei a ler esses livros antigos, e minha mente aos poucos começou a se expandir de novo. Você conhece a teoria da física quântica sobre universos infinitos? Essa história de realidades paralelas... de como cada átomo possui um número infinito de réplicas através dos universos infinitos?

— Claro — eu disse.

— Bem, é uma teoria. Não vou entrar em detalhes sobre como funciona, mas foi a partir dela que comecei a pensar... bem, e se for minha *crença* que me levará até lá?

— A uma realidade paralela?

— Pensei: e se aceitasse que é realmente preciso achar que as coisas estão melhores para que melhorem de verdade? Que, de algum modo, eu poderia *forçar* essa melhora apenas com a minha vontade?

— Então qual foi sua primeira... visualização? — pensei em Immaculée.

— Arrumei um novo emprego — disse Khaled. — E era exatamente como tinha visualizado. Desde então, minha vida tem se expandido em todas as direções.

— Arrumou um novo emprego? — fiquei decepcionado. — Mas você está em Londres, provavelmente o mercado de trabalho mais dinâmico do mundo. O que faz você achar que isso tem algo a ver com pensamento positivo?

— É verdade — disse Khaled, hesitante —, mas vi colegas em situações parecidas com a minha que não tinham a mesma fé que eu e não se deram bem tão rapidamente. A visualização energizou minha atitude. Você precisa ter a cabeça aberta, precisa crer que pode chegar aonde quer, que pode mudar de rumo. Você precisa achar que as coisas poderiam ser um milhão de vezes melhores. E assim, se forem apenas meio milhão de vezes melhores, já estará ótimo!

— E onde entra a "ciência"? — parei de prestar atenção às azeitonas à minha frente. — As coisas que mencionam no *filme*?

— Boa pergunta, a questão da ciência. Bem, para começar, quanto mais eles estudam o mundo, mais certeza eles têm de que é holográfico.

— *Holográfico*?

— É como se os átomos estivessem em movimento constante ao redor uns dos outros. Este material — ele pressionou o tampo da mesa —, se você o examinasse com um microscópio eletrônico perceberia que não há nada que seja sólido.

— É isso que você chama de "campo quântico"?

— É. Este material é um grande amálgama de átomos que é todo interconectado, e os pensamentos também são interconectados; então, se usarmos o poder do pensamento de modo claro e direto, poderemos "influenciar" o campo quântico.

— E como isso acontece? — esmaguei uma azeitona com o dedo.

— Não sei. É como enviar um bom pensamento... — ele fez uma pausa, insatisfeito. — São apenas fragmentos, peças do quebra-cabeça. Não sou um cientista, mas no fundo sempre acreditei...

Eu o interrompi.

— Acontece assim, sem mais nem menos.

— É, pode ser.

— E você quer dizer que se mesmo pessoas desesperadamente pobres, as pessoas da Libéria, na miséria absoluta, pensassem de outro modo, suas vidas seriam diferentes?

Ele respirou fundo.

— Eu diria que sim. Diria que... essa é uma questão delicada... quem garante que a visualização não os ajudaria? Não posso dizer que não ajudaria. É um fenômeno universal, não está restrito a nós, ocidentais. Tenho certeza de que, se a evolução espiritual humana estivesse mais avançada, poderíamos resolver um monte de coisas num piscar de olhos, inclusive a pobreza, inclusive situações de desespero total nos piores lugares do mundo.

— Usando pensamentos?

— Com toda certeza, sem dúvida. E essa história toda de desastres naturais...

— Desastres naturais?

— É, acredito mesmo que muitos podem ser evitados se a consciência em massa de um país ou de uma área estiver disposta a acreditar que não vão acontecer... Não é que as pessoas necessariamente *criem* terremotos, mas as pessoas encarnam, escolhem as experiências que terão antes mesmo de nascer... Deus, você deve estar achando que sou completamente maluco.

— Posso mudar seu nome no livro — respondi.

— Mas realmente acredito que acidentes não existem. Há uma força universal, uma energia universal única; somos todos manifestações da mesma coisa... A verdade é que passei por uma experiência assim. Foi espontâneo. Eu estava andando pelas colinas e vivenciei uma perda total de quem eu era como pessoa — ele arregalou os olhos. — Soa como um clichê, eu sei, mas houve um momento em que me senti dissolvendo no todo, e foi uma sensação extasiante.

Fiquei em silêncio, contemplando as azeitonas.

— Você medita? — perguntei.

— Não.

Fui para casa ruminando as palavras de Khaled. Se eu misturasse a física quântica com a psicologia cognitiva e o budismo, bolasse um plano magistral para salvar a humanidade da destruição, arregimentasse Bill Clinton e, quem sabe, o presidente do Irã, *então* eu talvez realmente tivesse um referencial teórico do qual pudesse me orgulhar. Teria, então, um senso de propósito na vida, como Desmond Tutu, uma sala de diretoria, como Taddy Blecher, e uma cadeira giratória, como Tim Smit.

Alguns dias depois, fui a um jantar no leste de Londres e conheci uma moça italiana chamada Rafaella. Não sei bem como, mas a conversa passou a girar em torno de bolos.

— Adoro bolos — ela disse, com uma expressividade tipicamente bolonhesa. — Às vezes acho que gosto mais deles do que do meu namorado. Mas isso não quer dizer...

— A Rafaella é incrível! — disse sua amiga, de repente. — Ela tem um método. Explica o teu método para eles!

Agucei os ouvidos. Bastava ouvir falar em método para sentir a proximidade de uma resposta para a questão fundamental do universo: como posso ter o que quero, o tempo todo, e ser constantemente feliz?

— Quando preciso de algo importante — disse Rafaella, pausadamente —, prometo a Deus que não vou comer bolo por duas semanas. Se for algo importante, por três semanas. Mas primeiro ele tem que me dar o que pedi. Só depois desisto dos bolos.

— Assim não tem como dar errado! — exclamei.

Rafaella devia ter um crédito muito bom com a divindade, porque seu método, ao que parece, nunca falhou. Certa vez, na manhã do casamento de sua prima, começou a chover. Rafaella foi lá fora e fez um trato. "O.k.", ela disse, "se você fizer parar de chover, não como bolo por três semanas. Nem chocolate!"

Tomei um gole de vinho e anotei o nome de Rafaella no meu bloco de notas.

— Isso pode ser mais importante do que você imagina — eu disse para ela.

Na manhã seguinte, fiz meu próprio trato com o universo. Apesar de não ser cristão, tinha certeza de que Deus e eu tínhamos um relacionamento especial. Por outro lado, não era um relacionamento muito eloquente. Sempre que tentava rezar, as palavras ficavam entaladas na minha garganta. Parecia tolice usar o mísero vocabulário do inglês com um criador onisciente. Pela lógica ele já *sabia* o que eu ia dizer.

Mas a visualização era outra coisa. Estava achando que a visualização provavelmente era uma metáfora para um poder de crença que temos em nossas mentes e está apenas indiretamente ligada ao Todo-Poderoso, obviamente ocupado com outras coisas em uma escala cósmica inimaginável. De qualquer modo, a metáfora parecia funcionar, pelo menos em relação a bolos.

Fiquei de joelhos ao lado da cama.

— Eu vou — sussurrei — abrir mão de chá e café... *e* bebidas alcoólicas por um mês se Zara voltar para a Inglaterra neste verão.

Fiz uma reverência e me levantei. Havia algo de feitiçaria naquilo, mas gostei.

Como diz o dr. Seligman:

> O otimismo está relacionado ao controle... Na raiz da depressão reside o sentimento de impotência.

Já estava farto de me sentir impotente. Era hora de reassumir o controle. Além de ser o próximo passo natural no meu relacionamento com Zara, o que era fundamental na minha missão de salvar o mundo — pelas mais diversas razões —, estava na hora de provar que o pensamento positivo realmente *funcionava*. Assim que tivesse feito isso, o otimismo seria irrefreável. Eu iria patentear o método de bolos da Rafaella e ocupar meu lugar entre os grandes e os bons. Por enquanto, pelo menos, eu tinha encontrado o degrau que faltava na minha escada.

OTIMISMO AVANÇADO (Figura 2)

Nível 3 do Otimismo

O domínio sobre o reflexo psíquico entre mente e realidade é conhecido pelos californianos como:
Visualização
Pedido Cósmico
Ou
Criando sua própria realidade

Algumas semanas se passaram e mantive a promessa feita para o universo. Me tornei facilmente irritável e rabugento devido à abstenção de cafeína. Comecei a me perguntar se estava apenas cumprindo minha parte em uma transação cósmica ou se era um masoquista maníaco por controle começando a sofrer de transtorno obsessivo-compulsivo. E então, quando já tinha esquecido Khaled e seus faiscantes olhos azuis cheios de convicção, recebi uma ligação de Zara de uma ruidosa chamada de longa distância feita de Bombaim.

— Estou voltando para passar o verão. O que acha de viajarmos juntos?

Anotações para os pessimistas

TÍTULO DA PALESTRA: (não definido)

Todo mundo é pessimista em relação a alguma coisa. Mas até os pessimistas são otimistas em relação à maioria das coisas.

Fui a uma festa recentemente e falei sobre o otimismo. Um homem se aproximou de mim e me disse que era um pessimista. Ele parecia satisfeito consigo mesmo.

— O pessimismo não é apenas outra forma de otimismo? — ele perguntou.

— Não que eu saiba — respondi.

— Bem, definitivamente eu sou um pessimista — ele prosseguiu —, e meu modo de lidar com a vida é o seguinte: eu subestimo tudo. Por isso, quando o futuro chega, nunca me decepciono — ele olhou para sua taça de vinho. — Sei que o futuro sempre será melhor do que eu espero. Isso só pode ser otimismo.

Franzi a testa. Estava claro que ele não era nem um pouquinho otimista.

Ainda assim, isso me fez pensar. Os pessimistas podem ser otimistas e os otimistas podem ser pessimistas. Depende do assunto. Mesmo para otimistas como eu, há certas coisas... certos assuntos, digamos, em relação aos quais não tenho tanta certeza. É claro que sou otimista a respeito deles, mas não é um otimismo descontraído, um sentimento otimista. Talvez seja essa a questão. Acho melhor ser um otimista descontraído do que um otimista estressado. O otimismo estressante fica lá embaixo da escada, no Nível 1. O otimismo confiante fica no topo. É para onde vou.

A pergunta é: como chego lá?

CAPÍTULO 12

A atitude mais inteligente que você pode tomar é valorizar todas as coisas, não importa quão ruins elas sejam. Não vai demorar até que a vida se dê por vencida. Ela vai se adaptar aos seus pensamentos e passar a lhe entregar somente coisas boas.

BARBEL MOHR

SOU O MESTRE DA MINHA EXPERIÊNCIA.

CRIO MINHA PRÓPRIA REALIDADE.

Larguei a caneta e olhei pela janela. Talvez fosse por isso que eu andava tão cansado.

O telefone tocou. Era a Vicky. Estávamos montando uma proposta para o meu programa de rádio.

— Tenho novidades — ela disse. — A BBC entrou em contato. O programa entrou na lista de seleção.

— Lista de seleção! — eu disse. — Isso é ótimo.

— Isso quer dizer que eles não deram o sinal verde. O programa está em uma lista de futuros projetos possíveis. Espero que você não esteja decepcionado.

— Não, não... Não estou. "Lista de seleção", hein?

— Bem, que eu saiba eles nunca colocaram nada em uma lista de seleção antes. Devem ter ficado razoavelmente interessados.

— Não se preocupe — respondi. — Preciso trabalhar mais na minha intenção. Minha intenção não está clara, e foi isso que criou esta situação ambígua. Devido ao campo quântico, provavelmente.

— Ótimo. Bem, fique trabalhando na sua intenção enquanto eu vou ter uma palavrinha com o produtor executivo. Você vai à biblioteca hoje?

— Na verdade, não. Vou "criar meu próprio dia".

Vicky deu uma gargalhada.

— O que isso significa?

— Não tenho certeza. Só vou sair por aí e ver no que dá.

— Isso é muito engraçado — disse Vicky.

Olhei para a pilha de livros no canto do quarto.

— Não tão engraçado quanto você pensa.

Depois de meu encontro com Rafaella, voltei à livraria e comprei uma coleção de clássicos da autoajuda. Foi como se uma válvula se rompesse no meu senso de ridículo, me deixando disposto a ler qualquer coisa. Como eu havia aberto minha mente! Os livros sobre Visualização e Pedido Cósmico estavam a centímetros da minha cama. Ainda não tinha aberto nenhum deles, mas bastava olhar para suas capas brilhantes e animadoras para me lembrar daquele lampejo de inspiração que tive quando Immaculée me explicou o truque para conseguir um marido.

— O Pedido Cósmico é a chave para o nível mais avançado do otimismo — eu disse para Xanthe mais tarde naquela manhã, quando ela subiu para tomar chá comigo. Tentei fazer com que minha voz soasse objetiva e científica.

— Pensei que você tinha dito que o que realmente importava no otimismo era a Aceitação. Parecia um caminho interessante.

— Foi, eu disse mesmo. Mas isso é mais... revolucionário. Sabe, Xanthe, se o seu pedido for claro o bastante... Espera aí.

Fui até meu altar da autoajuda e apanhei o livro *Visualização Criativa*.

— "Basta que faça seu pedido de forma clara para que tudo o que deseja do fundo do coração venha até você..." Estou citando Shakti Gawain — eu disse.

— Certo. A Shakti... — Xanthe parecia momentaneamente desorientada.

— "Devido a nossos arraigados conceitos negativos sobre a vida, nós esperamos, de forma automática e inconsciente, que faltas, limitações, dificuldades e problemas sejam nosso destino... O uso da Visualização Criativa é a chave para nos conectarmos à bondade e à generosidade da vida." Entendeu?

— Na verdade, não.

— Isso vai mudar o mundo! Poderíamos convencer países inteiros a adotar essa técnica. Imagine como as coisas mudariam se israelenses e palestinos sentassem juntos e fizessem afirmações positivas. Ou a República Democrática do Congo. Poderíamos fazer com que visualizassem paz e fartura. É tudo uma questão de expectativas. As deles estão erradas, só isso.

Imaginei a primeira reunião da minha nova Força-Tarefa de Materialização Internacional. Bill Clinton faria o discurso de abertura e eu convenceria o presidente Ahmadinejad a fazer o de encerramento, com uma afirmação global sobre a paz e os direitos humanos.

> O mundo está se tornando um local cheio de bem-estar para todas as nações.

— Não sei — disse Xanthe, sem querer me ofender, mas também sem querer trair toda a história do pensamento racional ocidental. — Isso tudo soa um tanto vago.

— Está bem — admiti. — É culpa da sua criação. Na Europa, só agora essas ideias começaram a entrar em voga, e, mesmo assim, ainda não têm muita credibilidade. Em algumas partes da América, a Visualização Criativa já é a religião oficial. Ouça isto...

Abri *Pedido Cósmico*, de Barbel Mohr.

— "Se você se sente desconfortável em fazer uma encomenda para o universo por achar que não há ninguém escutando, imagine que está usando um telefone celular imaginário que tem uma ligação direta com o universo. E isso é tudo. Pedido feito!"

— Qualquer dia desses, vou à Califórnia — eu disse. — É lá que as coisas realmente acontecem.

— E aí, como foi? — perguntou Vicky, na manhã seguinte.

— Como foi o quê?

— Criar seu próprio dia. Como foi?

— Ah, aquilo! — Já tinha até esquecido. — Não tenho certeza. Andei até Covent Garden, fiquei cansado e voltei. Não sei se aconteceu alguma coisa. Aí fiquei preso no metrô e irritado por estar perdendo um dia lindo e pensei: se eu fosse uma pessoa mais despreocupada e confiante, conseguiria realmente influenciar a realidade e *fazer o trem andar*? Ou não me importaria tanto quando o trem parasse?

— Acho que você deveria pensar menos — disse Vicky.

Mais tarde naquela mesma semana, eu me encontrei com David Cameron, líder do Partido Conservador.

— Você visualiza o futuro? — perguntei.

Cameron estreitou os olhos. Desviei o olhar para a janela do escritório, com uma vista magnífica do Tâmisa.

— Quando você era mais jovem, por exemplo, visualizava tornar-se primeiro-ministro?

— Não, pelo amor de Deus! — ele explodiu. — De forma alguma.

— É uma característica comum entre os otimistas — mencionei.

— Não, não. Nunca vi o otimismo por esse ângulo. — Ele abriu os braços, apoiando-os no encosto do sofá. — O que *importa* são os *problemas*, as *pessoas* e as *decisões* que tomamos como um país. Não... — ele balançou vigorosamente a cabeça —, nunca tive grandes ambições pessoais.

Olhei para ele, intrigado. Talvez já tivesse ultrapassado totalmente o Nível 3.

— Você se vê como uma pessoa espiritualizada?

David enrubesceu ligeiramente.

— Eu sou... sou um anglicano típico, vagamente religioso, mas frequentador da igreja — ele gaguejou. — É algo muito pessoal.

Ele deu uma gargalhada.

— Sobre o que você é menos otimista? — perguntei.

— Como assim? Politicamente?

— Pessoalmente ou politicamente, o que te deprime?

— Hummm...

Cameron pensou bem antes de responder. Era uma segunda-feira, bem cedo pela manhã.

— Me preocupo com o fracasso — respondeu, por fim. — Em não dar o melhor de mim, em decepcionar as pessoas.

— É mesmo?

— Acho que o medo do fracasso é uma motivação importante na minha vida. Isso não soa muito otimista, eu sei.

Ele esfregou as mãos e se levantou.

— Espere — eu disse.

David estava claramente à beira de uma ruptura emocional. Mais alguns minutos e estaríamos conversando sobre sua infância, suas aspirações, suas dores mais profundas. Era exatamente como Seligman havia previsto: a pessoa que conseguisse desvendar o código do otimismo ganharia acesso aos mais altos níveis do poder. Era a minha melhor oportunidade para uma consultoria pessoal. Infelizmente, a secretária de David entrou naquele exato momento e entregou a ele sua agenda para o dia. Sabe lá quando eu teria outra entrada como aquela na política britânica.

— Vou manter contato — eu disse.

Nossos caminhos se cruzariam de novo, sem dúvida.

Pouco tempo depois, conheci Mick Jagger. Ele estava chutando uma bola murcha pelo Kensington Park.

Uau!, pensei, essa tal de visualização está fugindo de controle!

— Mick — eu disse.

— Sim? — ele levantou a cabeça.

— Você é otimista?

— Claro que sou! — ele sorriu.

Dei um passo em direção a ele.

— Por que você é otimista?

— É uma longa história.

— Conta.

Ele olhou nervosamente para seus amigos.

— Ia demorar muito.

— Não tem pressa — eu assegurei. — Tenho todo o tempo do mundo.

Mick acelerou o passo.

— Volta aqui! — gritei.

Mick estava com medo, apavorado de embarcar em uma jornada terapêutica. Fiquei observando sua silhueta delgada dando piruetas ao redor da bola.

Tudo em seu tempo, disse a mim mesmo. Tudo em seu tempo.

Naquela noite, fui apanhar Zara no aeroporto. Esperei por aquele momento durante toda a primavera. Já fazia cinco meses que não nos víamos. Minha jornada pelo pensamento positivo finalmente tinha chegado ao fim. Eu a abracei serenamente. A mulher estava de volta.

A Índia havia bronzeado minha futura esposa e presenteado-a com braceletes, mas, fora isso, era a mesma que eu tinha levado ao aeroporto — até o cabelo comprido e a gargalhada espalhafatosa, de fazer tremer as paredes, eram os mesmos. Lá estava ela, ao meu lado no carro, onde era o seu lugar. Eu estava emocionado e tranquilamente satisfeito. A vida tinha entrado de novo nos eixos.

Decidimos ir de carro para participar de um festival. Zara estava curiosa sobre a nova teoria de Visualização Criativa e queria experimentá-la.

— Por que não mentalizamos uma van? — perguntou, enquanto descansávamos em St. John's Wood.

— Boa ideia — eu disse —, mas precisamos chegar a um acordo antes de manifestarmos nosso pedido de modo claro para o universo... Vans têm pouco espaço. Geralmente têm uma cama de casal.

Zara baixou os olhos para suas mãos.

— Muita coisa mudou desde que me hospedei no *ashram* — ela disse, em voz baixa. — Fiquei mais atenta aos meus sentimentos verdadeiros e estou decidida a seguir apenas os sentimentos que vêm do meu coração.

— E isso quer dizer...

— Essas coisas levam tempo.

Olhei para o tapete.

— Bem, só achei que deveria puxar o assunto.

— Isso é bom — ela disse —, eu respeito isso.

Zara era uma terapeuta. Terapeutas dão ótimas esposas.

— Vamos visualizar a van — ela disse.

Sentamos e fechamos os olhos. Imaginei uma Kombi, como aquelas usadas por surfistas quando saem por aí tendo pitorescos colapsos nervosos em estradas campestres. Eu sonhava ter uma Kombi dessas havia anos e me perguntava se um dia teria uma.

— Você está vendo a Kombi?

— Estou!

Vasculhamos a internet em busca de nossa van imaginária, mas tudo o que encontramos foram Kombis de transporte, com a capota removida. Perguntei casualmente a alguns amigos se conheciam alguém que tivesse uma. Fora isso, deixamos tudo ao acaso. Dessa vez eu estava decidido a fazer as coisas do jeito certo: "Confie..."

Sabia que precisava deixar meu currículo em algum lugar e rezar a Deus.

Um dia se passou, depois outro. Comecei a ficar tenso. Faltavam apenas 24 horas para o começo do festival. Se eu não conseguisse a van agora, meu passeio romântico com a Zara iria para o espaço. Mas, de algum modo, consegui não pensar mais nisso.

Na manhã seguinte, abri meu e-mail.

— Zara — gritei. — Dá uma olhada nisto!

De: Gordon
Assunto: Re: vazio
Data: 28 de junho de 2007 16:14:39 GMT+05:30
Para: Laurence

Meu chapa, tenho uma Kombi completa. K e eu vamos passar o verão em casa, portanto pode pegá-la, se quiser.

Ela leu a mensagem em um segundo.

— Oba! — ela deu um gritinho. — Nós encomendamos cosmicamente uma Kombi!

Demos as mãos e pulamos de alegria.

— Encomendamos cosmicamente uma Kombi! Encomendamos cosmicamente uma Kombi!

Tossi e sentei.

— Não precisamos nos empolgar — murmurei. — Já esperávamos por isso.

Juntos, tínhamos grandes poderes de manifestação.

Apanhamos a Kombi do Gordon e dirigimos até Cornwall. No caminho, acampamos em campo aberto de fazendas. Estavam vazios e desertos. O mesmo acontecia em todos os lugares por onde passávamos.

— A culpa é da Tesco — reclamou um fazendeiro. — As vacas precisam ter 30 meses de idade quando são abatidas ou eles não as aceitam.

— A culpa é da Tesco — disse um pecuarista. — Recebi uma carta deles na semana passada reduzindo o preço do leite para 16 pence por litro. É ridículo.

— A culpa é da Tesco — disse um plantador de batatas, que tinha terminado a colheita. — Eles conseguem batatas mais baratas vindas da França. Em dez anos, isso aqui vai ser um deserto.

Alonguei a vista sobre o promontório castigado pelo vento. As minúsculas cabeças de repolho estavam rodopiando na chuva.

— Você não poderia... não sei, se reciclar profissionalmente e abrir um pequeno negócio ou algo assim? As coisas podem parecer ruins, mas, se você acreditar que tudo vai dar certo, dará — eu disse.

O fazendeiro não se convenceu.

— Você já tentou se visualizar como alguém infinitamente criativo e bem-sucedido?

Certa noite, estacionamos em um prado à beira de um penhasco escarpado. Colhi ervas para o chá enquanto o sol que se punha esquentava minha pele. Era tudo muito idílico. Este era o Nível 3 em ação, disse a mim mesmo. Estávamos vivenciando-o. Todas as dificuldades que tive em relação ao otimismo — a dolorosa separação da Zara, as noites solitárias, os pedaços de papel cheios de notas — pareciam ter valido a pena. As coisas realmente dão certo se você acredita muito nelas. Por um instante, eu nos imaginei como as únicas pessoas vivas no planeta, os últimos sobreviventes de um mundo que enlouqueceu.

— E os fazendeiros? — perguntei a Zara. Eu estava preocupado com os fazendeiros.

Abri o livro de Srikumar Rao e continuei do ponto em que parei pela manhã.

> O universo sempre age a seu favor e sempre traz à sua vida exatamente o que você precisa a cada instante...

Olhei através do para-brisa.

— Portanto, se esses fazendeiros compreendessem que o mundo é perfeito e que nada acontece por acaso, mas de forma coincidente e sincronística, que desafia qualquer lógica humana... a não ser no contexto de múltiplas vidas ou em um sistema cármico de causa e efeito... — fiz uma pausa — então eles não estariam indo à falência?

Zara deu um sorrisinho.

— Do meu ponto de vista — ela disse —, o mundo *é* perfeito. Mas pode ser muito árduo. Aprendi isso na minha prática terapêutica. Tudo na vida acontece para obrigá-lo a se confrontar com algum medo interior profundo. O objetivo é permitir que seja superado. Mas não dá para superar os medos antes de conhecê-los. O processo envolve encarar suas crenças e emoções mais arraigadas.

— Ah — eu disse.

— É preciso entrar em contato com suas emoções e ver o que está por trás delas. É importante que a pessoa se relacione com o que sente por dentro, porque todas as dores, dificuldades e imperfeições surgem quando se tenta fugir desses sentimentos. Isso é tudo o que fazemos. Tentar fugir.

— Tentar fugir — repeti. — O.k..

Desde que conheci Zara, comecei a ter aulas frequentes de psicologia. Mas, mesmo pelos meus padrões, as teorias dela eram radicais.

— Quer dizer que esses fazendeiros estão criando essa realidade para confrontar seus medos interiores?

— Exatamente!

Olhei, hesitante, para a chaleira.

— E o otimismo que gera autossatisfação? E a visualização? É onde está todo o sentido. Podemos fazer com que as coisas melhorem.

Abri uma página do meu bloco de notas sobre o painel do carro.

PRIMEIRA LEI DO OTIMISMO

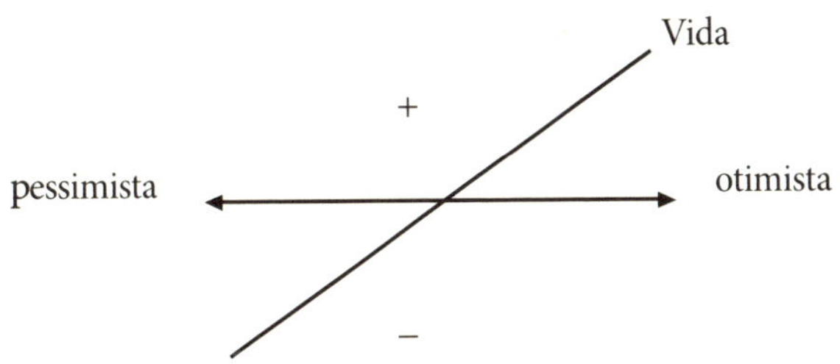

Quanto mais otimista você é, melhor a vida se torna.

— No seu caso, acho que está mais parecido com isto — disse Zara, tirando a caneta da minha mão e rabiscando o meu diagrama.

SEGUNDA LEI DO OTIMISMO

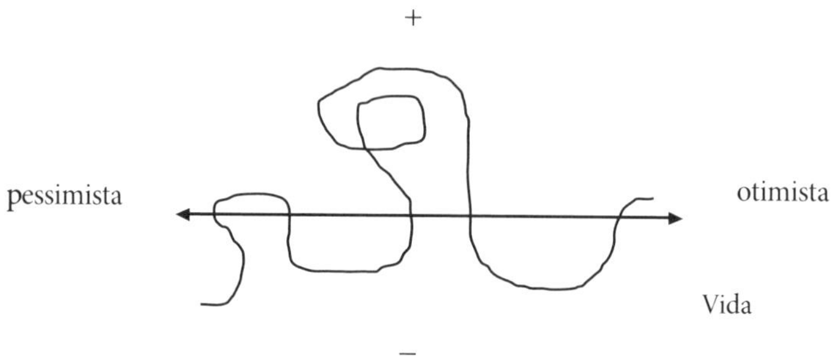

— A vida nos dá aquilo de que precisamos, querendo ou não. Em um nível subconsciente, contudo, provavelmente é o que queremos.

Cruzei os braços.

— Você acha que esses fazendeiros querem ir à falência?

— Tudo acontece por algum motivo, para nos ensinar alguma coisa. Nós dois, por exemplo — ela disse, servindo o chá. — Estamos juntos agora porque temos algo a aprender um com o outro.

— Certo — eu disse, descascando uma noz. Não estava certo de ter gostado da analogia. — Você faz nosso relacionamento parecer... temporário?

— Todo relacionamento tem uma meta. Quando a meta é alcançada, a relação termina. Ou melhor, vira outro tipo de relacionamento. — Ela olhou para o prado. — Infelizmente, em geral é aí que começam os problemas... porque a maioria das pessoas não aceita quando as coisas terminam.

Olhei fixamente para o chá. O cheiro de erva-doce emanava da xícara.

— Certo — eu disse. — Mas não precisam terminar, precisam? Nem sempre *precisam* terminar.

Mais tarde naquela semana, recebi uma ligação de Richard Branson. Isso foi interessante, já que eu não havia encomendado cosmicamente um encontro com ele. Tinha apenas enviado um e-mail.

Branson estava viajando pelo Canadá, mas prometeu que me ligaria do carro, a caminho do aeroporto. Preparei meu gravador e folheei sua autobiografia, *Acredite em você e vá em frente.* Agora que estava começando a compreender o otimismo, tinha quase certeza de que o fundador da Virgin era um otimista-padrão Nível 1. "Acredite em você e vá em frente" — um de seus lemas favoritos — parecia resumir esse otimismo ingênuo para iniciantes. Branson era um empreendedor que havia dado um jeito de convencer o mundo de que ele era *cool* e "antenado", quando, na verdade, era apenas mais um implacável homem de negócios que por acaso usava uma barba fora de moda.

A tarde foi passando. Lendo sua história, comecei a perceber que havia sido precipitado em meu julgamento. Branson não era tão superficial ou insincero quanto eu pensava. Ele realmente tinha alguns *insights* interessantes e profundos sobre a vida, apesar de não serem nem de longe tão interessantes quanto as avançadas teorias psicológicas que eu vinha desenvolvendo com a Zara. Ele parecia até ser uma pessoa legal.

> Descobri que, se eu estiver me divertindo, o dinheiro surge. Sempre me pergunto: meu trabalho é divertido e me faz feliz? Se algo deixa de ser divertido, eu me pergunto por quê. Se não posso mudar as coisas, paro de fazê-las.
>
> Quando temos objetivos e uma visão de mundo positiva, temos algo para alcançar.

Era bem possível que o bilionário tivesse alcançado o Nível 2 ou mesmo o Nível 3 do otimismo. Ele obviamente dominava a técnica da visualização.

Mas não tinha como ele ter alcançado o Nível 4. Sim, eu havia descoberto um novo degrau na escada. O Nível 4 do otimismo, percebi, estava um degrau acima da visualização. Quando chegávamos ao Nível 4, não *precisávamos* mais visualizar, nem mesmo ter objetivos. As coisas boas simplesmente aconteciam. Espontaneamente.

OTIMISMO AVANÇADO (Figura 3)

Otimismo de Nível 4

- A vida é perfeita.
- Tudo de que precisamos nos será fornecido.
- Basta enfrentar seus medos mais profundos e remover todos os bloqueios psíquicos de seu campo energético.
- (Do contrário, nada vai ser perfeito. Vai ser uma merda.)

O telefone tocou. Era o assistente pessoal do Richard. Seu avião estava atrasado, por isso ele ia me ligar quando chegasse em casa, sua ilha privada no Caribe.

As horas precipitavam-se como ondas que se arrebentavam contra as paredes do meu quarto. Entrei em um sereno estado de transe. "Desprendimento é isso", disse a mim mesmo. E então o telefone tocou.

A ligação estava ruim, mas a voz dele era inconfundível. Dava para ouvir o som de ondas ao fundo.

— Você está na sua ilha? — perguntei.

— Estou — disse Richard.

— Muito obrigado por...

— Por nada — ele interrompeu, educadamente. — Sua ideia parece ótima. Quer dizer que você anda conversando com as pessoas sobre o futuro?

Dei um riso nervoso.

— Não exatamente sobre o futuro — eu disse. — O futuro é uma preocupação secundária. Estou mais preocupado com o *agora*. Quero entender a verdadeira natureza do otimismo. Você, obviamente, é um otimista consumado... Sua absoluta... tudo o que você fala sobre o otimismo...

As palavras me faltaram.

— Acho que é verdade — disse Branson, cauteloso. — Nos meus relacionamentos com as pessoas, ser otimista, ser positivo, ser atencioso... acaba gerando uma reação positiva.

Sua voz era hesitante, formal. Qual era o problema? Onde estava o Richard boa-praça que eu esperava?

— Em parte tem a ver com a atitude mental — ele continuou. — Na virada do século, ouvi um programa de rádio em que um vigário dizia que, se cada pessoa no mundo fizesse amizade com um inimigo no dia primeiro de janeiro do novo milênio, isso mudaria tudo. Por isso, na manhã seguinte, liguei para o CEO da British Airways, sir Colin Marshall, e o convidei para almoçar.

— Uau.

— A vida é curta demais para não superarmos nossas desavenças, e isso é igualmente importante numa escala global. É um dos motivos pelos quais Peter Gabriel e eu fundamos The Elders.

The Elders — esse tinha sido meu pretexto para falar com Branson — era um grupo de 12 estadistas mais velhos cuja função era viajar para as áreas mais problemáticas do mundo e promover a paz.

— É um objetivo muito nobre — eu disse.

— É. Bem, se você envia alguém como Nelson Mandela ou o arcebispo Tutu e eles dizem que gostariam de reunir um grupo em uma mesa-redonda, é realmente impossível que as pessoas recusem. Um grupo de pessoas com grande autoridade moral e respeito mundial...

— Você acha que é viável? — perguntei. — Você acha que chegará o dia em que o mundo realmente viverá em paz?

— Devo admitir que achava isso muito ingênuo — sua voz ficou mais séria. — Mas conforme fui envelhecendo, passei sinceramente a acreditar que não há razão para guerras. Todos os povos do mundo precisam se manifestar, pacificamente, para garantir que não haverá mais guerras.

— Claro — respondi —, mas estamos esquecendo uma coisa. Antes de conseguirmos mudar o mundo — arrisquei —, precisamos mudar a nós mesmos. Trabalhar em nosso *desenvolvimento interior*.

— Desculpe — disse Branson. — Não estou ouvindo, a ligação está péssima.

Fiquei nervoso.

—Nosso desenvolvimento interior — repeti, cerrando os dentes. Será que eu havia me precipitado e estragado tudo?

Havia muitos ruídos na linha.

— A ligação está péssima — ele repetiu.

— Você é muito determinado — continuei, começando a desanimar.

A linha telefônica estava interferindo sincronisticamente para guiar o processo de nossa viagem terapêutica.

— O que me motiva — respondeu o empresário — é estar em uma posição na qual posso mudar as coisas e continuar aprendendo. Durante toda a minha vida tentei chegar a essa posição, e agora que cheguei não quero perder um minuto sequer. Mas também faço questão, mesmo quando trabalho duro e estou exausto, de me certificar de que estou desfrutando cada segundo da minha vida. Sabe, se você se certificar de que está tendo prazer com *cada pessoa* que está ao seu lado a *cada segundo* da sua vida, a satisfação que vai ter na vida, e a satisfação que vai proporcionar para as outras pessoas, é enorme.

Escutei com alegria: a necessidade desesperada de aproveitar cada momento, a ânsia exaustiva de aproveitar cada segundo de vida... Branson claramente não estava pronto para o nível 4.

— Não quero dar uma de psicólogo de botequim — eu disse —, mas, em seu livro, você menciona a "serenidade" dos pescadores japoneses que encontrou no Pacífico. Você nunca se perguntou o que aconteceria se apenas *sentasse em silêncio*? — dei um riso sem graça.

Houve uma pausa enquanto Branson analisava a importância da minha pergunta.

— Veja bem... — ele parecia irritado. — Fiquei sentado em uma prancha de surfe com meu filho ao largo da costa da Austrália por três dias, sem telefone. Não sou do tipo... Se não tivesse a chance de fazer diferença, ficaria muito feliz vagabundeando em Bali, mas o fato é que tenho essa chance e posso fazer diferença. Se você é um empresário bem-sucedido, a riqueza e o poder que isso traz estão fora da escala, e isso também traz uma enorme responsabilidade, a de usar essa riqueza e esse poder de modo construtivo. O aquecimento global, por exemplo, é um problema muito, muito sério. É compreensível que isso nos deprima, mas também é estimulante saber que podemos, coletivamente, fazer algo a respeito e realmente impedir um desastre, ao mesmo tempo que nos debruçamos sobre outro problema: a escassez do petróleo. Como seria maravilhoso se o mundo estivesse repleto de moinhos de vento e painéis solares, se o que plantamos estivesse fornecendo energia para nossos carros, trens, ônibus e aviões! Realmente acredito que seja possível, e, por isso, nosso futuro é otimista, mas precisamos trabalhar duro para que isso aconteça.

— Trabalhar duro?

Nos meus momentos mais otimistas, eu imaginava um mundo em que ninguém precisasse trabalhar.

— Se você é otimista, precisa trabalhar duro para justificar seu otimismo. Se todos ficássemos de braços cruzados, não haveria motivo para ser otimista. É tudo muito gratificante, mas também é trabalho duro — ele suspirou. — Sabe, nas últimas três noites apertei a mão de cerca de três mil pessoas, tirei fotos com elas, dei autógrafos e...

— Mas você fundou uma gravadora, uma empresa aérea, uma empresa de refrigerantes e uma ferrovia só para ajudar as pessoas?

Se Branson fosse um autêntico otimista, não precisaria ter *feito* coisa alguma. Teria ficado sentado em seu quarto apenas se concentrando para *entrar em contato com seus sentimentos*. O segredo do verdadeiro otimismo é seguir seu coração. É visualizar as coisas e deixar que aconteçam sem esforço em sua vida. Além disso, não era justo que alguém menos avançado que eu estivesse viajando por aí e dando autógrafos. Essa função era minha.

— Tentar mudar o mundo é louvável — disse Branson, rispidamente —, mas sem recursos financeiros não dá. Enquanto isso, gosto de pensar que as viagens de avião e de trem se tornaram mais agradáveis — ele fez uma pausa. — Desculpe, mas preciso desligar agora.

— Ah!

Branson foi o primeiro otimista que conheci que terminou a entrevista exatamente quando disse que a terminaria. Eu senti o tão esperado convite para Necker Island fugindo das minhas mãos.

— Espero não ter sido...

— Não. Olha, se você quiser continuar esta conversa outro dia, será um prazer. É só que... Estou muito, muito cansado.

— Posso fazer uma última pergunta?

— Claro — ele suspirou.

Baixei a voz e trouxe o fone para mais perto do ouvido.

— Você alguma vez se força a sair da cama?

— Nunca — ele disse. — Não.

— Nunca? Você literalmente pula da cama toda manhã?

— Sim.

Fiquei olhando pela janela para os galhos de uma árvore desfolhada.

— Certo — eu disse.

CAPÍTULO 13

Quando as pessoas sofrem, chegam ao âmago da realidade. As pessoas que realmente enfrentaram o sofrimento emergem com uma qualidade de vida e uma vivacidade que aqueles de nós que não passaram por isso desconhecem totalmente. É algo muito impressionante.

DIANA WITTS

Lá fora, as folhas das árvores balançavam delirantemente ao sabor do vento. Sentei à varanda para ler o jornal, volta e meia levantando os olhos para admirar as casas em frente. As pessoas passavam com roupas de jogging, levando sucos e rosquinhas. Estávamos no auge do verão. Eu estava contente por estar em Londres.

E então virei a página.

Um rapaz havia sido esfaqueado até a morte ao tentar apartar uma briga. Era um jovem jogador de futebol que tentou defender um amigo. Meu estômago embrulhou.

"Ninguém *morre* assim, sem motivo" — disse a mim mesmo. — "O que você *deseja*, você *consegue*." Se as pessoas simplesmente soubessem a verdade — que seus pensamentos criam a realidade —, a vida não pareceria mais tão sem sentido ou dolorosa. Viktor Frankl, um psicólogo austríaco que sobreviveu ao Holocausto, escreveu sobre o tema:

> Eu lutava para descobrir a razão dos meus sofrimentos... um objetivo maior... Todo este sofrimento, esta carnificina ao nosso redor, tem algum sentido?

Sim, pensei. É claro que tem. Nada acontece por acaso.

Escrevi isso no meu bloco de notas e sublinhei três vezes. Desde minha conversa com Zara, foi como se um véu tivesse sido levantado. A vida era justa, afinal! Saber disso tornava muito mais fácil lidar com as coisas. Principalmente agora que Zara tinha voltado para a Índia. Ela comprou outra passagem, só de ida. Mas dessa vez foi diferente.

— É exatamente assim que tem que ser — disse Zara. — O universo nos dá tudo de que precisamos.

— Certo — concordei. — E agora precisamos nos separar?

— Exatamente.

— Mas logo nos veremos de novo.

— É claro — ela disse. — A vida vai nos juntar mais uma vez. No momento certo.

Planejamos nos encontrar de novo no inverno. Até lá, só me restava passar o tempo e encher as páginas do meu bloco de notas com gente interessante. E também queria começar a beneficiar outras pessoas com minha nova e radical compreensão do mundo. Afinal, eu tinha uma explicação abrangente e universal sobre tudo. Só precisava testá-la, antes de escrever sobre ela.

Fui me encontrar com Trude Levin em sua casa em um subúrbio ao norte de Londres. Uma amiga havia me dito tudo sobre ela, confidencialmente e com muita empolgação.

— Ela é uma mulher maravilhosa! — ela disse. — Tão otimista!

Trude me recebeu na cozinha. Eu a observei enquanto ela me servia um copo de água. Encurvada pela idade, ela se movia com a agilidade de uma marionete em um conto de fadas. Sobreviveu por sessenta anos ao dia a dia em Barnet, na zona norte de Londres. E, antes disso, na Alemanha nazista.

— Acho que é a maior experiência que se pode ter — ela disse. — Em sete semanas e meia, 480 judeus foram transportados para fora da Hungria. Fomos levados a um gueto por sete semanas e, depois, para nosso primeiro campo de concentração. Dos que chegavam, 90% eram levados imediatamente para os fornos crematórios. Apenas as mulheres de aparência saudável eram mantidas vivas.

Ela falava disso como se fosse algo trivial. Passei a vista pela sala de estar de Trude, abarrotada de livros, fotografias e quadros do leste europeu. Era como uma civilização inteira preservada em âmbar. Os raios de sol da tarde atravessavam as grades da janela.

— O que era preciso para sobreviver? — perguntei.

Trude arqueou as sobrancelhas, ceticamente.

— Sorte!

— Sorte? E quanto à sua atitude?

— A atitude não importava. Não importava em nada, porque se não arranjássemos comida ou água, morreríamos.

— E os otimistas? — argumentei. — Os otimistas também morriam?

— Com certeza havia muitos otimistas por lá — ela disse. — Ainda não contei sobre a viagem de trem até Auschwitz. As pessoas enlouqueciam, ficavam histéricas, tinham ataques cardíacos. Viajamos com os mortos, os loucos e os histéricos por cinco dias e noites. Não tínhamos água, e o verão estava particularmente quente. Minha mãe desmaiou no caminho. Os trilhos iam até os fornos crematórios, e ela precisou ser arrastada para fora do trem.

Certo, pensei. Talvez eles não fossem otimistas *autênticos*. Senti um aperto no coração.

— Dizem... dizem que você recebe o que deseja.

— Acho que não desejamos *aquilo*!

— Mas será que havia... — mexi desajeitadamente o copo de água — um desejo *inconsciente*?

— Inconsciente — Trude pensou por um instante. — Não sei. — Seus olhos se voltaram para o passado, como os de um oráculo. — Sempre tínhamos a esperança de que permitiriam que nos instalássemos nos lugares para onde nos levavam, que nos deixariam construir alguma coisa. E a cada vez destruíam tudo. Éramos levados de um lugar para outro, mas, de algum modo, seguíamos em frente. Seguimos em frente por muito tempo. Quer dizer, os gregos desapareceram, os romanos desapareceram. Os judeus ainda estão aqui!

Seus dedos dançavam sobre a mesa.

— Fui a Nuremberg no ano passado e subi na tribuna de onde Hitler discursava para setenta mil pessoas. Gritei no espaço imenso e vazio: "Hitler e seus asseclas! Onde vocês estão? Vocês fizeram de tudo para me aniquilar. Mas ainda estou aqui! E ainda estou desfrutando a vida!"

Antes de me despedir, andei pela sala de estar de Trude, admirando a obra de arte em que ela a transformara. Havia proteções em todas as janelas e uma fechadura de segurança na porta. Depois de vários arrombamentos, ela me disse, queria evitar novos roubos.

Voltei para casa, inseguro. Meu modelo do universo ainda era válido, com certeza. Era só uma questão de perspectiva. Não deveria falar de Visualização Criativa com uma sobrevivente do Holocausto. Não era apropriado. Eu me imaginei andando pelos campos de concentração, recitando trechos de um dos livros da Shakti:

Isto, ou algo melhor,
agora se manifesta para mim
de modo satisfatório e harmonioso,
para o bem maior de todos.
Não, não teria sido de bom-tom.

Passei o resto do dia enviando e-mails para todas as pessoas na minha agenda. Será que alguma delas conhecia alguém que

...havia permanecido otimista apesar de tudo apontar o contrário?

Esperei um ou dois dias para o e-mail ser repassado até se tornar uma corrente. Era aquele o elemento de acaso que eu estava esperando, mas que ainda não tinha ativado por andar muito ocupado. Queria ver milagres fortuitos emergindo na minha caixa de entrada — pessoas tão geniais e diferentes que mudariam minha vida para sempre. Como era de se esperar, logo comecei a receber ligações de pessoas que nunca tinham ouvido falar de mim — amigos de amigos de amigos —, que se apresentavam como otimistas. Nas semanas seguintes, falei com militantes contra a pedofilia, vítimas de acidentes automobilísticos e um homem que ainda continuava casado depois que a esposa tentou assassiná-lo com uma faca de cozinha.

Também havia alguns otimistas.

Emma dirigia uma empresa de recursos humanos na *City* de Londres. Marcamos um encontro em frente a seu escritório em um dia claro de verão. Ela me recebeu com um sorriso confiante e jogou o cabelo para trás do ombro. Estava em sua terceira sessão de quimioterapia.

— Sei pelo que você está passando — eu disse.

Emma se inclinou para mim, como se fosse contar um segredo.

— Sabe, isso *realmente* não me incomoda.

— O que não incomoda?

— Ter câncer! — ela disse.

Olhei discretamente para seus cabelos.

Fomos até um parque onde funcionários de escritórios almoçavam, expondo suas pernas brancas ao sol. Pensei no jogador de futebol. Dois dias antes, ele estaria almoçando a esta hora, talvez até neste parque.

— Não me pergunto "por que eu?" — disse Emma, sentando-se em um banco. — Em vez disso, sabe, por que *não* eu? Por que outra pessoa qualquer? — ela afastou o cabelo que cobria seu rosto. — Isso acontece. Cada um tem seus problemas. Sempre tem alguma coisa. Algo vai acontecer, mais cedo ou mais tarde... e, quando acontece, você lida com isso. É tudo muito simples.

Bem, pensei, não tão simples assim!

— Ontem — ela sussurrou —, soube que um líder da Al Qaeda foi morto, e isso alegrou o resto do meu dia. Percebi que sou tão insignificante comparada a tudo isso. Eu me sinto como se fosse literalmente... uma partícula! E essas outras coisas são tão mais importantes do que o fato de eu ter câncer. Meus problemas pessoais não são tão importantes, tão interessantes... nem mesmo para *mim*.

Franzi os olhos por causa do sol.

— Você sempre pensou assim?

— Ah, sempre.

Sorri, compreensivo.

— Vamos voltar — eu disse — ao dia em que você recebeu o diagnóstico.

Ela se inclinou para chegar mais perto de mim.

— Isso vai soar um pouco estranho — ela segredou —, mas eu meio que *esperava* alguma coisa...

— Ah — eu disse.

— É... Estava encurralada. Não sabia o que fazer com o resto da minha vida. Estava trabalhando duro, mas minha vida estava se tornando estreita e minúscula, e não sabia como sair disso. Estranho — ela sorriu.

Nada de estranho!

— Por isso não me surpreendi quando aconteceu — prosseguiu. — E *não me importei*. Minha vida estava se tornando muito corriqueira... e isso não é corriqueiro, é interessante! Você passa por coisas que nunca passou antes. Nunca tinha *experimentado* privações, desconforto ou medo, nem qualquer coisa assim antes disso. Por isso, ter câncer não deixa de ser uma oportunidade.

Olhei para ela com incredulidade. Emma sorriu.

— Quando você recebe o diagnóstico, todo mundo fala das coisas ruins que vão acontecer, que você vai passar por cirurgias, que vai sentir esse ou aquele tipo de dor, e depois tem a quimioterapia... Mas eles não podem falar das coisas boas que resultam disso. Não podem falar das oportunidades que podem surgir. Não podem falar de como isso pode mudar sua vida, porque isso só depende de você.

— Bem — eu disse —, isso é maravilhoso.

Ela deu de ombros.

— Não é como se tivesse chegado ao fundo do poço. Na verdade, ter câncer é bem fácil porque todo mundo acha o tempo todo que você é incrível por ser tão corajosa e extraordinária. Você sabe como é: eu conto uma piada e todos acham engraçadíssima, caem da cadeira de tanto rir, mas eu não sou nem um pouco corajosa, porque para ter coragem é preciso ter medo... e eu prefiro que seja câncer do que algo de ruim acontecendo com a minha família, ou ficar cega, ou... posso pensar em um milhão de coisas piores. Então, como experiência... ter câncer não é tão ruim.

Cruzei os dedos sob o queixo. Eu estava começando a entender a situação. Emma havia "criado" essa doença a fim de expandir sua consciência e agora estava fingindo que não se incomodava com isso: uma estratégia clássica de fuga!

— Mas quando você se sente realmente doente e indisposta — eu disse, fazendo uma careta —, quer dizer, *realmente* mal, o que você acha, então?

— A primeira sessão de quimioterapia é um grande choque, mas depois você se prepara e sabe o que esperar. É como dividir as coisas em pedacinhos. Se você vê as coisas como um todo, é devastador, mas se você separa as coisas em pedacinhos, consegue lidar com problemas específicos. — Ela passou a mão no cabelo. — Por exemplo, um conjunto de sintomas ou efeitos colaterais que surgem por causa dos remédios, você aprende a lidar com cada um deles, e logo o problema é superado! Você apenas precisa de tempo para entender como lidar com cada coisa. E o medo da dor é muito pior que a própria dor. Descobri que isso sempre é verdade.

Dei um sorriso nervoso. As ilusões de Emma eram complexas. Assim como Trude, sua decisão de ser forte transformou sua vida em uma série de obstáculos. Mas como explicar isso para ela?

— Você realmente aprendeu a lidar com a doença — eu disse.

— Aprendi muitas coisas. Por exemplo, você não percebe, porque sou boa em esconder isso, mas perdi muito cabelo. Sempre tive cabelos louros e compridos, e meus cabelos sempre foram um dos meus pontos fortes, por isso aprendi que, apesar de muitas vezes não me sentir nada atraente, isso não me deixa infeliz! Eu não sabia disso. Posso me sentir feia e não me importar! Essa é uma oportunidade que até então eu não tinha.

— É uma oportunidade — retruquei.

— Bem, é. É, sim.

Olhei para o meu sanduíche.

— Mas, no final, você sabe que...

Emma balançou a cabeça.

— Essa possibilidade realmente não me incomoda.

— Você não tem medo de...

— Morrer? Não tenho medo de morrer. Eu me *incomodaria* de morrer deste câncer agora, porque minha família nunca iria superar, mas pessoalmente não sinto nenhum grande apego à vida... Tive uma vida muito, muito feliz, uma vida ótima, e meu cérebro está sempre cheio de coisas maravilhosas, e acho a vida fascinante e interessante, mas se terminasse amanhã, eu não teria uma sensação de perda.

— Sua mente está repleta de coisas maravilhosas!

— Eu acho que a vida é maravilhosa e não tenho, tipo assim, problemas a superar, ou coisas que ainda preciso desesperadamente fazer. Meu cérebro está cheio de memórias maravilhosas da minha vida inteira, e aproveito cada dia. No ano passado, aconteceram muitas coisas que me davam vontade de bater com a cabeça na parede, mas mesmo assim ficava feliz em levantar a cada santo dia — acho que a vida é fabulosa, por isso não me importo com o modo como vai terminar... Talvez por não me preocupar com o que vem pela frente, talvez por isso eu seja feliz.

— Certo — eu disse, olhando fixamente para ela. — Bem, isso é legal. Você tem um pensamento positivo. Isso é ótimo.

— Não acho que seja pensamento positivo. Dependendo do seu temperamento, acho que o fato de sua chaleira quebrar pode ser pior do que ter câncer. Não acho que a vida deve ser perfeita, e, se as coisas derem errado, então você deva se zangar — as coisas não são assim, não é assim que funciona. Basta abrir um jornal para saber disso.

Eu me ajeitei na cadeira, inquieto.

— Não há garantias — ela disse. — Quem é o sortudo com quem nada de ruim acontece?

— Você age como se tudo fosse obra do acaso — eu disse, firmando minha voz —, mas, pelo que você diz, as coisas não parecem nada aleatórias.

— Acho que a gente percebe quando algo precisa ser mudado, por isso, quando a mudança chega, devemos recebê-la bem... Acho que nunca saberemos a razão, nem mesmo se há uma razão. Não acho que exista um "destino" — ela respondeu alegremente.

Uma rajada de vento soprou as folhas caídas no gramado. Olhei para Emma.

— Com certeza você vai se curar — eu disse. — Você tem a atitude certa. Quer dizer, se alguém pode se curar... é você. Você é muito evoluída.

— Realmente não me importo — ela disse. — O que tiver de ser, será. Sério. — Ela olhou em silêncio para a grama. — Nunca fui tão feliz. Não consigo explicar por quê, mas é verdade.

Anotações para os pessimistas

Gottfried, Wilhelm Leibniz (1646-1716): Tudo é perfeito porque, matematicamente, nada neste mundo poderia ser diferente do que é. Pelas mesmas razões, tudo o que pode acontecer vai acontecer. Leibniz provou isso e, depois, inventou o cálculo diferencial. Portanto, acredito nele.

Buda, Zara etc.: O sofrimento é causado apenas por darmos crédito a pensamentos dolorosos. A vida seguirá nos confrontando com situações dolorosas até que paremos de acreditar nelas. Tudo o que acontece com você acontece porque você "precisa" disso.

Viktor Frankl (1904-97): Quanto mais medo você tem de alguma coisa, maior a probabilidade de essa coisa acontecer com você: "O medo dá origem ao que você teme." O sofrimento é, por si só, uma conquista.

Física quântica, Einstein, Shakti Gawain (1921-): A Lei da Atração postula que energias similares atraem umas às outras. Acabamos vivenciando, portanto, aquilo em que pensamos com maior frequência.

Acho que isso é um bom resumo.

CAPÍTULO 14

Descobrimos que apenas repetir mensagens positivas para si mesmo não aumenta a disposição nem favorece o êxito pessoal, se é que provoca algum efeito. O que importa é como lidamos com as mensagens negativas.

MARTIN SELIGMAN

Duas da manhã. Estiquei o braço para apanhar o copo de água e tentei limpar a garganta. Algo maligno havia se instalado em minhas amígdalas. Algo ameaçador e contrário às leis da natureza. E com más intenções. *Sentimentos negativos*, disse a mim mesmo, *energia bloqueada*. Quanto mais ciente me tornava desses problemas, mais deles apareciam. Era um círculo vicioso. Tossi. Minha dor interior tinha ficado presa em meu tórax inferior. Agora estava sendo limpa. O que Zara diria disso? Eu estava em confronto com profundos padrões inconscientes que precisavam ser liberados. Mesmo assim, estava com medo. E se minha dor interna me matasse? Ela sabia que eu já tinha planos para o próximo fim de semana?

Fiquei deitado na cama, ouvindo os sons que vinham da rua, o rumor contínuo de pessoas ignorantes que dirigiam a esmo de madrugada. Imaginei o *Feng Shui* nocivo atravessando meus neurônios. Se pelo menos conseguisse dormir. O que me impedia de dormir? "Se você consegue dividir as coisas em pedacinhos" — disse Emma —, "consegue lidar com qualquer coisa." Enumerei os sintomas: dor ao deglutir, espasmos preocupantes nas amígdalas, um incômodo sobre os pulmões. Emma tinha razão. Uma a uma, era possível lidar com essas sensações. Era só quando se reuniam em um ataque coletivo que as coisas davam errado. "Tudo vai bem até você nomear alguma coisa", disse Byron Katie, "mas você a nomeou como 'ruim.'"

Ainda assim, pensei, mesmo que não desse nome para o que estava sentindo, a dor era de lascar.

E o pior é que havia três horas que eu vinha analisando meu resfriado e ele ainda não tinha ido embora. De que adiantava tudo isso? Se eu listasse meus pensamentos negativos e os lesse em voz alta, talvez conseguisse me livrar deles, e os sintomas finalmente desapareceriam. Não foi isso que Srikumar Rao me disse para fazer? "Ande com um bloco de notas ou uma folha de papel pelos próximos dias e anote tudo o que passar pela sua cabeça. Principalmente os pensamentos negativos."

Acendi a lâmpada de cabeceira e tateei em busca da minha caneta. Ao lado da cama, pilhas de papéis e livros cobriam o chão empoeirado. *Lar*. Passei a vista pelo quarto. Tudo o que eu tinha estava lá, empacotado em caixas de papelão. Lá fora, os carros iam e vinham pela estrada, de Croydon a Pecham Rye.

Fazia dois dias que tinha me mudado para aquele quartinho: carreguei meus pertences para o Fiesta e dei o fora de St. John's Wood enquanto Xanthe fazia compras. Não tive escolha. Meu dinheiro estava acabando e uma amiga me ofereceu seu quarto de hóspedes no sul de Londres. Além disso, eu logo estaria viajando pelo mundo, ou assim esperava. Não podia me prender ao pagamento de aluguel e a outras preocupações insignificantes da vida prática.

Todos os otimistas que eu realmente invejava tinham passado por grandes crises como aquela e foram obrigados a abrir mão de tudo o que mais estimavam. Agora era a minha vez. Havia algo de heroico em pular de casa em casa, dependendo apenas da generosidade dos amigos. Logo eu estaria livre, como Immaculée depois do genocídio, livre para vagar pelo mundo, sem laços nem amarras. Eu me via como um personagem heroico e castigado pela vida, como David Banner, que só tinha a roupa do corpo enquanto errava de cidade em cidade. Deixaria para trás meus pertences, empacotados em sótãos e armazéns londrinos. Com o tempo, me livraria de tudo e, finalmente, me juntaria à Zara, e compraríamos uma *villa* no Mediterrâneo.

Ainda assim, era vergonhoso não conseguir sequer achar a caneta.

Na manhã seguinte, entrei despreocupadamente na sala de estar. Gabrielle, minha anfitriã, estava sentada, de camisola, cantarolando baixinho ao som de uma gravação do canto de baleias. Estreitei os olhos contra a claridade do sol que brilhava às suas costas. Ao lado dela, havia um pequeno altar coberto por cartas de tarô, incensos e imagens de divindades femininas. Um ano atrás isso teria me apavorado. Agora eu observava tudo com indiferente complacência. Sabia que Gabrielle tinha um fraco por isso. Mantras, ioga, meditação... essas coisas não passavam de uma forma menos evoluída de espiritualidade, úteis apenas para pessoas em um estágio menos avançado de desenvolvimento espiritual. A culpa não era dela.

— Oi — ela disse, abrindo os olhos. — Como vai?

— Bem! — eu disse. — Estou indo para meu terapeuta.

— É? Que tipo de terapia você está fazendo?

— É chamada de renascimento. A gente respira rapidamente até o corpo entrar em espasmos para liberar as energias bloqueadas. Aquelas experiências dolorosas armazenadas desde a infância e coisas assim, sabe.

— Parece ótimo — disse Gabrielle.

— É formidável — eu disse. — Finalmente estou enfrentando meus medos mais profundos. É bem mais fácil do que eu esperava!

Minha amiga sorriu, cordialmente.

— Sabe, Gaby — expliquei —, ao enfrentar seus medos mais profundos, a pessoa se torna livre de bloqueios emocionais e crenças negativas. Assim — levantei um dedo — alcançamos o desprendimento, porque já não tentamos fugir das coisas. E então, quando nos tornamos mais confiantes e tranquilos, podemos ter tudo o que queremos. É simples.

— Você está bem? — perguntou Gabrielle. — Você me soa um pouco... estranho.

— Estou bem — respondi. — Por que não estaria bem?

Gabrielle me lançou um olhar esquisito.

— Como vai a Zara? — ela perguntou, gentilmente. — Está tudo bem?

— Ah, sim — eu disse. — A Zara está sempre bem.

Meu pai largou o cardápio e pediu uma cerveja.

— Quer beber alguma coisa, Laurence?

— Água, obrigado.

Eu o observei, preocupado.

Todos nós sabíamos a razão da mudança para melhor no humor do papai. Sua nova namorada — uma americana que ele conheceu em um encontro às escuras — havia conseguido o milagre de animá-lo pela primeira vez em muitos anos. Era uma mudança bem-vinda, é claro, mas se eu tinha aprendido alguma coisa no ano passado era que o otimismo não pode depender de relações pessoais. Precisa ser constante. Do contrário, seria como um ioiô, vulnerável a todos os caprichos da vida: clima, hormônios, a pontualidade dos transportes públicos de Londres. Sem falar em relacionamentos. Papai não tinha essa importante perspectiva espiritual.

— Você me parece ótimo — eu disse.

— Eu me sinto ótimo — ele respondeu, com um sorriso malicioso.

Fiquei brincando com os palitinhos do restaurante japonês. Sabia que bastava direcionar a conversa para George Bush, ou o Iraque, ou praticamente qualquer outro assunto dos noticiários, para que o cinismo habitual do meu pai ressurgisse.

Era tentador.

— Ei, pai, o senhor finalmente se tornou um otimista.

— Ah, não — ele disse, com um sorriso irônico. — Continuo pessimista como sempre. Ainda acredito que os seres humanos são, no fundo, uns fracassados, e que nossa permanência no planeta tem prazo curto — Ele abriu o cardápio. — Mas já não me incomoda tanto.

Observei meu pai, com tristeza.

— Como vai a Zara? — ele perguntou.

Suspirei. Por que todo mundo estava tão preocupado com meu relacionamento a distância?

— Tenho que admitir — ele disse — que a relação de vocês me deixa um pouco confuso. Pensei que estivessem juntos. E agora ela está na Índia de novo.

— É. Mas não tem problema, de verdade. Porque estamos completamente empenhados em lidar com nossos próprios sentimentos negativos e em assumir a responsabilidade por eles sem projetá-los um no outro.

— Se você está feliz — ele disse —, é tudo o que me importa.

— A verdade, papai, é que é ótimo ter um relacionamento. Mas é crucial resolver seus próprios problemas primeiro. Por isso a terapia é tão importante.

— Sabe — disse meu pai, tomando um gole de cerveja —, já experimentei todas essas terapias... Tive um analista junguiano, pratiquei bioenergética. Tentei terapia comportamental cognitiva e vivências de grupo. Não acredito muito que *qualquer uma* delas funcione, pelo menos não para mim. — Ele limpou a boca com o guardanapo. — Bem, de qualquer forma estou contente. Sempre achei que, mais cedo ou mais tarde, você ia acabar em terapia.

— Como assim? — larguei os palitinhos.

— Ora, você sabe que as coisas nem sempre foram fáceis quando você era criança.

— Mas isso é normal — reclamei.

Ele me olhou com franqueza.

— As coisas não foram fáceis para você, Laurence. A relação com a sua mãe era quase sempre muito tensa. Você é o primogênito e por isso sofreu mais, como você bem sabe.

Hesitei.

— O senhor acha que isso pode ter afetado meus relacionamentos com, sabe, com... com...

— As mulheres? — disse meu pai. — Ah, tenho certeza de que sim.

Na semana seguinte, conheci um economista americano chamado "Woody" Brock. Não fazia muita questão de conhecê-lo porque, teoricamente, já sabia tudo de que precisava. Eu estava em uma jornada terapêutica. Estava explorando minha dor interior e sabia o que era o otimismo. A última coisa de que precisava era um economista me dizendo que eu tinha entendido tudo errado. Mas o dr. Brock era um amigo de um amigo e, quando o encontrei por acaso certa manhã em Piccadilly, ele me disse que tinha informações importantes que queria me passar se eu me encontrasse com ele na próxima vez que ele estivesse em Londres. Só pela maneira como olhou para mim, percebi que Brock era um liberal cabeça de vento que nunca havia dado a devida atenção para o otimismo. *Ridículo!* E isso — além de sua evidente presunção de que eu estava desesperado pelos seus conselhos — acabou me irritando tanto que resolvi ligar para ele.

Primeiro, pesquisei um pouco sobre ele. Descobri que Woody era um dos cinco especialistas mundiais na Teoria da Decisão, um "proeminente economista cuja especialidade é compreender o futuro" que chegou a se corresponder com Bill Clinton. Isso me fez ver as coisas por outro ângulo. O que quer que fosse, essa tal Teoria da Decisão soava imponente e acadêmica. Se eu quisesse ganhar algum dinheiro com o movimento otimista, precisava começar a soar imponente e acadêmico, também.

Woody, no entanto, estava com pressa.

— Não dá para conversar sobre isso agora — ele respondeu, bruscamente, quando liguei para seu celular —, não por telefone. Ligue novamente ao meio-dia. Estarei em um antiquário em Fulham Road. Não sei onde fica. Procure. Dê um jeito de chegar lá. Ligue dez vezes para mim, se for preciso! É assim que funciona.

Olhei, pasmo, para o telefone.

Por fim nos encontramos em um restaurante em Fulham. Todos, menos eu, estavam de terno. Senti-me como uma mancha de tinta em um vaso de cerâmica chinês. Por sorte, nossa entrevista foi curta. Woody tinha apenas meia hora livre. Ele falava rapidamente, como um professor de matemática cheio de anfetaminas.

— Agora, ouça — ele disse. — Vou te fazer um grande favor. A filosofia é o abrangente empreendimento humano de pegar conceitos e teorias imprecisas e substituí-los por conceitos *menos imprecisos*. No fim das contas, até a aritmética se baseia nas hipóteses da Teoria dos Números, portanto é impossível evitar completamente a *imprecisão*. Mas acreditar em bobagens infundadas, religiosas, espirituais... — Ele partiu ao meio uma torrada palito. — A Teoria da Decisão provocou um avanço importante em nossa compreensão da relação entre otimismo e incerteza. Já quer fazer o pedido?

Ele chamou um garçom.

— Queremos cardápios, à moda americana: rápido!

Arrumei o guardanapo no meu colo. Não ia me deixar intimidar por aquele matemático.

— Os conceitos de pessimismo e otimismo — disse Woody, com severidade — estão, em um nível profundo, misturados a conceitos de incerteza. Suponha que não haja incerteza sobre o futuro — *nenhuma* incerteza — e a noção de ser um otimista ou um pessimista perde o *sentido*, porque você já saberia o que vai acontecer. Repetindo: perde o sentido. Você pode dizer: "Não *gosto* do fato de que a Terceira Guerra Mundial vai começar daqui a quatro anos, mas *sei* que vai."

Que saco, pensei. Brock estava falando comigo como se eu fosse um idiota. Quem ele pensava que eu era? Um americano? Cocei vigorosamente minha barba por fazer.

— Primeiro conceito — ele disse —, uma loteria. Uma loteria, em sua forma mais simples, pode ter dois resultados: um resultado bom e um ruim. Cada resultado tem suas probabilidades. — Ele olhou de relance para a minha cabeça. — Há 70% de chance de que você esteja completamente careca daqui a três anos e 30% de que só estará ligeiramente careca. — Eu olhei furiosamente para ele, incapaz de discutir. — A loteria é uma análise de riscos, porque mostra o grau de incerteza que temos em relação ao resultado. E isto é importante: a vida é uma série de loterias.

O garçom se aproximou.

— Mais gelo, senhor?

— Muito mais... À moda americana! — disse ele.

Woody olhou irritado para mim por cima dos óculos.

— Segundo conceito. Alguém dá a você 50% de chance de ganhar um milhão de dólares, portanto seu bilhete de loteria tem um valor *estimado* de meio milhão de dólares, é o seu valor estatístico. Se jogasse um milhão de vezes na loteria e dividisse o resultado por um milhão. *Não se tivesse jogado apenas uma vez*, como na loteria da vida.

Era um restaurante pequeno, e os outros clientes começaram, discretamente, a escutar nossa conversa.

— Na verdade, contudo, estamos frente a uma sequência de loterias — explicou Woody. — Como no mercado de ações, por exemplo: algumas vezes ganhamos, outras perdemos, mas ao longo do tempo chega-se a uma média. Digamos que o retorno médio dos investimentos seja de 7% ao ano, o que chamamos de retorno *normal*. Concordamos que 7% é a média a longo prazo, objetiva, ao longo de cem anos. Mas em qualquer ano específico, pode ser maior ou menor.

Woody baixou os óculos e me pediu para imaginar dois resultados diferentes: um retorno alto, de 10%, e um baixo, de 4%.

— Agora pergunte àquela mulher quais são as chances de cada resultado.

Olhei com relutância para a mesa de canto onde a única mulher no recinto estava sentada. Ela fingiu estar ocupada com seu espaguete.

— Em 1980, quando as pessoas estavam escaldadas após 15 anos de quedas no mercado de ações, ela diria que a probabilidade de 4% era maior que a de 10%. Mas, em 1999 seria o contrário, porque todos estavam acostumados a retornos acima da média. Entendeu?

Um otimista — resumiu, com um floreio — é alguém que pressupõe uma probabilidade acima da média de que haja um bom resultado.

— Este é um otimista — concluiu. — Simples assim. Agora, se *todo o mercado* age assim, o que você acha que fazem com o dinheiro? Compram ações. Quando compram, aumentam o valor das ações e, de repente, descobrem que estão enriquecendo e passam a comprar cada vez mais. É um fenômeno dito "psicológico", mas não uso esse termo, não preciso mais dele. O que acontece é que *a experiência de ter sido um otimista junto a outros otimistas significa que enriquecemos*, por isso a repetimos de novo e de novo e de novo. É a gênese das chamadas "bolhas": nosso otimismo era justificado. Não apenas isso: era *autojustificável.*

— Espera aí — interrompi, uma nuvem atravessando minha mente. — Você está dizendo que o pensamento positivo altera as probabilidades?

— É exatamente o que estou dizendo. Só que agora não preciso mais de conceitos psicológicos imprecisos, como positividade. Posso *dispensá-los*!

Ele tomou um gole de vermute.

— E é por isso que o otimismo se torna um *propulsor* para importantes atividades sociais. Explica por que os americanos gostam de pedir dinheiro emprestado. Já que os últimos vinte anos foram bons para eles, estão *otimistas.* A avaliação que fazem de suas chances de sucesso é distorcida, mas cria sua própria realidade.

Ele abriu o cardápio.

— E isso é o que eu tinha de mais importante a dizer. Agora vamos almoçar.

Ele apontou para o microfone.

— Desliga esse troço.

Fiquei brincando com a minha salada. No mundo de Woody não havia espaço para esperança ou imaginação. Sua visão matemática da vida tinha fechado seus olhos para a beleza e as possibilidades infinitas do autêntico otimismo.

Depois do almoço, Woody chamou um táxi. Ele entrou e abriu a janela.

— Seu problema, Laurence, é que você acha que está além das leis naturais do universo. Por isso acredita nessas teorias infundadas. Quer carona?

— Não — respondi.

Torcia para que meu próximo otimista fornecesse uma visão mais benévola das coisas. James Montier era um psicólogo financeiro que estudava a economia behaviorista. Isso estava mais próximo dos meus próprios interesses, pensei, uma fusão original de espiritualidade e teoria avançada de gerenciamento. Montier trabalhava em um banco de investimentos na *City* de Londres, onde preparava relatórios para operadores do mercado financeiro, explicando que dinheiro não traz felicidade.

> ESTRATÉGIA DE EQUIDADE GLOBAL
> Não há retorno: O materialismo e a busca da felicidade.
>
> Preocupações materialistas não são um caminho para a felicidade sustentável. Numerosos indícios mostram que as pessoas que têm metas

> mais materialistas são menos felizes do que as que se concentram em objetivos essenciais, como relacionamentos ou crescimento pessoal.

É preciso coragem, concluí, para escrever esse tipo de coisa em um dos maiores centros financeiros do mundo.

Encontrei com James em seu escritório.

— Otimismo — ele disse, recostando-se e cruzando as pernas. — É um dos meus maiores interesses.

— Ótimo.

— Porque as pessoas, em sua maioria, são *demasiado* otimistas.

Dei uma risada, certo de que ele estava brincando.

— Porque temos dois grandes defeitos que parecem ser universais — prosseguiu. — O maior é nosso crônico erro de avaliação das probabilidades. Os seres humanos são péssimos em prever resultados. Quase sempre superestimamos nossas chances de sucesso.

— Como assim? — perguntei, já um pouco nervoso.

— Não somos bons em prever acontecimentos. Se você pedir para alguém fazer uma previsão pontual e especificar o intervalo de 98% de confiança — quer dizer, o intervalo fora do qual a resposta verdadeira ocorrerá em apenas 2% dos casos —, a resposta na verdade cairá fora do intervalo previsto entre 30% e 40% das vezes.

Balancei a cabeça, confuso.

— E isso significa que as pessoas são otimistas demais?

— Sim — ele disse. — As pessoas confiam demasiadamente em si mesmas e em suas respostas. — Montier fez uma pausa, enquanto me observava. — Você está bem?

— Estou — murmurei.

Como isso era possível? Seligman me disse que havia uma epidemia de *depressão*. Estávamos falando das mesmas pessoas?

— O segundo defeito é o excesso de confiança. Faça as mesmas perguntas a mil pessoas diferentes. A maioria delas acha que dirigem melhor que a média. Quase todos os homens acham que são amantes acima da média. As pessoas confiam em seus próprios julgamentos. Não deveriam! Quando excesso de confiança é combinado com excesso de otimismo a mistura é letal. Há pouco tempo fiz uma pesquisa com nossos gerentes de fundos de investimento: 66% acham que estão acima da média em suas funções. Estão errados!

— Mas esse não é o otimismo *autêntico* — objetei. — A maioria das pessoas não é otimista de verdade.

— Como você define isso?

— É complicado — eu disse. — O otimismo autêntico vem da aceitação e da disposição de enfrentar a realidade. Mas também gera autossatisfação.

Montier coçou o queixo.

— O otimismo quase sempre *é* autossatisfatório... por um tempo.

— E depois?

— No mercado de ações, assim que o otimismo começa a crescer desproporcionalmente, foge de controle. Todos contribuem para isso.

— Mas todos ficam ricos! — gostei da analogia.

O analista assentiu.

— Mas só por algum tempo, porque logo as pessoas param de cooperar com a ilusão.

— E aí, o que acontece?

James se permitiu um sorriso.

— Aí a bolha estoura.

Minha dor de cabeça estava piorando. Foi causada, com certeza, pelo meu encontro com Montier. Começou no momento exato em que saí de seu escritório. Montier era o tipo de pessoa, percebi, que mancha a reputação do otimismo, mesmo que seja com a melhor das intenções.

Resolvi transcrever minha entrevista com Woody. Apesar de irascível, o professor pelo menos considerava o otimismo algo positivo. Era um aliado, não um inimigo, e isso estava se tornando cada vez mais raro. Além disso, eu receava que se não compreendesse agora tudo o que ele tinha dito, não compreenderia nunca mais.

Ao ler a entrevista, fui aos poucos percebendo que tudo o que o professor me disse sobre a Teoria da Decisão poderia ser resumido em uma simples afirmação: *O otimismo depende de nossa estimativa das probabilidades.* Nada mais. Era tão simples que era quase horroroso. Tentei resumir sua explicação da loteria em uma fórmula.

VIDA = (% DE CHANCE DE UM RESULTADO POSITIVO X VALOR DO POSITIVO) + (% DE CHANCE DE UM RESULTADO NEGATIVO X CUSTO DO NEGATIVO)

Olhei para a fórmula, impressionado. O que significava? Se você for um otimista, ele tinha dito, você acha que a média da chance de um resultado positivo é maior, e a média de um resultado negativo, menor. Se você for um pessimista, acha o contrário. Até aí, tudo bem. Você também atribui um *valor* maior aos resultados positivos e um valor menor aos custos — o que também torna o jogo mais interessante. Os otimistas e pessimistas quase sempre erram ao julgar as probabilidades. Os realistas, supostamente, sempre acertam.

Eu deveria estar deprimido por causa disso, mas, para minha surpresa, me sentia um tanto zonzo e enlevado — como se tivesse bebido uma poção mágica que subitamente me tornou todo-poderoso e fez com que tudo parecesse controlável e fácil. Me sentia como se estivesse observando a existência lá do alto, como um tipo de deus. A vida não é nada pessoal, apenas um punhado de números. E você pode mudá-los de lugar. Zara não me escrevia há oito dias, mas esse nem sequer era um número primo.

— Todos nós encaramos a vida como uma série de loterias — disse Woody. Loteria é tudo aquilo em que apostamos. Portanto, se:

"LOTERIA" = ENVOLVIMENTO COM A ZARA

...haveria uma *fórmula* para nosso relacionamento? Meus dedos se anteciparam aos meus pensamentos.

Se
LOTERIA = RELACIONAMENTO SATISFATÓRIO DE LONGA DURAÇÃO (RSLD) *VERSUS*
PERDA DE TEMPO DOLOROSA E DILACERANTE (PTDD)
Então
PROVÁVEL RESULTADO DO RELACIONAMENTO = (PROBABILIDADE DE RSLD X VALOR DO RSLD) + (PROBABILIDADE DE PTDD X CUSTO DO PTDD)

As paredes do meu quarto vibraram quando um caminhão passou em frente. Que probabilidades eu iria usar? Tudo se resumia às probabilidades.

> RELACIONAMENTO = (.99 X VALOR DO RSLD) + (.01 X CUSTO DO PTDD)
> => RELACIONAMENTO DE LONGA DURAÇÃO MARAVILHOSO E SATISFATÓRIO

Aha! Agora eu entendia tudo: calculei 99% de probabilidade de que nossa amizade evoluiria para uma Relação Satisfatória de Longa Duração (RSLD), ou, em palavras simples, para um casamento em uma bela igrejinha nos arredores de Surrey. Olhei novamente para minha fórmula. Com probabilidades tão altas assim, não era à toa que estivesse disposto a lutar por nosso relacionamento. Mas e quanto a outros casais? Zara e eu tínhamos um processo altamente singular e sofisticado para lidar com nossos problemas. Quais eram as probabilidades para relacionamentos comuns?

> RELACIONAMENTO = (.50 X VALOR DO RSLD) + (.50 X CUSTO DO PTDD)
> => COLISÃO CONFUSA ENTRE DESEJOS E NECESSIDADES DIFERENTES

Era essa a deprimente realidade para a maioria das pessoas, e era só a média. Para outros era bem pior. E foi então que um pensamento perturbador surgiu na minha cabeça: e se eu estivesse calculando errado as probabilidades do meu próprio relacionamento? Estaria sofrendo da confiança excessiva de que me falou James Montier, de um otimismo exagerado? Será que todas as minhas esperanças — visualizações, sonhos — não passavam de um deslize matemático, um erro de cálculo sobre o que era real? Sentei, pesadamente, em uma caixa de papelão. Seria possível que eu tivesse descoberto a matemática da negação — e fosse sua primeira vítima?

Mau caso de amor era um RSLD ou um PTDD?

Desci cambaleante a escada e preparei um chá.

Não, pensei, *as probabilidades podem mudar*. O próprio Woody disse isso. Este certamente era o antídoto para a maldição de Montier: o otimismo cria sua própria realidade. Não precisa, necessariamente, fracassar. Por acaso Bill Clinton começou sua carreira na política com 50% de chances de ser presidente? É claro que não. Não estava me comparando a Bill Clinton, mas as semelhanças eram evidentes. Seis meses atrás, as chances que Zara e eu tínhamos de ficar juntos eram de menos de 10%. Mas, hoje, continuávamos firmes e fortes — descontando uma ou outra divergência. Eu havia firmado o pé, e o otimismo havia se transformado em realidade. *Era um plano autorrealizador que desafiava as leis normais da probabilidade.*

Abri a porta e saí, vacilante, para a claridade do dia, esfregando os olhos. Não me sentia assim tão genial desde que aprendi a resolver equações simultâneas no ensino médio. Eu havia descoberto a base matemática do otimismo cego. As pessoas passavam pela rua, a caminho de suas obrigações matinais. Pareciam pessoas... mas na verdade eram números. Tive um instante de quase assombrosa megalomania.

Se ao menos elas soubessem...

CAPÍTULO 15

Eu e sua mãe temos um problema: esgotamos nossas ilusões. Quando crescemos — e um dia você vai entender isso, Dwight —, passamos a crer em ilusões cada vez maiores, que demoram cada vez mais para se desfazer. A grande esperança é de, por fim, encontrar uma ilusão que dure a vida toda.

BENJAMIN KUNKEL, *Indecisão*

— Sou um escritor — eu disse, cheio de orgulho, para uma senhora idosa e esfuziante.

Estávamos no coquetel de uma exposição sobre exploradores renomados. Alguns deles estavam lá, bebericando champanha sob gravuras gigantescas de seus próprios rostos.

— Estou em busca do segredo do otimismo.

— E por que você faz isso? — ela perguntou, alegremente. — Como vai se sustentar?

Apertei a haste da taça.

— Estou escrevendo um livro.

— Não acho que alguém se interesse por isso — ela disse, levantando os olhos para mim, com um sorriso enrugado.

— Bem, na verdade se interessam, sim.

— Escritores não ganham bem. Nem mesmo escritores famosos. Você deveria arrumar um emprego na área de finanças. Está muito magrinho.

Enrubesci.

— É estranho — respondi, com um sorriso forçado. — Estamos em uma festa de exploradores e, mesmo assim, você está me dizendo para não correr riscos. Acho que não haveria muitas explorações por aí se todo mundo pensasse como você.

Aquela senhora estava subestimando as probabilidades de sucesso e superestimando o custo do fracasso, o que a levou a atribuir um baixo valor ao meu bilhete de loteria e a estimar um alto custo de oportunidade.

PROJETO OTIMISMO = (1% DE SUCESSO) + (99% DE FRACASSO)

— O realismo — continuei, girando minha taça — consiste em estimar corretamente as probabilidades de um resultado positivo ou negativo e, então, aceitar essa realidade. Mas o *verdadeiro otimismo* consiste em aceitar os riscos e *corrê-los mesmo assim*. Entendeu?

Essa inovação havia me ocorrido durante a noite, em algum momento entre 4h e 5h. Andava difícil dormir, ultimamente.

— Talvez — disse a senhora.

Um homem com paletó de *tweed* surgiu ao lado dela e passou um braço por sua cintura. Fiquei surpreso em constatar que era um dos exploradores em destaque na exposição.

— Mas não estou falando sobre riscos — ela sorriu. — Isso é uma certeza.

Pedi licença e fui em direção à porta. Estava cada vez mais difícil conversar com gente comum. Minha barba estava ficando muito comprida. As pessoas estavam começando a tecer conjecturas sobre as minhas condições de vida. Não entendiam que é preciso fazer certos sacrifícios em busca da verdade. Esse era o preço do otimismo, lembrei a mim mesmo. Uma vez atingido o topo e concluída minha Teoria Geral Universal, eu poderia reconstruir minha vida sobre o fundamento da mais pura confiança. Zara e eu compraríamos uma casa, e eu começaria minha turnê de palestras ao redor do mundo.

O organizador da exposição, que me convidou para o evento, estava parado à minha frente.

— Laurence, deixa eu te apresentar Steve Brooks. Steve é um verdadeiro otimista.

Steve Brooks estava usando um blazer de *tweed* e segurando entre os dedos uma taça de champanha. Ele me lembrava o Dick Vigarista, da *Corrida maluca*.

— Steve sofreu um acidente com seu helicóptero no oceano Antártico há pouco tempo.

— Ah, ótimo — eu disse, ainda desnorteado pela conversa com a mulher.

— É — disse o explorador. — Sem otimismo eu estaria morto. É simples assim. Sobrevivemos por 11 horas nas águas geladas. Nossa vida estava por um fio, ou melhor, pelo fio puído de um colar barato — ele se gabou.

— *Você* corre riscos? — perguntei, olhando de soslaio para a velha senhora.

— De jeito nenhum. Odeio riscos. Por isso me preparo muito bem. — Ele me passou seu cartão de visita. — Se quiser conversar sobre otimismo, vai ser um prazer. Me ligue qualquer dia desses.

Na manhã seguinte, acordei com a notícia da interrupção nas negociações entre o Irã e a ONU. O presidente Ahmadinejad estava ameaçando o Ocidente com "forças incalculáveis de ira e destruição" e Washington falava abertamente sobre uma mudança de governo. Essa não podia ser considerada uma boa notícia. No entanto, agora eu tinha a chance de apresentar minha teoria de otimismo espiritual para uma plateia muito mais ampla.

Já tinha enviado um e-mail para o presidente do Irã, mas até então não havia recebido uma resposta. Apesar de ter algum interesse em entrevistá-lo, sabia que seria muito mais eficaz me dirigir ao verdadeiro poder por trás do trono.

O guru espiritual do presidente Ahmadinejad era um aiatolá chamado Mesbah-Yazdi. Ele era o homem-chave. Se conseguisse estabelecer um diálogo com ele, teria dado o primeiro passo na tarefa de apresentar uma terapia espiritual avançada para o mundo. Se todos os países, principalmente os do Oriente Médio, entendessem que o verdadeiro otimismo é obstruído apenas por emoções subjacentes e crenças negativas ocultas, que são depois projetadas em situações externas, não poderiam mais culpar os americanos ou os muçulmanos por tudo. Até onde eu sabia, os palestinos e os israelenses sequer percebiam que estavam projetando seu sofrimento interior uns sobre os outros, gerando com isso todo o problema. Assim que eu conseguisse superar esse obstáculo, poderia trazer à baila o tópico bem mais sensível da Visualização Criativa.

Poderia, então, começar a divulgar esses assuntos complexos e difíceis para um público mais amplo. E isso formaria a base do meu irrefreável movimento para a paz mundial.

> Caro aiatolá Mohammad-Taqi Mesbah-Yazdi,
> Sou um escritor inglês e meu interesse é o otimismo. Estou preocupado com o estado das relações entre o islã e o Ocidente e gostaria de pedir seu conselho. Por favor, me ajude.

> Minha pergunta é:
> O senhor acha que a recusa em aceitar a raiva interior reprimida pode levar alguém a projetar sua dor em um "outro", um inimigo imaginário, criando, então, uma situação de conflito?
>
> Aguardo ansiosamente sua resposta.

Assinei com o nome de uma amiga que não via há anos. Se houvesse algum problema, eles teriam que lidar com ela primeiro. Digitalizei a carta e mandei. E fui cuidar da vida. Se o aiatolá respondesse, pensei, então realmente haveria motivo para esperança. As pessoas já vinham interpretando mal os iranianos há muito tempo.

Dois dias depois, abri meu e-mail. Meu rosto enrubesceu com a excitação.

> Em nome de Alá
>
> Cara senhora,
>
> Quem quer que analise as origens e as fontes do islã vai descobrir que ter paciência, saber controlar sua raiva e perdoar os outros estão entre os mais altos valores éticos islâmicos, e que a retaliação contra os inimigos é considerada apenas se o perdão os tornar mais arrogantes e impudentes. Portanto, a temperança e a tolerância em relação aos outros são princípios fundamentais no comportamento e no discurso de um muçulmano, e apelar para sentimentos como a raiva só é aceitável em caso de defesa e como último recurso.

Deus do céu!, pensei. Li a mensagem com o coração palpitante. Havia subestimado a maturidade psicológica da oposição.

> Levando esses ensinamentos em consideração, não há razão para projetar o que quer que seja ou supor a existência de um inimigo imaginário, nem de qualquer outro mecanismo de defesa antiético. Mas o aprendizado total desses valores não é fácil, já que a compreensão deles é árdua para quem não os tem.

Imediatamente me arrependi de não ter usado meu nome verdadeiro. O homem era versado em projeções e outros mecanismos de defesa. Sem dúvida conhecia a Visualização Criativa, o desprendimento e a lei da atração. Meus olhos se encheram de lágrimas. Quanta desconfiança havia neste mundo! Mas foi então que reli o e-mail. Se Mesbah-Yazdi sabia de tudo isso, o que seria do meu plano de liderar a apresentação global do Nível 4 do otimismo? Como eu me tornaria famoso desse jeito?

Talvez ele ainda não tivesse ouvido falar de Pedido Cósmico.

> Caro aiatolá Mohammad-Taqi Mesbah-Yazdi,
>
> Posso fazer uma pergunta complementar?... O senhor acha que foram feitos esforços suficientes para visualizar um mundo em que Irã, Israel, Palestina e Estados Unidos estejam verdadeiramente em paz, e não em guerra? Esses saltos de imaginação às vezes fazem toda a diferença, mesmo em relações internacionais!

Fechei meu laptop. Mesmo que aquele fosse o fim de nossa correspondência, raciocinei, pelo menos eu tinha alcançado alguma coisa. O aiatolá e eu tínhamos nos dado a mão pela internet, e, por isso, a paz mundial estava um passo mais próxima.

Mas essa foi a única notícia boa daquela semana.

No dia seguinte, recebi uma carta do príncipe Charles explicando que não queria conversar comigo. O príncipe estava lisonjeado com meu convite, mas não se achava realmente um otimista.

Fiquei olhando para a carta. Uma recusa do Charles era superável, mas antes, naquele mesmo dia, a grande estrela Oprah Winfrey também havia declinado meu convite e, quase ao mesmo tempo, Paulo Coelho e a ex-primeira-ministra irlandesa Mary Robinson também disseram que não. O secretariado de Al Gore já tinha dito não 13 vezes.

O que estava acontecendo com meus poderes de visualização? O que estava acontecendo com o otimismo autorrealizador? Precisava desesperadamente dessas entrevistas para conseguir patrocínio para o meu livro e mostrar ao mundo que eu era um teórico respeitado e digno de confiança.

A Teoria Geral Universal estava ameaçada de se tornar internamente instável.

— Você acha — sugeriu Xanthe — que a razão pela qual essas pessoas não querem se encontrar com você é porque *você* não quer, na verdade, se encontrar com *elas*?

— Ah, Xanthe. É claro que quero me encontrar com elas.

— Mas você *realmente* quer se encontrar com elas ou é apenas pelo bem do projeto?

Cocei a testa.

— Mas eu *sou* o projeto.

Decidi ligar para o celular indiano da Zara. Eu estava cansado e desencorajado depois da rejeição do príncipe Charles e precisava de apoio emocional. Já fazia duas semanas que não falava com ela e percebi, do fundo de meu coração, o quanto queria deitar a cabeça em seu colo e conversar sobre os acontecimentos do dia. Tinha certeza de que ela sentia a mesma coisa.

Liguei e esperei ansiosamente que ela atendesse. O toque era diferente naquele país. Imaginei minha namorada do outro lado do mundo, olhando para o número que estava em seu *display*. Sem dúvida ela estava com amigos ou no meio da meditação. Provavelmente estaria usando alguma roupa indiana transparente. Ela não atendia. Imaginei-a olhando friamente para o aparelho. *Estou vivendo meu momento agora. Não posso lidar com isso.* A frustração encheu o meu peito. Zara nunca queria conversar sobre coisas difíceis. Apenas sobre amenidades. Será que errei na fórmula? Nosso relacionamento na verdade era um PTDD? Não, não precisava ser assim. Contanto que ambos mantivéssemos o combinado, ou seja, sermos compreensivos e honestos um com o outro. O telefone tocou e tocou. E finalmente parou de tocar.

Fui com raiva para o meu quarto. Sabia como deveria estar me sentindo: afetuoso e tranquilo. Mas não estava. E o fato de não estar fazia com que me sentisse pior ainda. Fiquei pensando, sombriamente. Zara estava fazendo de novo o que sempre fazia — fugindo da realidade e fingindo que era "livre", se preservando das "energias difíceis" e esquecendo a verdadeira sintonia que tínhamos. É, disse a mim mesmo, ela era alérgica à *vida real*. Um instante se passou. Era essa a "tagarelice emocional" sobre a qual Srikumar havia me alertado, o monólogo interior que define a realidade? Talvez. Mas eu precisava me expressar! "Está tudo muito bem em viver o momento", explodi, "mas o diálogo exige certo esforço!"

Abri o e-mail, esquadrinhando a caixa de entrada em busca de uma prova de amor ou carinho vindo do outro lado do mundo. Em vez disso, dei de cara com outra resposta de Mesbah Yazdy. *Ah*, pensei. *Ele*. O aiatolá me saudou no mesmo inglês elegante de antes.

> Cara senhora,
>
> ...Talvez nossa percepção de Israel e da Palestina seja bem diferente da que as pessoas têm em alguns países ocidentais. Acreditamos que qualquer um que aceite a realidade de Israel e da Palestina nunca pode esperar que vivam pacificamente juntos, assim como não seria realista imaginar a coabitação de *lobos* com *ovelhas*.

Li o e-mail, deprimido. Sua resposta era uma clara rejeição ao nível mais avançado do otimismo. Meu esforço de introduzir a visualização como uma ferramenta de paz tinha esbarrado em um obstáculo intransponível. Mas é claro! Como alguém poderia esperar que eu fizesse algo direito? Estava totalmente perturbado pela situação com a Zara.

Desta vez ela atendeu o telefone.

— Desculpe — ela disse. — Perdi a outra chamada!

— Tudo bem — eu disse, tenso. — Recebeu meu e-mail? Mandei na semana passada. E eu...

Minha voz estava trêmula e eu não conseguia disfarçar.

— O que foi? — disse Zara. — Isso está me soando pesado. É, não soa nada leve.

— Por que tudo tem que sempre ser leve? — Apertei o fone contra o ouvido. — Estou tentando ser franco. Estou tentando me expressar. Se você estivesse aqui tudo estaria bem. Precisamos conversar sobre isso.

— Não posso me meter a analisar essas coisas agora — ela disse. — Talvez quando nos encontrarmos de novo, mas não agora.

O telefone ficou mudo. Fiquei olhando por um momento para ele, depois joguei-o no sofá.

— Cadela! — gritei.

Então apanhei o telefone e o arremessei de novo. Se eu fosse francês, teria despedaçado-o contra a parede, mas sou inglês, portanto tive o cuidado de só arremessá-lo contra móveis macios.

Eu estava completamente dominado pela dor.

— Minha raiva será ouvida! — gritei, agitando os punhos no ar.

Espera um minuto, pensei. Isso foi *bom*. Apanhei uma laranja e senti seu peso na mão. E então, com fúria cega, eu a arremessei contra a parede da cozinha. Ela explodiu e seu sumo escorreu até o chão. *Uau!* Apanhei outra laranja. E depois outra. Uma a uma, eu as despedacei contra a parede. Depois foi a vez de um abacate. E depois uma banana. *Espetacular!* A cesta de frutas logo ficou vazia.

Gabrielle voltou para casa e viu a bagunça em sua parede.

— Eu estava arremessando frutas — confessei.

— Na minha casa!

— Vou limpar tudo — eu disse.

Saí cabisbaixo para o meu quarto e deixei uma mensagem anônima num fórum da internet:

> Socorro!
> 9 de novembro de 2007
>
> Estou paralisado!
>
> Apesar de seis meses de massagens terapêuticas, renascimento, osteopatia, medicina chinesa, remédios homeopáticos, terapia de grupo, sessões de tarô e entrevistas com as pessoas mais felizes do planeta, continuo incorrigível. Basta uma ligação, e o adolescente raivoso e assustado que dorme eternamente dentro de mim, como um vírus latente de herpes, de repente acorda. Como um devotado historiador soviético, meu cérebro concorda em ignorar todos os indícios positivos e selecionar apenas os dados necessários para condenar minha namorada como uma pessoa sem sentimentos, sem consideração e incapaz de demonstrar afeto. Como um advogado astuto, ordena os fatos em uma trama emocionante e trágica, do tipo que leva todo mundo às lágrimas, e acaba levando mesmo... Em instantes, meu metabolismo entra em ebulição; funciona a todo vapor. Tenho vontade de vomitar. Ou de assassinar uma laranja com uma picareta.

Até Mesbah-Yazdi parecia desaprovar meu comportamento:

> ...apelar para sentimentos como a raiva só é aceitável em caso de defesa e como último recurso.

Caí de joelhos. O que havia de errado comigo?

Gabrielle bateu à porta do quarto.

— Posso entrar?

Ela sentou na minha cama.

— Não estou com raiva de você — ela disse —, se for por isso que você está se escondendo.

Ela ouviu pacientemente enquanto botei para fora tudo o que se passou nas últimas duas semanas: a rejeição das celebridades, os exploradores sarcásticos, o repentino fracasso do meu poder de visualização e, por fim, o desastre no meu diálogo com a Zara.

— Sabe, Laurence, isso não me surpreende. Estava esperando que algo assim acontecesse.

Olhei, estupefato, para ela.

— O problema — disse Gabrielle — é que, quando você começa uma jornada emocional como essa, não há mais volta.

Passei a mão no cabelo.

— Não estou *em* uma *jornada*. Só quero me sentir bem.

Ela deu uma gargalhada.

— Você escolheu o objetivo mais difícil de todos.

— Pensei que já tinha descoberto a solução.

— Sabe — ela disse —, é bem difícil. Já passei por isso. O que você está fazendo é expressar o que estava preso aí dentro fazia anos. Pode ser doloroso. Mas é o único jeito de chegar aonde você quer ir... — Eu me recostei e olhei para a parede. — Foi seu relacionamento com a Zara que tornou a jornada possível — ela completou.

— Como? Por ser um pesadelo?

— Talvez vocês dois apenas queiram coisas diferentes.

— Não — eu disse, sem hesitar. — Não. Não é isso. Somos muito parecidos. Muito, muito parecidos.

Ela deu um sorriso melancólico.

— Às vezes as pessoas têm prioridades diferentes.

— Não — respondi de novo. — Não nós. Isso é temporário. Em breve tudo vai ficar bem. Como você disse.

Ela inclinou a cabeça.

— Talvez você devesse tirar um tempo para si mesmo. Ir a algum lugar tranquilo, qualquer lugar onde você possa entrar em contato com seus sentimentos mais profundos. Fique calmo. Tente meditar. Quando você medita, deixa os sentimentos fluirem através de você mais rapidamente.

— *Não vou* meditar — respondi.

Eu me levantei.

Tinha outros planos, e eles não envolviam continuar contemplando o meu umbigo.

Buscador

CAPÍTULO 16

Que país é este... desconhecido pelo resto do mundo e onde a natureza opera de acordo com leis tão diferentes das nossas? Provavelmente é a terra onde tudo vai bem, pois é preciso que um lugar assim exista.

VOLTAIRE, *Cândido*

Mary-Jane roía uma unha entre seus dentes brancos e perfeitos. Meu olhar percorreu seu braço e se alongou pela cozinha. Uma gravura de Buda cintilava sobre a lareira, sorrindo sobre marcas deixadas por cigarros de maconha e manchas de cerveja. Amuletos da sorte pendiam da janela e uma iúca no parapeito aproveitava o sol da manhã. Eu estava em São Francisco.

— Por que sou otimista? — ponderou Mary-Jane, pondo água pra ferver. — Perguntinha interessante!

Ela abriu um sorriso para mim. Sorri de volta. Mary-Jane — uma garçonete e estudante de psicologia que alugava o maior quarto da casa onde meu irmão morava em Haight-Ashbury — era tão alto-astral e ria tão alto que até um otimista evoluído como eu precisava ter cuidado para não me aproximar muito.

Observei o vapor passando por jarros de lentilha e espirulina, cartões-postais de divindades hindus e um ímã de geladeira que veio como brinde em uma revista pornô. Meu irmão, Alaric, estava esperando por mim fora da cozinha, a salvo das ondas sísmicas geradas pela gargalhada de sua inquilina. Depois de seis meses sob o mesmo teto, ele tinha aprendido a se expor o mínimo possível a ela.

— Porque eu percebi, já faz um tempo, que tenho, tipo assim, poder sobre minha percepção — respondeu Mary-Jane. — Tudo começou quando eu tinha 15 ou 16 anos. Quando li um livro sobre o poder das Afirmações Positivas, sobre como sua Palavra é sua Varinha Mágica, e que, se você realmente prestar atenção em como usa as palavras, pode começar a transformar seus padrões de pensamento.

Levantei os olhos para a geladeira. Alguém tinha escrito as palavras: EU SOU AMADO.

— Frases do tipo "eu sou abençoada" e "eu sou afortunada". Também uso "eu sou grata" e "eu sou amada". — Ela olhou para a geladeira e sorriu. — É, uso muito "eu sou amada". O tempo todo.

Eu sou amado. Articulei as palavras, em silêncio. Sempre achei que afirmação positiva era coisa de otimista iniciante, mas talvez tivesse algum valor.

— Sei que funciona — disse Mary-Jane, jogando os cachos dourados de seus cabelos sobre o ombro. — Tenho vários exemplos de como minhas afirmações positivas deram certo para mim. Mas eu também tinha muita *confiança*, e isso é importante. Não adianta só pedir e, tipo, *ficar na expectativa*, sabe?

Fiquei olhando, em dúvida, pra ela. Mary-Jane era uma iluminada ou apenas uma cabeça de vento? Difícil saber. Seus comentários sobre confiança e expectativa pareciam majestosamente sábios para alguém de sua idade. E "confiança" era parte da pergunta que eu agora me fazia. Era possível ter confiança, de modo *abstrato*, sem esperar um resultado específico? E isso me traria o que desejava? De que modo poderia desenvolver esta faculdade sem perder algo vital — como meu senso de humor ou meus planos para um casamento duradouro?

Esperava que as seis semanas seguintes me trouxessem a resposta. Quinze dias antes, enfiei o que sobrava de meus pertences em sacos plásticos e os guardei no sótão de Gabrielle, no sul de Londres. Era o momento pelo qual havia esperado o ano inteiro, o momento em que finalmente pude fechar para balanço e dar o primeiro passo em direção ao futuro. Era assim que uma busca deveria ser: uma autêntica jornada em direção ao desconhecido. E este era o país que eu havia escolhido pra isso. A Terra Prometida, a Costa Oeste da América — a última parada dos colonizadores em sua busca pelo paraíso antes de caírem no mar: a Califórnia! Lar da Visualização Criativa, do Google e dos carros movidos a hidrogênio — geradora global de tudo o que era otimista. Era um campo energético de consciência elevada. A Califórnia tinha Shakti Gawain. Aqui, eu certamente encontraria o que procurava — a palavra certa, a definição, as pessoas de carne e osso que o viviam: o verdadeiro otimismo e *como alcançá-lo*. Confiança? Liberdade? Só sabia de uma coisa: se me desfizesse de tudo e me reduzisse a nada — sem planos, sem posses, sem compromissos — não acabaria, então, encontrando exatamente quem precisava encontrar, exatamente quando precisava encontrá-los? E um dia não pararia de me preocupar com meu relacionamento com Zara e me tornaria o homem formidável que eu estava destinado a ser? Se Immaculée estivesse certa, tudo que eu precisava fazer era confiar e tudo acabaria dando certo. De algum modo, aquele pedacinho de terra na extremidade da América tinha todas as respostas.

— O que tem de tão especial na Califórnia? — perguntei.

— É um tipo de... despertar — respondeu Mary-Jane, pensativa. — Acho que nossa espécie está evoluindo.

— Você acha que os californianos são mais evoluídos que o resto de nós?

— A evolução é mais intensa aqui, mais aparente e, hum, mais fácil de ser vista.

Olhei para meu irmão na porta da cozinha.

— Não se preocupe — eu disse. — Já estou indo.

Fomos até um café na Haight Street, de onde poderíamos acessar a internet. Eu estava de bom humor e o mundo inteiro parecia estar de bom humor também, até os mexicanos que picavam cebolas e preparavam a salada para os nossos *burritos*. Eles estavam assobiando e cantarolando, como se fossem donos do estabelecimento.

— Veja só esses caras! — disse, puxando o braço de Alaric. — Nunca se vê coisas assim em Londres! É o fluxo perfeito de interesse pessoal em um contexto de cooperação mútua sincronizada.

— Por favor — ele disse —, as pessoas podem ouvir.

— Me faz lembrar da teoria de Leibniz sobre as mônadas — eu disse. — O mundo é feito de átomos autônomos independentes... — Olhei de relance para o meu laptop. — O que aconteceu?

— Não sei, desligou sozinho sem mais nem menos.

A tela estava escura. Bati de leve nela, com a ponta dos dedos.

— Morreu — eu disse. — *Kaput*.

Inacreditável. Eu tinha aquele laptop há três anos e tudo estava dentro dele: meus e-mails, minha agenda, o endereço residencial de Arnold Schwarzenegger. Como iria me virar sem ele? Contemplei a luz fria do inverno lá fora.

— É a minha missão — eu disse prendendo o fôlego, maravilhado. — Está me ordenando a abrir mão de tudo, até do meu computador.

E eu não tinha outra escolha, a não ser obedecer.

Na manhã seguinte, eu estava comendo *waffles* enquanto meu irmão surfava na internet.

— Você já ouviu falar no *Rabino Surfista*? — ele perguntou.

Olhei para ele.

— Você está falando sério?

— Ele tem um site.

— E ele surfa enquanto... "rabina"?

— Sei lá.

Entrei no site do rabino Shifren. Parecia ser para valer.

> Rabino Nachum Shifren
>
> "O Rabino Surfista"
>
> Suas palestras incluem assuntos como:
> 1. Posso ser judeu e um surfista profissional ao mesmo tempo?
> 2. O que há em comum entre a Torá, o misticismo e o surfe?
> 3. Qual o melhor lugar para pegar onda no mundo?
> 4. Como uma alimentação balanceada e um bom preparo físico podem influenciar na sua espiritualidade?
>
> Confira nosso novo e escandaloso adesivo para carros:
> "PERDOAI-ME, RABINO, PORQUE SURFEI"

Um encontro fabuloso para a minha missão. Um personagem amigável que me dará informações cruciais sobre a minha jornada.

Quem sabe até informações a respeito de surfe. Sempre me perguntei se meu destino não estaria ligado ao surfe ou, talvez, porque me parecesse a mesma coisa, a não fazer nada e ainda ser reconhecido como um profissional por causa disso. Os surfistas pareciam compreender algo vital sobre a falta de sentido do universo, e eu sempre quis saber o quê. Melhor ainda é que eles não se estressavam com nada e geralmente eram bronzeados e atraentes. Talvez o rabino pudesse me ensinar como alcançar o verdadeiro otimismo, pensei. E, no processo, eu me tornaria profundamente atraente e enigmático para as mulheres.

Após 48 horas, eu estava no centro comercial de Los Angeles, parado em frente à réplica de uma loja militar, com a estátua em tamanho natural de um soldado americano apontando o rifle para a minha cara. O soldado era pintado de verde e parecia estar furioso com algo. Eu já estava nervoso por estar nos arredores do Sul Central, provavelmente o último lugar que um rapaz branco de classe média, trajando um blazer Gieves & Hawkes, gostaria de estar.

Olhei, vigilante, para a rua, piscando os olhos por causa do sol.

— Estou procurando por um rabino surfista — eu disse, entrando na loja.

Um gigante, envergando uniforme militar e boina à Fidel Castro, assentiu preguiçosamente com a cabeça por trás de uma prateleira repleta de granadas. Recuei em direção à porta.

— Acho que errei de endereço.

— Pode entrar — disse o homem.

Ele esfregou a boina e apontou para a porta de um escritório abarrotado ao lado, no qual dava para vislumbrar o inconfundível contorno de uma prancha de surfe. Uma expressão de espanto surgiu em meu rosto.

— Você é o Rabino Surfista? — perguntei.

— É o que dizem.

As paredes do escritório estavam cobertas de anotações em hebraico.

— Você surfa de quipá? — perguntei.

O rabino Shifren balançou a cabeça. Ele parecia o elo perdido entre Papai Noel e o Unabomber.

— Queria saber se os surfistas são otimistas — expliquei.

— Maneiro — exalou o rabino —, maneiro.

Disse isso como se, nos bons tempos, tivesse conhecido centenas de pessoas em busca do otimismo e achasse todas muito maneiras.

— Uma das coisas mais otimistas que alguém pode fazer é surfar. Porque o surfe desenvolve qualidades importantes: diligência, perseverança, disposição para o trabalho. Os surfistas são, por natureza, muito confiantes. Em geral, são pessoas com um pé na sociedade e outro fora, e eu gosto disso.

Passei a vista pelos símbolos de autossuficiência à venda na loja: chapéus da polícia montada canadense, balas de borracha, máscaras de gás. Eu li que o rabino levava garotos das comunidades mais pobres da cidade para surfar, que trabalhava com membros de gangues e outros casos perdidos. Em seu site havia citações do Talmude e da Cabala, o que me levou a imaginar um sujeito liberal, de peiote e, quem sabe, um cigarrinho de maconha na boca.

Nada a ver com os itens expostos nas prateleiras.

— Não tenho muito a ver com a sociedade — ele disse. — É só uma forma de sustento para que eu possa ir à praia.

— Mas você é um rabino. Frequenta uma sinagoga?

— Claro, claro. É meio contraditório... tipo *yin* e *yang*, sabe?

O sinete da porta tocou, anunciando a chegada de um freguês, e o ex-salva-vidas se levantou, lentamente — ele foi campeão de remo e ainda era musculoso para diabo. Sentei e fiquei escutando o santo homem responder com desenvoltura a perguntas sobre o calibre e a velocidade de escape de sua coleção de balas de borracha.

— Você é um entusiasta de artigos militares? — perguntei quando ele voltou.

O rabino cruzou calmamente as mãos sobre a barriga.

— Nem um pouco, meu interesse é puramente financeiro.

Estreitei os olhos.

— Certo — eu disse, olhando de soslaio para uma prateleira repleta de espingardas de ar comprimido ao lado da porta do escritório. — E por que você é conhecido como o Rabino Surfista, e não só como um rabino que surfa?

— Talvez porque eu seja o único. Uso o surfe para me conectar àquela energia, a energia espiritual que emana do oceano.

Shifren se calou e esperou pela minha próxima pergunta, me deixando sem palavras, o que é raro. Sem dúvida, havia algo de intimidante e nada sacerdotal naquele sujeito.

— Me fale sobre as crianças — eu disse, tentando ganhar tempo.

Ainda não sabia ao certo o que tinha ido fazer ali. Será que eu realmente queria ter o Rabino Surfista como modelo?

— Muitas fazem parte de gangues — ele disse. — O surfe dá uma nova perspectiva de vida para elas, é como entrar em um mundo novo que as protege das más influências de suas comunidades. As ondas têm... é como um poder magnético. Assim que as pessoas se empolgam com as ondas, começam a se concentrar mais em sua própria espiritualidade, as ondas lembram a mão de Deus. É importante que as crianças saibam que o mundo não foi criado por causa delas.

Ele se recostou na cadeira.

— Por que não há outros rabinos surfistas?

— Porque são uns frescos, só por isso — ele olhou para suas mãos, sem marcas deixadas pelo couro nobre dos tefilins usados nas orações. Sua compostura era impressionante.

— Então, o que você pode me ensinar... — arrisquei — ...sobre o otimismo?

— Surfistas são sempre otimistas apenas pelo fato de serem surfistas, já que nem sempre as ondas são boas. Os bons momentos são raros... você entende?

Fiz uma pausa.

— Mas se você está sempre esperando pela grande onda chegar... então, com certeza, você está vivendo no futuro, não no presente, não é?

— Exatamente! O surfe está sempre no futuro.

Cocei a cabeça.

— Mas muitos gurus diriam que o segredo é, hum... viver "o momento".

— Por isso são gurus, e não surfistas — suspirou. — É óbvio. É como ter uma namorada perfeita... mas ela precisa se afastar de você por um tempo e você vive se perguntando quando a verá de novo.

— Ahhh...

Então era disso que se tratava, pensei.

As mãos do rabino descansavam placidamente em seu colo.

— É preciso estar sempre pronto para o combate — ele disse. — O surfe é como a guerra, é preciso estar pronto para lutar, principalmente quando se chega à minha idade. É preciso se manter em movimento, não há tempo para ficar parado. Isso é o que mais nos diferencia de *quase todas* as outras pessoas.

— E você pensa no passado? — perguntei. — Porque eu penso um bocado.

O rabino deu um sorriso sonhador.

— Ah, sempre. O tempo todo... na verdade, todo dia. Todo dia eu vivo um pouco no passado... os bons tempos, o bom surfe. É isso que dá forças: os sonhos, os sonhos frequentes sobre as ondas.

— Mas então você nunca está contente. Está sempre infeliz.

— Quando você está na água é diferente. Então eu estou lá, vivendo o momento. É uma situação única, não tem nada que se compare. É muito, muito difícil descrever. É uma sensação de poder, de canalizar o poder, não tem nada parecido no mundo inteiro.

Ele pôs as mãos atrás da cabeça.

— Qual é a sensação?

— Boa parte é pura diversão — disse o rabino. — E êxtase.

Fiquei impressionado. O rabino tinha encontrado uma ocupação tão apaixonante que nada mais importava. Era aquele o segredo? Com certeza era. Aquilo era a liberdade. Era estar *no controle*. Olhei com admiração para a bagunça em seu escritório. Se eu surfasse, não me daria ao trabalho de entrevistar pessoas, nem de escrever livros, nem de me apaixonar por holandesas incompatíveis comigo. Eu não estaria nem aí!

E todas as mulheres iam me adorar.

— Mas espera aí — eu disse. — Isso não é uma forma de escapismo?

— Ah, totalmente. É fugir das limitações do corpo. Há um trecho no livro dos *Provérbios* que compara o espírito do homem à chama de uma vela. A chama está sempre tentando se livrar do pavio, por isso se move sempre para cima, mas não pode deixar o pavio ou deixaria de ser chama. Da mesma forma, nosso espírito está praticamente preso ao nosso corpo, portanto os breves momentos em que podemos deixar nosso corpo para trás sem dúvida valem a pena.

— Entendi.

— O surfe nos ajuda a ganhar foco, pensar com clareza, e faz com que realmente apreciemos a vida. E quando você aprende a apreciar a vida, passa a saber quem é, o que gera uma tremenda autoestima. Então pode começar a se entregar para os outros e se sentir totalmente bem com isso. Quem não tem essa clareza se preocupa apenas em conquistar coisas para si mesmo. E acaba se tornando um cretino.

O rabino parou de falar. Por um instante, pareceu triste.

— O que te faz mais infeliz? — perguntei.

— Nada — ele disse. — Nunca sou infeliz.

— Nada te chateia?

— Nada, coisa nenhuma. Sou muito focado. Como surfista, tenho que ser. Tudo o que for supérfluo ou desnecessário está fora, simplesmente não me interessa. — Ele fez uma pausa. — Sei do impacto que isso teve na minha vida: fui casado três vezes.

— Três vezes!

Olhei para ele com reverência.

— É, a gente acaba mantendo o foco o tempo todo no surfe, e isso vira uma obsessão... — Ele esfregou a bochecha, pensativo. — Mas sou otimista. Minha namorada atual está comigo há dois anos. Provavelmente vamos nos casar.

— Deve ser difícil ser a namorada ideal de um surfista.

Ele sorriu.

— Essa vai ser, posso sentir.

Dois dias depois, uma mulher chamada Paula me ligou.

— Sou a namorada do rabino Shifren — ela disse.

— Ei! Oi!

Parei no meio-fio e estacionei o carro. Estava esperando a ligação de Paula. No fim da nossa conversa, o rabino anotou o telefone dela em um cartão de visita. "Liga para ela", ele disse, "se você quiser saber de outras histórias."

— Você é a futura esposa do rabino.

— Na verdade, acabamos de nos separar.

— Não brinca!

Eu tinha passado pelo menos metade daquela semana ponderando como encontrar um passatempo tão extasiante, apaixonante e egoísta quanto o surfe — assim eu também pararia de me importar com meus relacionamentos e me tornaria descortês e no controle absoluto de qualquer situação emocional.

Talvez o rabino tivesse levado isso longe demais.

— Foi hoje de manhã — disse Paula.

— Lamento.

— Não precisa. Nada mudou. Eu ainda amo o rabino. Mas finalmente decidi que não posso me converter ao judaísmo. Disse isso para ele ontem à noite.

E então, como se em homenagem ao seu amor recém-falecido, Paula proferiu um discurso fúnebre de meia hora sobre o gigantesco e imperfeito enigma que era seu ex-noivo.

— Vinte e cinco anos atrás, o rabino Shifren era o salva-vidas mais maluco que já apareceu em Long Beach. O apelido dele era Shifty, inconstante, e tinha tudo a ver. Ele era doido, um notório mulherengo e se metia em confusão o tempo todo. Era totalmente descontrolado. Para nós, salva-vidas, ele era uma lenda. Era campeão de remo. Fazia um monte de coisas incríveis. As pessoas ainda falam dele. Têm falado dele há trinta anos.

Ela fez uma pausa, toda amorosa.

— Até que foi despedido por um motivo qualquer. Então desapareceu e ninguém mais ouviu falar dele por 15 anos. Depois descobriram que tinha ido para Israel e, quando voltou, já era um rabino. Foi quando nos conhecemos.

— Você realmente acha que ele seja um otimista?

— Ah, sim. Uma das coisas que eu amo nele é o otimismo. Ele é ambicioso, acredita que vai se dar bem. Vou te contar, conviver com ele é muito excitante.

— Você acha o comportamento dele atraente?

— *Muito* atraente.

Eu me recostei no carro. Um dia eu também seria tão teimoso e disfuncional e irresistível quanto o rabino.

— Não deve ser fácil conviver com ele.

— Ah, não — ela disse. — Definitivamente não.

Anotações para os pessimistas

Depois de uma experiência surreal em uma caixa — que parecia me impulsionar através de uma paisagem em movimento sem nenhum gasto físico de energia, mas que me custou um doloroso estiramento no tendão e uma multa por excesso de velocidade —, eu agora me encontro em outra caixa, com paredes e janelas quadradas estranhamente perfeitas. Lá fora, uma cidade que sei que é Los Angeles parece estar em pleno verão e carros passam velozes. Depois de conversar com uma pessoa que vive na caixa e faz de tudo para que eu me sinta à vontade, me preparo para dormir no sofá da sala. Sinto como se estivesse vivendo em um palco e durmo com o rosto voltado para a parede. Acordo me sentindo assustado e sozinho. Estou muito quieto. Não tenho planos. Ligo para as pessoas e elas não me ligam de volta. Saio para um passeio, mas acabo sentado em uma esquina, com a vista turva. Talvez ainda existam coisas que eu precise entender. Volto para a caixa. Não sei o que fazer depois; já decidi que não vou mais perturbar as pessoas e marcar encontros, e sim deixar as coisas acontecerem. Vou até a caixa grande conhecida como supermercado para comprar alimentos e está tocando uma música que me traz à lembrança de alguém que eu amo, e digo a mim mesmo: "Estou com saudades dela", e quero segurar a mão dela, mas ela não está aqui.

CAPÍTULO 17

Quanto mais acidental for o fenômeno, mais divina é sua natureza, porque o divino é aquilo que não pode ser previsto, que não pode ser deduzido a partir de regras gerais, nem se reduz a elas.

MIKHAIL EPSTEIN

Desliguei o computador e esfreguei os olhos. Estava na hora de acordar. O bordo no quintal ansiava por se despir de suas folhas. Verão sem fim. *Los Angeles.* Hoje era minha última chance. Eu tinha uma mala e um carro alugado. Nada que me prendesse. Ia mergulhar no caos da cidade e deixar tudo por conta da sincronicidade.

Liberdade.

Primeiro, subi até Runyon Canyon, um parque rústico nas colinas de Hollywood. O azul profundo do amanhecer de Los Angeles clareou enquanto shih tzus e collies saltitavam pelo caminho. Contemplei a palpitante manta que é a cidade, cobrindo o vale como um monstro pré-histórico prestes a se levantar, livrar-se dos carros e prédios e sair andando em direção ao oceano Pacífico. Como estaria aquela paisagem daqui a mil anos? Teria sobrado alguma coisa?

O Otimista, eles diriam. Foi ele. *Ele mudou o modo como pensávamos.* Cerrei os punhos, com as mãos nos bolsos, e desci até o supermercado orgânico.

As notícias de Bagdá eram cada vez piores. Outra bomba. Cinquenta cidadãos mortos. Estudei o rosto dos clientes que formavam filas e passavam pelos jornais. Não pareciam preocupados. Talvez tivessem razão. *Tudo o que for supérfluo ou desnecessário*, disse a mim mesmo, *está fora.*

Pesei os prós e os contras do dia. Antes que eu deixasse tudo para trás, ainda tinha tempo para fazer uma ligação. Dr. Wong era um psicólogo chinês que havia elaborado uma abordagem nova e radical sobre o otimismo. Eu o descobri na busca pela peça que faltava para minha Teoria Geral Universal. Ainda esperava por um *insight* que simplificaria minha tarefa de mudar o mundo sem que eu precisasse apelar para explicações imprecisas e místicas que muitas pessoas considerariam ridículas. Talvez Wong me apontasse o caminho. Pelo que havia lido, o doutor não dava muito valor para Seligman nem para os outros psicólogos positivistas: eram mais famosos do que ele e não levavam em conta a maioria da população mundial.

> O que dizer para quem teve a vida destruída pela guerra, pelo terrorismo, pela pobreza ou pela aids? O evangelho da boa aventurança e o mantra para alcançarmos nossos sonhos por nossos próprios esforços soam vazios para quem não pode entender nem controlar as forças negativas que estão destruindo suas vidas.

Andei de um lado para outro na sala de estar da casa da minha amiga, esperando que o doutor retornasse a ligação.

— Dr. Wong! Soube que o senhor descobriu uma forma de otimismo avançado.

— Eu a chamo de otimismo trágico — ele disse.

— Otimismo *trágico*?

O cientista limpou a garganta. Falava com um sotaque chinês carregado.

— Americanos como Seligman acham que otimismo é sinônimo de autoconfiança: "Posso alcançar meus objetivos, coisas boas acontecem o tempo todo, tenho tudo sob controle." Meu ponto de partida é o oposto: para a maioria das pessoas, coisas ruins acontecem o tempo todo e muitas vezes não se têm controle algum sobre essas coisas. Corrupção, pobreza e guerra, por exemplo. Em muitas partes do mundo, coisas ruins acontecem *todo dia.*

— Ah, meu Deus — eu disse.

— O otimismo trágico é uma atitude. Sua principal característica é a aceitação da realidade.

— Aceitação? — suspirei.

— É baseado na obra de Viktor Frankl — ele continuou. — Para desenvolver o otimismo trágico, é preciso ter alguma crença espiritual, uma religião, algo maior do que nós mesmos.

— Qual é a diferença entre isso e, digamos, a síntese entre a Teoria de Gerenciamento Moderno e a antiga filosofia hindu elaborada por Srikumar Rao?

Fui até a janela. Wong fez uma pausa.

— A grande limitação dos modelos existentes é que tratam otimismo e pessimismo como opostos.

Uma brisa sacudiu o caixilho da janela.

— E não são?

— No Oriente — respondeu o doutor, categórico —, não achamos necessário separar tudo em pares de opostos. Vemos as coisas como um todo. As pessoas podem ser realisticamente pessimistas e idealisticamente otimistas ao mesmo tempo, por exemplo.

Anotei o que ele disse.

— Isso não é um paradoxo?

— A filosofia chinesa é sempre paradoxal. Otimismo e pessimismo são duas dimensões relacionadas, mas independentes.

— Mas como isso é possível?

— O otimismo trágico significa aceitar que a vida é trágica e, mesmo assim, manter a esperança de que o amanhã será melhor.

— Aceitar que a vida seja trágica — respondi. — Mas eu *não* aceito.

— Sou chinês. Nossa história se resume a cinco mil anos de sofrimento, certo? É por isso que ainda estamos aqui. A vida não pode parar. Conseguimos sobreviver a situações horrendas: inundações, fome, invasões estrangeiras. Tivemos milhares de anos de sofrimento. Continuamos fortes. Ao contrário de outras civilizações — ele acrescentou, em tom soturno.

— Não sei — eu disse. — Isso não soa como otimismo para mim.

— É o otimismo trágico! Sabemos que coisas ruins acontecem quase o tempo todo, mas achamos que a vida vale a pena ser vivida. Vou te contar uma história.

O doutor Wong assumiu o tom professoral de um sábio oriental.

— Um velho em um vilarejo está tentando remover uma montanha com uma pá. "Velho tolo", as pessoas dizem, "você tem 70 anos, como acha que vai conseguir remover toda a montanha?" O velho tolo responde: "Quando eu morrer, meu filhos vão continuar a cavar, e depois os filhos dos meus filhos, e depois os filhos destes. Com o tempo, vamos mover a montanha. E então poderemos chegar ao vilarejo vizinho sem ter que dar a volta!"

— O senhor acha que os americanos têm alguma lição a tirar disso? — perguntei.

— Não importa o quanto as coisas fiquem ruins, sempre haverá algo pelo qual vale a pena viver.

Eu me despedi de Wong. O otimismo trágico não me convenceu. Com sorte, tudo vai terminar bem. Com sorte, coisas ruins vão *parar* de acontecer.

O resto do dia prometia ser um tédio. Decidi ir a Santa Mônica para ver a praia. Lá, afinal de contas, era o repouso final do pensamento positivo — geograficamente falando. Infelizmente, tranquei o carro com a chave dentro. Senti uma onda de estresse chegando.

"Agora não vou ter tempo de interagir espontaneamente com o universo!" Pus as mãos na cabeça. Um carro passou. *Espera aí...* Não era isso o que significava interagir espontaneamente com o universo? Certamente era a oportunidade perfeita para testar minha "teoria da confiança na existência". Afinal de contas, eu estava na Califórnia. Na Califórnia ninguém liga para planos.

Um mecânico chegou para abrir o carro. Gustavo era um californiano pensativo e de fala mansa, vindo da Guatemala.

— Posso te entrevistar? — perguntei. — Estou procurando pelo otimista ideal.

— Claro — respondeu Gustavo. — Sou um otimista. — Ele conferiu as horas. — Desde que você me entreviste enquanto eu trabalho. Tenho outro serviço em vinte minutos.

Eu me debrucei sobre o capô do meu Chevrolet enquanto Gustavo utilizava várias manivelas e alavancas para arrombar a porta.

— Você está otimista sobre o meu carro? — perguntei.

— Vai abrir já, já.

Respingando gotículas de suor no para-brisa enquanto manejava um cabide metido a besta, Gustavo me contou que morava em Los Angeles desde 1968. Tinha 50 anos e ainda trabalhava 12 horas por dia.

— Escolhi trabalhar tantas horas assim. *Gosto* de trabalhar tantas horas assim.

— Você trabalha pesado desse jeito desde 1968?

— É, por aí. Não me incomodo, porque tenho amigos que gostariam de trabalhar mais horas do que trabalham e não podem.

Gustavo não tinha nada de trágico.

— Você acha que os imigrantes que vêm para este país têm uma forma especial de otimismo?

— Acho, sim — disse Gustavo, girando a manivela que lentamente ia abrindo a dobradiça da porta. — A maioria chega aqui com um alto grau de otimismo.

Me lembro de quando estava na escola e pensava sobre o meu futuro e olhava para os alunos que nasceram aqui e pensava: como é que pode eles não terem vontade de ir para a universidade? Eles já conhecem a língua! Poxa, não sei como vou conseguir abrir esse carro...

Pensei sobre os cortadores de cebola no restaurante que visitei com meu irmão. Eu não gostaria de dirigir um guincho, mas a vida não seria má se eu fosse um cortador de cebola. Teria uma esposa e filhos e objetivos bem-definidos. Zara não estaria em um *ashram*. Estaria na cozinha, preparando o jantar.

— Você ainda é otimista como antes? — perguntei.

— Sou sim — disse Gustavo, abrindo a porta do carro.

Ele me entregou as chaves, com um gesto cortês, e se encaminhou para o guincho, olhando para o relógio.

— Tanta gente diz que não consegue ganhar a vida, pagar o aluguel... Mas já passei por isso e sei que, para quem está disposto a dar duro, há muito trabalho por aí.

Ele parou na calçada e se voltou para encarar o microfone.

— Estou disposto a dirigir um guincho, estou disposto a lavar roupas, posso fazer as suas compras e até levar seu cachorro para passear. E ainda dá para ter uma vida decente... Sou muito otimista.

Fiquei satisfeito. Gustavo havia redefinido o otimismo do modo mais simples e invejável possível. Era o sonho americano, o original e sem firulas, aquele que as pessoas tinham antes que a ioga, dietas naturebas e a satisfação pessoal complicassem as coisas. Eu sonhava com aquela simplicidade.

— O que você espera da vida? — perguntei. — O que te deixa mais entusiasmado?

— Entusiasmado? — respondeu Gustavo, calmamente. — O casamento da minha filha... Me aposentar, enquanto ainda tiver saúde e ao lado da minha mulher. Vamos celebrar nossas bodas de prata agora em março. É uma época bem entusiástica para mim.

O atencioso mecânico entrou no caminhão e deu a ré. Saí correndo atrás dele pela rua ladeada de palmeiras.

— Você está otimista sobre a América? — perguntei.

Gustavo puxou o freio de mão e olhou, pensativo, para o microfone.

— Estou, mas acho que tem alguns obstáculos. Quem quer ficar podre de rico pode encontrar problemas, mas, para a gente comum, que quer trabalhar pesado, acho que o céu é o limite.

Acenei para ele e entrei no carro. Gustavo estava dando duro para chegar a algum lugar e eu estava dando duro para chegar a lugar nenhum. Éramos como alpinistas cruzando caminhos na montanha.

Eram 15h. Na metade do caminho para Fairfax, havia um homem sentado à beira da estrada, levantando uma placa:

SÓ TRABALHO POR MACONHA

O tempo estava acabando, mas eu estava tentando ser espontâneo, por isso pisei no freio e dei uma guinada na estrada.

Precisava falar com aquele cara.

— Você é um otimista trágico? — perguntei.

— Sou o Garoto Perdido — disse o homem, sorridente. — Sento aqui de segunda a domingo. Levanto esta placa, as pessoas me adoram. Me dão maconha, às vezes. E às vezes me dão dinheiro.

Um motorista esticou a cabeça para fora da janela e buzinou.

— É isso aí! — ele gritou.

O Garoto Perdido acenou. Os carros se enfileiravam na estrada.

— Qual é seu objetivo aqui? — perguntei.

— Estou lutando pela liberdade de expressão. Se quiserem me prender por causa disso estarão violando nossos direitos, todos os nossos direitos. Não vou me desencostar dessa parede.

Senti a adrenalina percorrendo minhas veias.

— Você tem coragem! — eu disse.

— Sou de Nova Jersey — ele explicou.

Ele me disse que era procurado pela polícia por uma série de pequenas contravenções. Uma delas tinha sido arrombar, invadir e cagar na casa de alguém.

— Uau — eu disse.

— Eu estava tão chapado! Nem sabia o que estava acontecendo.

— Mesmo assim... — eu disse.

— Eles encontraram as minhas digitais e me deram três anos de liberdade condicional, e quando acabou era o meu aniversário de 20 anos e eu estava com meu primo, e nós estávamos completamente bêbados. Ele estava dirigindo e batemos num carro de polícia! — Ele fez uma pausa. — Teria ficado tudo bem se eu não tivesse fugido.

— Você fugiu?

— Foi, e fiquei sem ter para onde ir. Não podia voltar para casa, para meu filho e para minha namorada, não podia voltar para nada!

Ele sorriu e acenou para os passageiros de um ônibus. O motorista tinha diminuído a marcha para ver o que estava acontecendo.

— Você deveria voltar de qualquer jeito — eu disse.

— Não vou para a prisão. Quando a gente vai para a prisão, acabou. Ainda não sou um criminoso fichado. Não sou realmente um foragido porque não tem ninguém atrás de mim, mas se eu for para a prisão viro um presidiário. — Ele balançou a cabeça. — Tenho respeito por mim. Tomo conta de mim mesmo. Acho que nada acontece por acaso. Se for parar em Nova Jersey é porque estava escrito.

— Você é otimista?

— Não penso muito no futuro, vivo dia a dia. Venho sentar aqui e, ei, tanto faz! Se não posso ir para casa, fico por aqui!

— Você é louco — eu disse.

Ele deu de ombros.

— Por que você usa gravata se está de camiseta?

Olhei, tremendo por causa da brisa, para a bermuda dele.

— É minha gravata de trabalho — ele disse. — Estou pronto para trabalhar!

Eu me afastei, eufórico, do fugitivo, certo de ter conhecido um santo.

Quando cheguei a Santa Mônica, o sol estava se pondo. Os patinadores e os surfistas tinham ido para casa e apenas um ou outro cachorro zanzava na areia. Passeei pelo calçadão, melancólico. O pôr do sol estava lindo. Desaparecia no horizonte como os créditos finais de uma comédia romântica. Voltei para o carro e esperei o sol se pôr. Meu dia de liberdade tinha acabado. O que mudou? Eu ainda era eu mesmo e continuava sozinho.

Lá estava eu, na beira do mundo, e todos tinham ido para casa.

Mais anotações para os pessimistas

EXPRESSE SEUS PENSAMENTOS NEGATIVOS

Compro um novo Mac. Durante algumas horas, fico cheio de entusiasmo enquanto desempacoto esse tão esperado objeto de desejo e instalo os programas. Então percebo que o sistema operacional não é o mesmo do meu computador antigo e, quando tento escrever uma carta usando o processador de texto, descubro que as teclas e os atalhos são diferentes dos que eu usava. Entro em pânico e sinto um aperto no peito enquanto procuro as letras certas. Sinto-me claustrofóbico e estressado, pensando em todo o trabalho que deveria estar fazendo. Murmuro insultos contra mim mesmo e contra o mundo inteiro — quero me encher de porrada e jogar o computador pela janela. Quero arrancar meus braços e jogá-los no lixo. Eu me sinto como um equipamento defeituoso. Um produto rejeitado.

Observo um cabelo cair da minha cabeça até o chão.

Noite

São 4h. A segunda noite seguida esperando pelo sono. Imobilizo meu corpo e ordeno que relaxe, informando-o de que não vou me mover até adormecer. Meia hora depois, me agito na cama, tentando me pôr a nocaute. Por fim, percebo que nada vai funcionar. Desisto e acendo a luz. Depois a apago. E a acendo de novo. Não adianta. Ligo meu laptop. De que é que eu tenho medo? Levanto os olhos para o teto escuro e estranho.

Tenho medo de ser abandonado.

Tenho medo de ficar só.

Tenho medo de morrer em um quarto escuro e vazio.

Ontem conheci um homem que sofre de insônia. Quando acorda no meio da noite, suando, sem conseguir voltar a dormir, assolado por preocupações sobre sua carreira e seus filhos, ele as anota e as guarda em um jarro. Depois ele fecha a tampa e põe o jarro no topo da estante, fora de alcance. Uma vez por semana, ele marca uma reunião com o jarro das preocupações. Ele dedica a elas meia hora de seu tempo, e nada mais. No fim de cada ano, ele convida seus amigos para uma festa e incendeia o jarro.

Eu me pergunto qual seria o tamanho da minha fogueira.

CAPÍTULO 18

Sabe, Pênis Pequeno, você parece não entender nada de otimismo! Qual é a característica fundamental do Otimista? Ele é um não Pessimista! E qual é a característica fundamental do Pessimista? Ele pensa demais, e por isso fica esmorecido e acabrunhado! Assim como você, Pênis Pequeno! Já eu, prefiro pensar o mínimo possível e me manter vigoroso. Vigoroso e ativo! Se algo me incomoda, penso em outra coisa! E se alguém me der más notícias? Eu as ignoro!

GEORGE SAUNDERS, *The New Yorker*

— Dê o fora! — ela gritou. — Nunca mais entre no meu café!

A gerente estava em frente à porta, apontando para a rua. Um homem com cara de bêbado arremeteu sua cadeira de rodas contra a porta. Todos se voltaram para olhar.

— Qual o seu nome, piranha?

— É esse mesmo! — ela gritou. — Agora dê o fora.

O homem na cadeira de rodas saiu, dizendo palavrões. A gerente cruzou os braços e fechou a porta. Algumas pessoas aplaudiram. Eu fiquei sentado, atordoado.

Em São Francisco!

— É o fluxo perfeito de interesse pessoal num contexto de cooperação mútua sincronizada — zombou Alaric.

Isso já era demais. Precisava anotar meus pensamentos negativos antes que ocorresse uma explosão no meu hemisfério psíquico. Srikumar havia me ensinado aquela técnica na primavera e só agora ela me vinha à cabeça. De repente parecia ser de grande importância.

Praticamente todo mundo que conheci na Califórnia, à exceção do Rabino Surfista, tinha me dito para manter a cabeça fria e viver o momento. Viver no "agora" parecia ser a religião oficial, ainda que a maioria das pessoas, por mais estranho que pareça, estivesse ocupada trabalhando na tecnologia do futuro. Por isso me vi fazendo ginásticas mentais para dominar a arte de "entrar em contato" com meus sentimentos ao mesmo tempo que evitava ser perturbado por eles. O segredo parecia ser simplesmente não pensar. Durante a longa viagem de volta de Los Angeles, quase derrapei e saí da estrada tentando me impedir de pensar. Na verdade, meu cérebro voltava aos mesmos pensamentos, sobre não pensar, a cada dois ou três minutos. Já tinha fugido de controle. Além disso, eu estava exausto depois de meses vivendo em quartos de hóspedes e acampando em sofás. Queria que isso tudo terminasse, queria ir para casa, queria me aquietar e ter filhos.

A liberdade que se dane!

Meu celular tocou. Era meu amigo de Los Angeles.

— Quero que você conheça o Roko — disse Rob. — Ele é cineasta e é muito otimista.

— Bem — eu disse, ainda trêmulo pelo incidente com a cadeira de rodas. — Alguém tem que ser.

Duas horas depois, Roko estava na sala de estar da casa do meu irmão, parecendo o Yul Brynner em *Sete homens e um destino*. Ele tocou a aba do chapéu e arreganhou os dentes.

— O que o traz à Califórnia? — ele perguntou.

— Estou escrevendo um livro sobre o otimismo.

Roko sentou e deitou o chapéu no joelho.

— Sério? Estou fazendo um filme sobre a felicidade.

Ele me passou seu cartão de visita:

DOCUMENTÁRIO: A FELICIDADE

E eu passei para ele o meu:

PROJETO OTIMISMO

— Isso é muito engraçado — eu disse.

— Você está otimista sobre o otimismo?

— Mais ou menos.

Olhei tristemente para o meu celular. Eu o deixei ligado a noite inteira na esperança de receber uma mensagem da Índia.

— Estou tentando fazer com que o universo aconteça para mim.

— Ótimo — disse Roko.

Um ianque fazendo um filme sobre a felicidade e um bretão escrevendo um livro sobre o otimismo? Eu me imaginei chafurdando ao lado de Roko pelos campos enlameados da Normandia para liberar os pessimistas oprimidos da França.

Passeamos pelo parque Golden Gate no conversível velho e surrado de Roko, enquanto ele me falava sobre a felicidade.

— Tenho conversado com enfermeiras das alas de pacientes terminais em asilos — ele disse. — Elas lidam com a morte todos os dias, mas estão entre as pessoas mais felizes que conheço.

Roko ajeitou o chapéu para evitar que voasse.

— É estranho, mas a familiaridade com a morte torna as pessoas muito felizes.

Observei, desatento, o tráfego. Não queria ofender Roko, mas a felicidade já andava meio fora de moda. Vinha sendo discutida há mais de quatro mil anos. O otimismo era outra coisa. Não tinha sido tentado antes. E era *meu*.

— Qual é a diferença entre otimismo e felicidade? — ele perguntou. — Você já pensou nisso?

— Bem — eu disse. — São completamente diferentes. Talvez tenham algo em comum — admiti —, mas não são a mesma coisa.

— Então o que *é* otimismo?

— O otimismo autêntico — eu disse, admirando as casas — é abrir mão de tudo. É ser totalmente livre e descobrir a centelha que se abriga sob todas as coisas, sob nossos pensamentos.

— Isso soa como felicidade — disse Roko.

— Não é a mesma coisa.

— Você deveria conhecer a Akira — ele disse. — Akira Kastan. Ela mora em Santa Cruz e, ao que parece, está sempre feliz.

— Ah — eu disse —, já ouvi isso antes.

— Ela é amiga de um amigo meu.

O oceano subitamente apareceu à nossa frente, no fim da quadra.

— Essa aí é a minha casa — disse Roko.

Descemos do carro.

— O que é aquilo? — perguntei.

Havia um troço amarelo equilibrado sobre tijolos em frente à garagem.

— É um barco a remo — disse Roko.

— Barco esquisito — eu disse.

Parecia um submarino.

— É mesmo — ele disse.

— O que faz aí na tua garagem?

— É uma longa história. Qualquer dia eu te conto.

Ele entrou na varanda.

— Está a fim de umas panquecas?

Naquele fim de semana, fui até Santa Cruz. Akira Kastan concordou em se encontrar comigo num café no centro da cidade. Ela me esperou do lado de fora, usando capa de chuva e óculos escuros. Apesar de seu nome exótico, ela parecia uma dona de casa americana dos anos 80, do tipo capaz de tirar um frasco de bebida do bolso se as coisas começassem a ficar chatas no clube. Ela apertou minha mão, com um sorriso.

— Soube que você está sempre feliz.

— Estou feliz *agora* — ela respondeu.

— É uma felicidade duradoura?

— Não sei!

Seus cílios brilhosos se curvavam para cima.

— Acontece de você *não* estar feliz?

— Prefiro a expressão "alegria indeterminada" — ela disse. — Felicidade é um termo tendencioso. As pessoas sempre procuram condições que devem ser *satisfeitas* para que possam ser felizes, mas eu descobri um modo de cortar caminho.

Akira franziu o nariz, como a bruxa boa de *O mágico de Oz*.

— É por isso que a chamo de "indeterminada", porque se algo tem o poder de nos fazer felizes, então ficar sem isso tem o poder de nos tornar infelizes. Eu não estava a fim de entrar nessa montanha-russa.

— Hum... — cocei o queixo. — Mas é preciso que existam alguns motivos. Certamente há coisas que me fazem felizes e outras que não fazem.

— Bem, a escolha é sua — disse Akira. — Eu só "saquei" que gosto de ser feliz. A escolha era minha. Foi então que percebi: por que ia querer que a felicidade viesse mais tarde? Quero ser feliz agora!

Como alguém pode ser feliz *o tempo todo*? Até o doutor Seligman exigia que certas condições fossem satisfeitas. Não dependia também de substâncias químicas? Certas atividades não nos fazem mais felizes que outras? Eu me lembrei da fórmula do professor.

SATISFAÇÃO DE VIDA = ENGAJAMENTO POSITIVO + FLUXO + SIGNIFICADO

Essa fórmula necessitava que várias condições fossem preenchidas.

— Sempre achei — disse Akira — que a felicidade tinha a ver com pensamento positivo, ou com alguma coisa na mente, mas não tem nada a ver com isso. Não é preciso fazer nada! A felicidade já está aqui.

— Quer dizer que você pula da cama toda manhã se sentindo bem? Porque às vezes eu acordo — admiti — e não me sinto empolgado por nada.

Ela me olhou como se eu estivesse questionando alguma lei universal básica.

— Eu gosto de *ser* feliz, não gosto de *fazer* algo para ser feliz. Não dá para *fazer* felicidade. Felicidade é um estado de ser.

— Como você descobriu isso? — perguntei, perplexo. — *Quando* aconteceu?

— Simplesmente aconteceu. Sempre estive em uma busca espiritual, sabe, em busca de Deus e da Felicidade. E, de repente, aconteceu: *é isto*. É agora ou nunca. Acho que a busca constante simplesmente cessou e dei de cara com a verdade: aqui, agora.

— Deu de cara com o quê?

— Com quem eu sou, com a felicidade absoluta. Quando se está de verdade em contato com o que *é*, a alegria indeterminada acontece.

Olhei para mim mesmo. Onde estava essa felicidade? Estava em alguma parte do meu cérebro, em alguma glândula atrofiada? Talvez eu devesse pegar mais sol.

— Espera aí — eu disse. — Às vezes a vida é apenas deprimente. Imagine que você está dirigindo há oito longas e cansativas horas... está chovendo, está escuro, você está cansada...

— Estou ouvindo música e cantando! — ela disse.

Fiz uma careta.

— E se algo terrível acontecesse com você? E se você estivesse presa? Digamos que esteja em uma prisão medieval, na solitária. Como seria? Você está em um cubículo, com goteiras, está escuro, sem ar fresco...

— Isso é tão hipotético e, sabe, não vai acontecer.

— Tudo bem, então. E se caísse uma bomba em Santa Cruz? Isso pode acontecer!

Akira ficou séria.

— A gente lida com o que acontece, quando acontece. É por isso que não perco meu tempo com hipóteses do tipo "E se?". Por que devo lidar com algo que não aconteceu? O otimismo tem a ver com o futuro, e eu acho que o futuro não existe.

Aquilo me irritou.

— Você diz que o futuro não existe, mas faz planos. Até você deve fazer planos!

— Sim, é claro que eu faço planos. Mas quando a gente faz planos? No momento presente! Sempre achei que não há nada com que eu não possa lidar no momento. Por isso vou continuar vivendo o momento.

Baixei os olhos para o café.

— Você nunca fica deprimida?

— Não. E não me *preocupo*.

— Você não se preocupa?

— Eu me preocupava, mas há 25 anos fiz um esforço consciente para parar de me preocupar. Pensei: que sentimento ridículo!

— Hum.

Passei a maior parte da semana preocupado em saber por que a Zara não tinha me escrito e, depois, me preocupando por ter me preocupado tanto. Se não se preocupar era um dos ingredientes da receita de Akira para a felicidade, então o otimismo e a felicidade tinham mais em comum do que eu pensava.

— Talvez seu fardo seja mais leve que o da maioria das pessoas.

Pensei com aflição no *meu* fardo. Eu levaria dez anos para me livrar dele e finalmente chegar a esse tal de "momento presente". Naquela manhã, no carro, eu havia, subitamente e sem razão aparente, começado a gritar com o para-brisa.

Estava começando a me perguntar se não estava ficando louco.

Akira olhou para mim e riu.

— Ah, deixa disso. Você está apenas condicionado à ideia de que precisa passar por algum processo ou que algo deve acontecer para que você seja feliz. Não é verdade. Nunca me meti nessas coisas... Nem mesmo fiz terapia.

Uma pancada de chuva sacudiu as árvores lá fora.

— Simplesmente comecei a *vigiar pensamentos* — ela disse. — Sempre que ficava preocupada, eu dizia para o meu Pensar: obrigada por compartilhar, mas não estou interessada em seguir esse caminho.

Pensei de novo em Seligman.

— O que você está fazendo, suponho, é substituir um pensamento por outro, não?

Akira amarrou a cara.

— Ninguém pode *pensar* o seu caminho até a alegria indeterminada. Se você tem certas *noções* sobre o que é ser feliz, sobre estar em paz e coisas assim, do tipo "você tem que ofertar" ou "substitua seus pensamentos", essas noções só vão atravancar o seu caminho. Com o tempo você vai ter que abandonar esses conceitos.

Quase dei um soco na mesa.

— Então, como?

Os olhos dela brilharam.

— Descubra o que é aquilo que você mais quer, e o que você vai descobrir é que quer ser feliz. Mas você fica esperando que outras coisas aconteçam antes para que você possa ser feliz. Fique feliz agora e pronto! E pare de procurar pela felicidade.

CAPÍTULO 19

Aquilo cuja natureza lhe é totalmente desconhecida é, geralmente, o que você precisa encontrar, e, para encontrá-lo, é preciso se perder.

REBECCA SOLNIT

Resolvi que seria legal conhecer um anarquista. Um anarquista otimista, de preferência, que acreditasse num futuro em que os seres humanos não precisariam mais de exércitos nem de policiais, porque todos se comportariam bem por livre e espontânea vontade.

Àquela altura, eu andava bastante desiludido com a Califórnia — as pessoas não eram tão diferentes do que as de qualquer outro lugar —, mas tinha a impressão de que ainda havia um otimista supremo por lá que eu não tinha encontrado. Este ser ideal não seria demente como o Garoto Perdido, mas teria a mesma coragem insensata que ele. Seria despreocupado como o rabino, mas menos egoísta. Akira poderia ter sido esta pessoa, mas achei sua conversa sobre a felicidade instantânea desconcertante e decepcionante. Além disso, ela não estava propondo mudanças estruturais radicais para toda a humanidade.

O otimista que eu estava procurando sem dúvida teria propostas assim.

Entrei na Livraria Anarquista na Haight Street e me dirigi ao homem por trás do balcão. Ele usava óculos com armação quebrada, presa por um band-aid. Parecia um bom começo.

— Você está otimista sobre a anarquia?

— Não muito — ele disse.

— Você não acredita que o anarquismo um dia vai transformar o mundo e liberar as pessoas dos grilhões de sua própria escravidão mental?

— Sei lá — ele respondeu, tristemente. — Nunca pensei muito nisso. Acho que os seres humanos são gananciosos demais.

— Mas você é um anarquista, trabalha em uma livraria anarquista. Você não acha que o anarquismo... funciona?

Ele riu, constrangido.

— Nós, pelo menos, tentamos viver anarquicamente.

Deixei meu cartão de visita com ele, caso algum anarquista de verdade passasse por lá. Qual era o problema com as pessoas hoje em dia? Tudo o que faziam era reclamar de George Bush, concordar uns com os outros e depois voltar ao trabalho e passar o dia enviando e-mails. Que diabo aconteceu com as barricadas? E com as utopias e os revolucionários sedutores usando bandanas? As pessoas não eram mais idealistas. Nem mesmo na Califórnia!

Minha última esperança era a tecnologia. Os verdadeiros anarquistas, pensei, foram trabalhar em empresas "pontocom". A internet, afinal de contas, estava gerando enormes mudanças sociais sem a ajuda de revolucionários. Talvez o idealismo tivesse se mudado para lá. Fazia meses que eu sonhava conhecer um desses "tecnolunáticos". Um deles certamente seria o meu otimista californiano ideal. E então eu poderia voltar para casa.

Liguei primeiro para Craig Newmark. Craig é o fundador da Craiglist, um site badalado fundado em meados dos anos 90 como um despretensioso serviço local de classificados para os habitantes de São Francisco, que cresceu até se tornar uma das maiores comunidades gratuitas do mundo. Hoje você pode acessar a Craiglist coreana ou a Craiglist húngara e procurar por alguém vendendo a estátua de um presidente falecido ou pedir uma carona solidária para Varsóvia.

casual encounters >>>>> w4m m4m m4w w4w t4m m4t
mw4mw mw4w mw4m w4mw m4mw w4ww m4mm mm4m ww4w mm4w m4ww w4mm t4mw mw4t

Esse era — obviamente! — o ponto de partida perfeito para uma nova era de paz no planeta e para a cooperação natural e espontânea entre os seres humanos.

Encontrei o café que Craig sugeriu e esperei que ele aparecesse, enquanto mastigava ansiosamente uma rosquinha. Fazia uma boa ideia de seu visual: descontraído, bronzeado, possivelmente em um uniforme de tenista — exatamente o visual que eu teria se tivesse fundado um serviço de internet famoso e visionário e me recusado a ganhar um centavo com ele. Fui até uma mesa e sentei, de olho na porta. Depois de um minuto, um dos homens que estavam no balcão se aproximou e perguntou se podia sentar.

— Claro — eu disse.

— Você é o Laurence?

— Craig!

Eu me ajeitei na cadeira. Achei que o homem debruçado no balcão fosse um garçom ou um técnico de fotocopiadoras num intervalo para o café.

— Pensei que você fosse... — apontei para a porta. — Você é menor do que eu esperava.

Craig reagiu ao meu espanto com a sofrida dignidade do garoto que é sempre o último a ser escalado para o time de basquete.

— Tenho uns 15 minutos — ele disse —, pode ser?

Enfiei a rosquinha na boca. As aparências enganam.

— Estou em busca de um novo tipo de otimismo — expliquei, para dar a ele uma ideia do que eu estava fazendo. — Você acha que estamos vendo uma mudança de paradigma? A tecnologia vai mudar o comportamento dos seres humanos?

Craig pensou a respeito.

— Acho que já está acontecendo. Vejo as pessoas ajudarem umas às outras todos os dias. — Ele olhou para sua xícara de café. — Mas não é nada radical. Só pessoas facilitando a vida umas das outras.

— Mas isso não é um sinal de que a humanidade está evoluindo? Não é o começo de algo novo? De um novo modo de ser?

Craig falou cautelosamente, como se uma palavra malcolocada pudesse desencadear um enorme caos. A máquina de *cappuccino* atrás de nós lançava constantemente pequenos jatos de vapor perto da cabeça dele.

— Não sei. Não tenho uma visão muito clara do futuro. Lembre-se de que eu não tinha visão nenhuma quando comecei tudo isso, apenas aconteceu.

— Ahá! — eu disse. — "Apenas aconteceu."

O universo estava exercendo organicamente sua vontade através da personalidade sem ego de Craig. Ainda assim, pensei, um pouco de ego pode ser bem útil.

— Você nunca se vendeu — eu disse. — Você continuou administrando a Craiglist quando a bolha da internet estourou e se recusou a vender as ações. Essa é uma atitude bem idealista.

Craig digeriu o que eu disse. Era um elogio que certamente já recebera antes.

— Às vezes vejo quanto dinheiro as pessoas estão ganhando e penso: será que eu deveria estar fazendo isso? O que eu faria com todo esse dinheiro? E não encontro boas respostas. — Ele franziu as sobrancelhas. — Eu poderia criar cachorros. E pagar alguém para cuidar deles em tempo integral. Isso seria bom.

Cocei o pescoço. Craig estava se recusando a ser empolgante.

— Mas você acha... acha que empresas como a Craiglist podem realmente mudar o mundo?

Ele alinhou as bordas do guardanapo na quina da mesa.

— Pelo menos servem para lembrar as pessoas no exterior que o povo americano é legal, que ainda somos os mesmos de dez anos atrás... gente de boa-fé... Mas não sou idealista. Sou otimista, não idealista.

Olhei para ele. Se o legendário Craig Newmark era assim, imagina os outros.

— Só queria acrescentar uma coisa — ele disse. — O que me torna tremendamente otimista é que, por não abandonarmos os nossos princípios, ajudarmos as pessoas e tratarmos bem os outros, de algum modo acabamos criando uma relação de confiança com a comunidade — Craig ajeitou a colherzinha de café. — E isso é realmente importante.

— Certo — eu disse. — Obrigado, Craig!

Eu ainda não havia desistido do anarquismo. Tinha mais uma visita a fazer antes de admitir a derrota: o Google, quartel-general do gerenciamento de informação democrático e anti-hierárquico. Eu tinha um amigo que trabalhava no escritório da empresa em Londres. Ele adorava. "Estrutura desestruturada", ele dizia. "Caos organizado."

— É exatamente isso que estou procurando — gritei. — É o estágio seguinte em nossa evolução!

Duas horas depois, eu estava em Palo Alto, sede da empresa. O que Lenin não realizou com a União Soviética, o Google estava conseguindo com código para web. No Google, eles saberiam exatamente do que eu estava falando. Sem dúvida, as pessoas que administravam a empresa exibiriam indícios dos mais altos níveis de otimismo. Talvez até demonstrassem qualidades das quais eu ainda nem tinha ouvido falar. Será que os altos executivos tinham contas bancárias de código aberto ou agendas compartilhadas na rede que qualquer um poderia acessar, na base da confiança? Um desses gigantes da "tecnoanarquia" certamente compreenderia as implicações espirituais de seu trabalho e concordaria em ser meu mentor.

Fui de carro até o campus, contemplando a logomarca legendária — um símbolo que via quase todos os dias da minha vida —, em fonte nobre, contra o vasto céu azul. Suspirei, apreciando os gramados bem-aparados, as quadras de vôlei e os engenheiros de software passeando entre os prédios. Era muito apropriado que o Google chamasse seu quartel-general de campus. Que saudade eu sentia da universidade! A estrutura ideal para o desabrochar de uma utopia baseada na rede. Não era à toa que a livraria anarquista não estava dando certo. Era ali que as coisas aconteciam, em Palo Alto.

Um segurança me abordou no estacionamento.

— O senhor é visitante? — ele perguntou.

— Com licença — eu disse, circundando-o. — Aqui é o Google?

— É.

— Famoso por disponibilizar o conhecimento mundial para pessoas de todos os credos e crenças, gratuitamente?

— Exatamente.

— Então por que vocês precisam de serviço de segurança?

— Quem o senhor veio visitar?

— Marissa Meyer — eu disse. — Executiva.

— O senhor deve ir ao Bloco D. É por ali.

Fui recebido na recepção por uma assessora de relações públicas que se parecia com a Uma Thurman, só que mais magra.

— Bem-vindo — ela disse, com um sorriso tenso. — Meu nome é Eve. Quer me acompanhar?

Segui Eve através das portas de segurança. Ela me levou pelo saguão, passando por cintilantes apresentações de vídeo e pela réplica em tamanho real de uma espaçonave. Ao meu redor, o pessoal do Google ia e vinha: jovens com menos de 30 anos em calças cáqui de algodão e camisetas, rindo e contando piadas. Finalmente eu havia chegado ao meu paraíso tecnológico. Mas era um pouco limpinho demais.

— Temos sete lanchonetes — ela explicou. — Cada uma com um tema diferente.

— Sete...

Fui distraído por um grupo de funcionários que pareciam estar discutindo algo importante. Eu me aproximei para escutar. Talvez aprendesse alguma coisa sobre a aplicação estrutural do otimismo de Nível 4. Eve obstruiu sutilmente o meu caminho.

— Aceita algo para beber? — ela perguntou.

Marissa Meyer era uma loura atraente, de olhos perfeitamente simétricos. Não parecia muito mais velha que a Eve, mas isso não quer dizer nada, já que a idade não influencia o cargo que as pessoas ocupam na Terra do Google. Marissa entrou na empresa bem no começo, em 1999, quando ninguém ainda tinha ouvido falar deles, e agora fazia parte da diretoria. Era a funcionária número 7, uma engenheira de software e parte oficial da história do Google. Apertei sua mão e me sentei. Durante a última década, enquanto eu estava ocupado desvalorizando ações de mercado — pelo menos as minhas —, aquela jovem mulher havia juntado bens equivalentes aos de um país de porte médio.

— Você acha que a tecnologia vai mudar o modo como os seres humanos se relacionam? — perguntei. — A internet vai nos livrar dos grilhões da escravidão mental?

— Sou muito otimista em relação à tecnologia — disse Marissa. — Quando vemos como as pessoas passaram a resolver seus problemas rapidamente, como conseguem aproveitar seu tempo de maneira mais eficiente... A tecnologia permite que as pessoas façam mais coisas, diminui as trivialidades administrativas... — Os olhos dela se voltaram para mim. — Lavar roupas, dormir, comer... coisas assim, sabe?

— *Dormir*? — eu ri. — Assim parece que nossos cérebros estão evoluindo para se tornar ferramentas de busca superεficazes.

Marissa se permitiu uma risadinha.

— A tecnologia dá mais tempo para as pessoas fazerem o que realmente lhes interessa. O que realmente gostam de fazer.

— Me fale um pouco sobre Larry e Sergey — eu disse.

L & S eram os russo-americanos fundadores do Google, o improvável *dream team* que inventou a coisa toda e cuja atitude descontraída deu o tom para a famosa postura informal da empresa, com suas bolas de pilates, administração não hierarquizada e máquinas de refrigerante gratuito. Para mim, o Google era o que a MTV fora nos anos 80 — condensava os valores de toda uma década. Honestidade e franqueza! Criatividade e alegria! Era por isso que eu estava lá. Era por isso que ainda havia esperança para o mundo.

— Se você der uma volta pelo Google vai ver como é um lugar alegre — disse Marissa. — Não é só pelas cores brilhantes, pelos brinquedos e pela criatividade, mas também pela sensação de conforto psicológico e de respeito. Acho que o otimismo vem daí.

— E você tem um senso de propósito?

— Tenho. Sempre tive uma *missão* — Marissa sorriu. — Quando vim para a entrevista com Larry e Sergey, estávamos em um escritório minúsculo, e eles não tinham dinheiro nem para contratar alguém para limpar o chão. Tinha pedaços de papel espalhados por toda a parte e andavam descalços para todo o lado, batendo bola e se gabando de que o refrigerante era de graça. Eles eram surpreendentemente, e deliciosamente, esperançosos.

— E têm um propósito comum, maior que o de um único indivíduo?

— Exatamente! Eu me lembro de ter achado tudo muito ambicioso para uma empresa de ferramenta de busca na web. Mas desde o começo já havia esse senso de iniciativa, propósito e esperança para o mundo. É realmente estimulante. Meu projeto atual, por exemplo, é digitalizar todos os livros do mundo e disponibilizá-los on-line!

— E mesmo assim você não parece emocionalmente ligada a qualquer resultado específico.

— Não... — ela disse. — Não insistimos em projetos que não funcionam. Testamos tudo. Se o projeto não funciona, nós o abandonamos. É tudo muito científico.

Eu me inclinei para ela.

— E se o Google fosse uma pessoa? — perguntei.

— Como assim?

— Se o Google fosse uma pessoa. Seria o otimista ideal?

— Não estou entendendo o que você quer dizer.

Fiquei remexendo meu suco de clorofila. Se o otimista ideal não fosse um californiano, talvez fosse uma empresa californiana.

— O que aconteceria se *todo lugar* fosse como o Google? Quer dizer, com um senso de propósito. O Google é totalmente meritocrático. Estabelece grandes metas, mas não se prende ao resultado. É um otimista de nível avançado! Não poderia ser assim em toda parte?

Marissa refletiu por um instante.

— Acho que depende do setor em que você trabalha.

Ela foi até o quadro magnético.

— Antigamente, as fábricas eram organizadas em linhas de montagem. As pessoas faziam trabalhos específicos, e, por isso, era preciso contratar gerentes para supervisioná-las e mais gerentes para supervisionar esses gerentes.

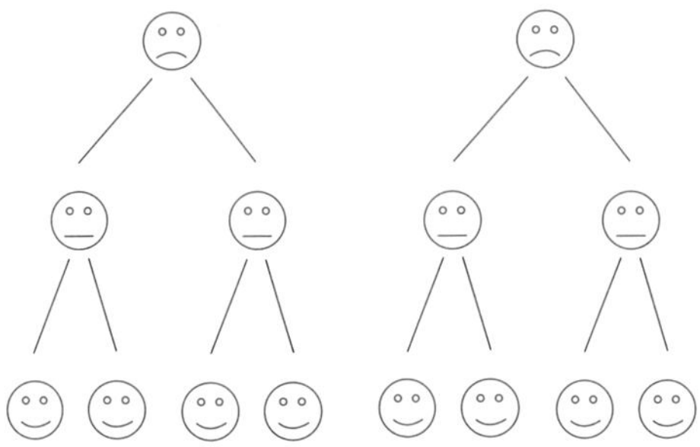

— Mas agora temos empresas como o Google — internet, prestadoras de serviço, coisas assim, com grandes centros de processamento de dados —, e nosso processo é completamente diferente. O Google funciona, na verdade, como uma rede, com muitos nodos, portanto, quando temos uma ideia como, digamos, o Google News, recrutamos pessoas de todos os setores da organização para trabalhar nisso. É como uma rede neural trabalhando, como quando uma busca dá entrada em uma central de dados e há milhares de computadores lá, e quinhentas ou setecentas máquinas selecionadas aleatoriamente trabalham em harmonia para dar a resposta.

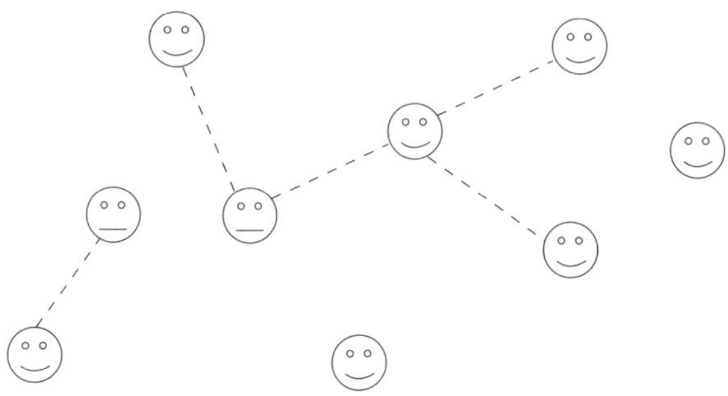

— Se você pensar em nós como computadores, é como parecemos quando surge um novo projeto.

Mordi a caneta. Eu não era um computador, mas não era essa a questão.

— Esse modelo funcionaria no mundo lá fora? A sociedade em geral não poderia se parecer mais com o Google?

O rosto de Marissa se iluminou enquanto ela fazia uma rápida simulação de todo o mundo ocidental funcionando como a sua empresa.

— Sim, mas seria preciso administrar a empresa unicamente em função de dados e indicadores de desempenho, para que tudo seja baseado em mérito, não em favoritismo. E é preciso que todos trabalhem para alcançar os mesmos objetivos. Aqui nós trabalhamos assim.

— Estamos perto de chegar a um mundo ideal? Está ao nosso alcance?

— Acho que não — ela disse. — Como seria um estado ideal? O estado ideal é um momento paralisado no tempo. — Ela balançou negativamente a cabeça. — É como aquela passagem do *Fausto*: "Prolongue-se, presente, porque és belo." É inviável.

Examinei minhas unhas. Marissa evidentemente era um ser humano fascinante. Mas ainda faltava alguma coisa. Eu precisava de algo mais.

— O Larry e o Sergey — eu disse. — Eles devem ser muito otimistas.

— Na verdade, não. — Ela deu uma gargalhada. — Principalmente o Larry. Ele sempre diz: "O que faz de mim um grande empresário é que estou sempre ávido, estou sempre tentando descobrir como aproveitar melhor o meu tempo. Tenho sempre uma sensação de insatisfação."

— Insatisfação!

Marissa franziu a testa.

— Eles são muito voltados para o futuro... Acho que se preocupam muito com a situação mundial.

Depois de nosso encontro, perambulei pelo campus. Li os quadros de avisos e observei os funcionários almoçando na lanchonete. Passei por eles nos corredores e bisbilhotei suas conversas. Nenhum deles também parecia ser o otimista ideal. Todos pareciam muito... normais. Fui cambaleando até o carro, desanimado. Talvez não houvesse ninguém. Talvez eu estivesse sozinho.

Segui rumo ao sul. Continuei dirigindo até que as luzes da cidade desapareceram. Se eu não queria uma pessoa, queria o quê? Um lugar? Uma sensação? Não. O que eu queria era Aquilo. Aquilo. O problema é que eu não sabia o que era esse aquilo. Mas era o que queria. Mais até do que uma boa noite de sono.

Por alguma razão, eu tinha uma perfeita noção do que devia fazer depois. Tinha certeza de que Aquilo estava em algum lugar no sul da Califórnia, no deserto. De onde veio essa certeza, não sei. Mas tinha uma imagem na cabeça, um mapa. Quando chegasse lá, estaria livre, quando chegasse lá, encontraria... não sei o quê. Seria o fim da minha missão.

Passei os dias seguintes em Joshua Tree, um deserto entre Los Angeles e Las Vegas. Dormia de dia em um *trailer* num lote de terra, cercado por iúcas e moitas ressecadas, e passava as noites em um sofá de couro sobre uma duna de areia contemplando meteoros riscando o céu. Tinha a impressão de que se me embrenhasse o suficiente naquela vastidão e parasse de falar com as pessoas, finalmente chegaria ao fundo do poço e encontraria o âmago da minha alma. O Nada, percebi, era aquilo que estive procurando esse tempo todo: o lugar onde a confiança e a liberdade se encontravam. Era disso que eu precisava.

Não estava certo de como chegar ao Nada, mas esperava que estivesse situado em algum lugar do parque nacional de Joshua Tree. Resolvi passar uns dias no *trailer* e depois sair em direção às colinas, sem mapa nem mochila. Infelizmente, eu estava dividindo a van com um diretor de cinema hiperativo chamado Alex. Não podia pedir que ele fosse embora porque o *trailer* era dele e eu só o conhecia havia três dias. Ele havia convidado um amigo igualmente "ligado", Dave, que sofria de depressão e parecia um irmão de Simon Le Bon, vocalista do Duran Duran. Toda vez que eu tentava ficar em silêncio ou contemplar o vazio supremo, Alex e Dave me ofereciam um drinque, ou punham uma música interessante para tocar, ou começavam a discutir sobre John Lennon.

Dave estava em meio a uma desgastante batalha pela guarda de seu filho ainda não nascido. Ele vivia atendendo ligações de seu advogado, enquanto dava tragadas em um gigantesco baseado.

— Otimismo! — ele zombou.

Mudei de assunto. Havia um brilho perigoso em seus olhos e eu não tinha para onde correr se algo desse errado. Afundei em um torpor letárgico na cama de armar e observei Alex procurando o que fazer ao redor da van. O vento que soprava das colinas chacoalhava o veículo para lá e para cá, como um pequeno barco em meio à tempestade.

Alex olhou para mim e disse:

— É melhor a gente dar uma volta de carro por aí ou ficar de bobeira por aqui e preparar uma comidinha? Vamos dar uma volta a pé. Acho que precisamos relaxar. Por que você não nos conta alguma coisa sobre o otimismo, Laurence? Dave, larga esse uísque.

O que estou fazendo aqui? Era como voltar a ser criança, em uma colônia de férias. Dormindo em uma cama estranha e desconfortável, cercado por desconhecidos bem-intencionados falando besteira. Será que minha busca pelo otimismo não passava de uma tentativa de voltar para casa?

— Preciso ir — eu disse.

Os rapazes me olharam, confusos.

— Mas são 23h.

— Tenho um encontro — eu disse. — Em São Francisco.

Dirigi a noite inteira até chegar à casa de Roko, nos arredores de São Francisco. Fiquei no quarto da mãe dele e dormi dez horas seguidas.

Na manhã seguinte, Roko me contou a história do barco em sua garagem. O barco não me saía da cabeça desde que o vi pela primeira vez. Ele me fascinava — e eu não sabia por quê.

— Eu te conto a caminho do aeroporto — ele disse.

Era meu último dia na América.

— Meu pai tinha uma obsessão por atravessar o Atlântico a remo — explicou Roko, saindo de ré da garagem. — Ele vivia falando nisso, em como iria realizar essa proeza um dia. Mas estava ocupado demais com o trabalho e vivia adiando aquilo. Os anos foram passando. Aí um dia ele disse: "Agora é para valer. Não dá mais para adiar." E então projetou um barco e encomendou sua construção. Levou-o para ser testado no lago Michigan. Mas sua esposa, minha madrasta, disse que se ele tentasse atravessar o oceano ela se separaria dele. E ela estava falando sério. E minhas irmãs mais novas também suplicaram que ele não fosse. E então ele desistiu da ideia.

Roko manobrou o carro.

— Oito anos se passaram. Papai se aposentou e tentou preencher seu tempo com diversas atividades, mas um dia ele não aguentou mais. Ele tomou uma decisão: "Chegou a hora. Vou atravessar o oceano. Agora eu vou. Preciso ir." Mas sua esposa disse: "Eu peço o divórcio, desta vez me divorcio mesmo." — Roko olhou para mim. — Não sei a que acordo eles chegaram. Só sei que ele foi.

— Ele foi!

— Foi. Naquele barco amarelo que está na garagem. Ele o equipou com tudo que era necessário. E treinou. E foi.

— Ele foi!

— Ele quase chegou à Irlanda — esperei, em silêncio. — Captaram um sinal de emergência vindo do barco quando estava a cerca de duzentas milhas da costa. Estava no meio de uma enorme tempestade, cercado por ondas de mais de dez metros.

Roko olhou de relance para o semáforo.

— O barco foi encontrado por um pescador, algumas semanas depois. Uma das escotilhas estava quebrada. Não havia nada dentro — provavelmente tudo foi arrastado pela tempestade.

Ele tomou a saída para a autoestrada.

— Eles nunca acharam meu pai.

— Meu Deus, isso é... espantoso.

Roko dirigiu em silêncio.

— É uma grande história! — eu disse.

Roko sorriu.

— Eu sei, eu sei. Maluca e espantosa.

— Ele foi. — Balancei a cabeça, incrédulo. — Ele realmente foi.

Tolo

CAPÍTULO 20

Teatro Mágico
A entrada não é permitida para todos

HERMAN HESSE, *O lobo da estepe*

Parei e olhei para o alto da montanha. Turistas seguiam reverentemente ao longo do caminho, a maioria de pés descalços, em direção a uma gruta sagrada onde dizem que um guru havia alcançado a Iluminação. Não conseguia decidir se deveria continuar até a gruta, que com certeza estaria cheia de pessoas meditando, ou voltar para a cidade barulhenta lá embaixo. Ambos os lugares tinham suas desvantagens. Barulho demais ou ausência de barulho, sem meio-termo evidente. Assim é a Índia.

Olhei para o caminho à frente. Sempre havia a chance de encontrar uma europeia atraente se eu ficasse nas redondezas da gruta e parecesse seriamente desprendido e espiritualizado. Esta lição eu tinha aprendido: buscar a Iluminação era uma ótima maneira de conhecer mulheres. Além disso, soube que a montanha era uma encarnação do deus Shiva, e que, se eu ficasse bastante tempo lá dentro, meu ego se dissolveria, deixando apenas o âmago do meu ser. Se meu ego se dissolvesse, não precisaria mais pensar em mulheres. Eu tinha certeza de que lá, no âmago do meu ser, se encontrava o verdadeiro otimismo — o tipo de otimismo que gera felicidade e confiança sem auxílio de ninguém, muito menos de mulheres de sandálias.

Um homem louro passou por mim, trajando o hábito de um *sadhu* errante. Seus cabelos compridos desciam até os ombros e ele usava um cordão de contas de sândalo.

— Você é um deus! — ele disse, subitamente.

Então olhou bem dentro dos meus olhos, como se dissesse: *Não tenho medo de encarar sua alma sem piscar*. E depois seguiu seu caminho. Eu franzi a testa e sentei em uma pedra. Era óbvio que aquele sujeito, sem dúvida alguma americano, se considerava espiritualmente mais avançado do que eu.

Mais tarde eu o reconheci na hospedaria.

— Nos encontramos na montanha! — eu disse, surpreso com a coincidência.

— Eu sei — ele respondeu calmamente, empurrando um cacho de cabelo para trás da orelha. — Quer sentar conosco?

Ele puxou uma cadeira e se voltou para sua acompanhante, uma bela mulher na casa dos quarenta:

— Leeza, sirva nosso amigo, por favor.

Observei, incrédulo, Leeza se levantar para ir buscar meu almoço. O americano se recostou e pôs as mãos atrás da cabeça.

— Meu nome é Narayana — ele disse.

— Narayana?

— Significa Objetivo Supremo.

Ele bocejou e se espreguiçou, o cordão se enroscando sobre seu peito nu.

— Qual é o seu nome?

— É... ahn, Saladino — eu disse, improvisando rapidamente. — Significa guerreiro islâmico medieval. Vem do século XII.

— Saladino, hein?

Ele me olhou dos pés à cabeça, como um esportista veterano avaliando um novato.

— Gostei. Saladino, o Cruzado.

Depois disso houve um longo silêncio. Os olhos de Narayana estavam semicerrados, como se ele estivesse tentando absorver minha aura com sua presença. Era o mesmo olhar que ele me lançara na montanha.

— Então, me diga — eu disse, limpando a garganta. — O que você veio fazer na Índia?

— Nada em especial, nós apenas *estamos* — ele disse. — Leeza e eu viajamos juntos.

Eu me voltei para olhar para sua companheira.

— Homens santos têm namoradas?

— É claro. Meu pai sempre me disse que, se eu quisesse alcançar os graus mais altos da Iluminação, nunca deveria derramar minhas sementes. Mas isso mudou quando conheci a Leeza.

Eu corei enquanto ela voltava com uma bandeja cheia de *curry*.

— Na verdade, nós nos conhecemos em uma vida passada — continuou Narayana. — Eu era um praticante de magia negra durante o reinado do quinto califa do Egito. E Leeza era minha quinta esposa.

— Uau.

Agradeci a refeição e perguntei a ela:

— E o que você faz nesta encarnação?

— O caminho da Leeza — intrometeu-se Narayana, satisfeito — é me servir.

Leeza arrancou uma folha presa no cabelo do namorado.

— No devido tempo, eu terei que deixá-la — ele explicou —, mas, por enquanto, tenho a clara intuição de que devo ter uma família e levar uma vida relativamente normal.

Dei uma olhada para Leeza. Ela não parecia aborrecida com isso.

— É — disse Narayana. — Se nada me detiver, quando eu chegar aos 75 anos vou abandonar tudo — minha mulher, minha família — e seguir para o Himalaia para esperar pela imortalização do meu corpo.

Ele acenou categoricamente com a cabeça e continuou a almoçar.

— Você está falando sério? — perguntei.

Narayana dobrou as mãos sobre a barriga.

— Quando eu tiver 75 anos vou trocar este corpo por outro perfeito e imortal, graças a um processo secreto que meu guru, Mahabatar Babaji, algumas vezes chamado de Iogue Imortal, vai me ensinar. Esse corpo novo não vem da natureza — ele acrescentou —, vem da força iogue. Por isso não é afetado pela natureza. É imortal, nunca envelhece.

Sacudi, diplomaticamente, meu copo de água. Agora que os últimos fragmentos do meu ego estavam se dissolvendo na montanha sagrada de Arunachala, tinha o direito de fazer certas perguntas. Afinal de contas, eu era um deus. O próprio Narayana tinha percebido isso.

— Você não acha — insinuei — que esse seu objetivo pode ser uma distração da verdadeira tarefa de viver no momento presente e despertar para a vasta ilusão que é a vida ao nosso redor?

Eu não queria soar arrogante, mas estava claro que meu novo amigo estava no caminho errado.

Narayana refletiu por um momento. Sem dúvida, ele estava a par da ênfase local na "não dualidade": a noção de que todas as coisas são ilusórias e a de que a única realidade é a consciência suprema de si mesmo. Era essa a essência de Arunachala.

— Talvez — ele disse. — Mas é o meu objetivo. Se eu não o seguir, serei infeliz.

— Ah.

Comi uma colherada de *dhal*. Meu caminho para o despertar era obviamente superior ao de Narayana. Mesmo assim, pensei, era legal estar sentado ali com ele e sua namorada, sob um sumagre e próximo a um arrozal. Era exatamente o que se devia fazer na Índia: passar o tempo com iogues e belas mulheres em sáris. Por outro lado, quanto mais tempo eu passava com Narayana, mais suspeitava de que ele era apenas um cara comum que, por alguma bizarrice de nascença, acabou em busca da imortalidade.

Imortalidade! Não pude evitar um sorriso malicioso.

Leeza fatiou delicadamente uma manga com o garfo.

— E quanto a você? — ela perguntou. — O que faz aqui?

A pergunta me pegou de surpresa.

— Ah, bem, nada demais. Estou escrevendo um livro sobre o otimismo. Estou em busca da felicidade interior. E estou tentando me livrar de todos os laços afetivos e atingir um estado de confiança absoluta. Por isso estou viajando pela Índia e, por assim dizer, esperando para ver o que vai acontecer.

Narayana me olhou com fascinada aprovação.

— Isso é legal, cara.

— Você está aqui sozinho? — perguntou Leeza.

— Não exatamente. Vim aqui para viajar com a minha namorada, mas...

Leeza assentiu, discretamente.

Eu detestava falar com os outros sobre a Zara. Acabava soando tão vago. Por que, afinal de contas, minha namorada estava em Goa, a 650 quilômetros de distância? Acendi um *bidi* e fiquei admirando o arrozal. Narayana e Leeza se despediram de mim e me deixaram a sós com meus pensamentos.

Minha razão para ter ido à Índia era simples: dar um fim à espiral de incomunicabilidade que se instalara entre nós, confrontar Zara com a injustiça de suas atitudes e renegociar nossa relação em termos mais favoráveis. Este era o próximo passo crucial na minha jornada em direção ao otimismo: pôr em ordem nosso relacionamento e seguir em frente. Ou, em termos terapêuticos, liberar minhas emoções reprimidas em um ambiente controlado, e, assim, dar um fim ao defeito cósmico que estava impedindo minha vida de ser perfeita. Deveria ter sido fácil. Desde que eu tivesse conseguido manter a calma.

Infelizmente, enquanto o avião transportava meu corpo em direção ao subcontinente indiano, o "processo" que havia começado no outono com a destruição de uma cesta de frutas contra a parede da casa de Gabrielle ainda estava se desenrolando em algum lugar dentro do meu plexo solar. Continuava reverberando, ansiosamente, enquanto a aeronave se inclinava lateralmente através das nuvens. Ondas de um pânico irritado, agravado por seis semanas na América sem nenhum contato, forçavam caminho pelo meu tórax e faziam meu corpo vibrar como o de um bebê durante uma overdose de jujubas e pílulas de cafeína.

O trem de pouso estremeceu quando começamos a descida para Goa. Eu havia tentado de tudo: afirmações positivas, autocontestação, até socar repetidamente o para-brisa do meu carro. Mas ainda não conseguia me sentir otimista. Era exatamente como Gabrielle havia dito. Os medos que eu tinha aprisionado dentro de mim por tanto tempo agora estavam se libertando e precisavam ser ouvidos. Estava cheio daquilo! Não queria mais ver o mundo através de lentes cor-de-rosa e fingir que tudo estava bem.

Entrei na sala de desembarque e vi Zara ao lado da esteira rolante. Como ela estava linda! Como estava distante! Eu me senti envergonhado e apavorado. Forcei um sorriso. No táxi, tentei pegar em sua mão. Ela me disse que tinha reservado quartos separados para nós. Estremeci e concordei. Como assim, nem sequer um toque? Nem sequer um abraço?

— As coisas são muito diferentes aqui — disse Zara, tranquilamente. — Vai levar alguns dias até que você consiga relaxar. Mas depois você vai ficar bem.

Na manhã seguinte, tomamos café da manhã na varanda, que dava para o oceano.

— Olha, Zara... — eu disse —, nós precisamos ter uma conversa.

Eu estava determinado a manter a calma.

— *Não* — ela disse. — Não vou suportar a projeção do seu ressentimento e da sua raiva.

— Mas eu ainda nem comecei! — senti meus lábios tremerem. — E, por falar nisso, por que eu *não deveria* estar com raiva? Você passou seis semanas sem me ligar!

— Olhe para mim — ela disse, asperamente. — Essa raiva que você está sentindo. É real?

— Como assim?

— *É real*?

— Eu... eu não sei. — Olhei bem nos olhos dela e falei apressadamente. — Sim! Não!

Rompi em lágrimas.

O mar ondulava pacientemente enquanto eu soluçava no colo dela.

Havia mais de trinta anos que eu não chorava nos braços de uma mulher. Foi incrível. Enquanto eu chorava, imaginava o quanto essa demonstração de afeto comoveria minha amada.

— Senti tanto a sua falta! — eu disse, aos prantos. — Por favor, não me abandone!

Meu choro se aplacou até virar um gemido baixinho. *Incrível*, pensei, como se estivesse me observando de longe. Estou finalmente liberando minhas emoções reprimidas. E, sob a raiva, não há nada — apenas lágrimas. Eu me sentia como um homem resgatado do mar bem no momento em que ia se afogar.

Meu nariz começou a escorrer.

— Vou te deixar por um tempo — disse Zara.

— O quê? — Olhei para ela com os olhos encharcados de lágrimas. — Para onde você vai?

Zara me lançou o olhar calculado de uma anestesista profissional.

— Você precisa de um tempo para si mesmo. Eu volto depois.

Enxuguei os olhos.

— Mas espera...

Algo estava errado. Aquele deveria ser nosso momento terno e perfeito de reconciliação.

— Laurence — ela disse —, se você conseguir deixar de lado essa ideia de que temos um relacionamento e estamos caminhando para algum lugar, então vamos ficar bem. Lembre-se de que não temos um relacionamento. E não estamos juntos.

Senti o perigo circulando em cada célula do meu corpo.

— Você quer dizer que não estamos juntos literalmente ou figurativamente?

Zara me olhou com tristeza.

— Se você aceitar e entender a situação, vamos ficar bem. Assim as coisas poderão se desenrolar como devem.

— Mas eu *não* entendo — eu disse. — Estava apenas expressando minhas emoções para que pudéssemos lidar com elas. E agora você as está rejeitando! Relacionamentos precisam ser trabalhados. Você não pode simplesmente viver o tempo todo no *momento*!

Zara deu um suspiro e largou a xícara de chá na mesa.

— Acho que você precisa de um tempo para si mesmo, Laurence.

— Mas, querida — implorei. — E quanto ao verão passado?

— Laurence. O que passou, passou. Vamos simplesmente ser quem somos.

Ela hesitou e torceu a colher entre os dedos.

— E não me chame de querida. Eu não sou sua querida.

Naquela noite, sentei na soleira e fiquei olhando perdidamente para a lâmpada sobre a porta do meu quarto. Zara tinha saído para uma noitada sem dizer para onde ia. O inconcebível estava acontecendo. Escutei o rugido das ondas que se chocavam sem piedade contra o penhasco. "Deixa para trás", sussurrei baixinho. "Deixa para trás. *Deixa para trás.*"

No dia seguinte, escrevi um poema para ela, explicando os meus sentimentos. Ela escutou friamente a minha leitura.

— Por que você não escreve um poema para si mesmo? — ela sugeriu. — No fim das contas, sou apenas um produto da sua imaginação. Tudo o que você acredita que existe fora de você mesmo é uma ilusão. Inclusive eu.

Olhei para o rosto dela, incrédulo.

— Não se esqueça disso — ela disse, mais calma —, e vai ser mais fácil se libertar da angústia que está sentindo.

— Libertar... — murmurei. — *Sim.*

Decidi ir embora de Goa. Era a única saída que eu tinha para retomar a iniciativa. Precisava abrir mão da minha namorada, tirá-la da cabeça. E depois — quando tivesse me esquecido completamente dela — poderíamos reatar o namoro. Esse, sem dúvida, era o melhor plano. A fórmula...

RELACIONAMENTO = [RSLD] X %

...poderia parecer muito próxima do zero, mas era apenas uma situação temporária. As probabilidades voltariam a ser boas.

Enquanto isso, minha missão era evidente: eu deveria me tornar o ser espiritual evoluído que estava destinado a ser. Sairia andando pela Índia, confiando na bondade do universo. Navegaria no oceano do Nada — como o pai de Roko — até ser totalmente engolido pelas ondas. Então, quando houvesse alcançado o mais puro estado de desprendimento, finalmente alcançaria o mais alto nível do otimismo, e Zara voltaria para os meus braços. Minha missão estaria terminada!

No dia seguinte, perguntei a Narayana se ele me daria uma entrevista para o livro.

— Podemos conversar na minha varanda — respondeu —, onde tem cadeiras de verdade. Fico com dores nas articulações por passar o dia inteiro sentado na posição de lótus.

Fui me encontrar com ele na varanda de seu bangalô, uma bonita casa de argamassa que ele havia alugado para a temporada.

— Nós ficamos aqui sempre que pudemos. Eu adoro, fica perto da montanha. Entro num êxtase profundo.

Ele me serviu uma xícara de chá e ficamos contemplando o fim da tarde. Eu já estava acostumado com o modo estranho de falar do Narayana. Tinha quase me esquecido de seu propósito de deixar o reino físico e se tornar um semideus imortal. Se ele me oferecesse uma lata de Bud Light e me convidasse a virar tudo de uma só vez, não me espantaria nem um pouco. Ele tinha o jeito despreocupado de um estudante em uma colônia de férias.

— Então você almeja alcançar a imortalidade física nesta encarnação?

— Sim — disse Narayana, passando o braço no encosto da cadeira.

— Isso é bastante otimista.

— Bem, na verdade eu nunca tinha pensado que isso fosse possível para mim — ele explicou. — Mas então o Iogue Imortal, Babaji, apareceu para mim em um sonho, quando eu tinha 23 anos.

— O que ele disse?

— Ele disse: "Vou te ensinar a tornar o seu corpo igual ao meu corpo." Atrás dele havia uma fila de mestres que se estendia até desaparecer no infinito. Foi então que a possibilidade se concretizou na minha mente. A mais alta aspiração humana: a Imortalidade.

— Mas você já sabia quem era o Babaji? — perguntei.

— Já, passei minha vida meditando. Meu pai me iniciou na prática da Meditação Transcendental quando eu tinha 5 anos. Comecei a me interessar de verdade aos 12 e a meditar diariamente desde os 13, porque queria alcançar a Iluminação. Descobri que era o objetivo mais importante da vida.

— Foi porque seu pai dizia isso?

— Acho que foi. Eu acordava às 4h, me voltava para o leste, meditava em um tapete de camurça, lia o *Bhagavad-Gita*, lia livros de iogues, ia para a escola, fazia o dever de casa, lia o *Bhagavad-Gita* de novo, meditava mais uma vez, dessa vez na posição de lótus, por mais uma hora, me voltava para o leste... e foi assim a minha vida de colegial. Era muito árida. Mas, depois de dez anos, tive um encontro com Krishna.

— Krishna, o deus?

— É... o deus Krishna se fundiu comigo e passei mais de duas horas em êxtase. E depois recebi uma espécie de visita angelical, e o anjo tinha mais de três metros de altura, um anjo dourado com lindos e longos cabelos esvoaçantes.

Narayana falava sobre como adquiriu seus poderes místicos do mesmo modo que um campeão de tênis falaria sobre sua empunhadura.

— Foi um tipo de sonho?

— Não, não — disse Narayana. — Foi real... o anjo estava parado bem na minha frente. Foi uma experiência física.

— Não poderia ser uma projeção do seu subconsciente? — perguntei. — Um produto da sua imaginação?

— No começo achei que pudesse ser isso, sim — disse Narayana, sem rodeios —, mas continuei tendo experiências que me provaram que aquela tinha sido uma experiência real, legítima. Já vi muitas coisas que provam a autenticidade de manifestações que ninguém consegue explicar. — Esperei que ele entrasse em detalhes. — Como meus encontros com iogues que conseguem se teletransportar.

— Você viu isso acontecer?

— Claro.

Pensei sobre o assunto. Se realmente existiam iogues que podiam se teletransportar, então deveria haver outros poderes mágicos à disposição. Talvez eu não tivesse explorado direito o lado espiritual do Nível 1 do otimismo.

— Você conseguiria transcender fronteiras espaço-temporais e atrair magneticamente pessoas para sua vida e coisas assim?

Tentei soar o mais espontâneo possível. Era uma pergunta hipotética.

— Provavelmente — respondeu Narayana. — Não sei. Tinha um monte de coisas que queria saber. Por isso, vim para a Índia e me tornei um *sadhu* errante. Passei três anos perambulando pelo Himalaia como um monge mendicante, morando em cavernas geladas e vivendo pela graça de Deus.

Olhei para seu roupão, que ele havia petulantemente jogado sobre o ombro, no estilo de um cônsul romano. Era até legal que alguém conseguisse se levar a sério vestido daquele jeito.

— Deve ter sido maravilhoso.

— Foi difícil — ele disse. — E perigoso. Muitas vezes quase despenquei para a morte certa enquanto subia as montanhas, descalço, passando a noite em cavernas de gelo terrivelmente frias. Não conseguia dormir bem, porque era tudo muito desconfortável, e fiquei gravemente doente, com disenteria e vermes. Mas se tornar um *sadhu* é uma experiência muito espiritual, levar aquela vida austera, perambulando por aí, conhecendo lugares maravilhosos, morando em cavernas — sem dinheiro algum, vivendo de refeição em refeição, de lugar a lugar, apenas confiando...

— Confiando — eu disse. — Isso!

— Você aprende a ter plena confiança. Nunca me faltou comida nem abrigo, nem sequer uma vez.

Ele partiu um biscoito ao meio e me ofereceu um pedaço. Leeza apareceu e sentou conosco.

— Isso aconteceu antes que vocês se conhecessem? — perguntei.

— Foi — disse Narayana. — Eu já tinha voltado para casa. Estava dando um curso no norte de Nova York e a Leeza era uma das minhas estudantes. Ela caiu aos meus pés e disse: "Você é o meu mestre!" — Ele riu e acariciou os cabelos dela. — Não foi?

Leeza sorriu, timidamente.

— Foi — ela admitiu.

Eu me voltei para ela.

— Não é um tanto... *incerto* viver com um homem totalmente dedicado à imortalidade?

— Às vezes eu fico ansiosa — ela concordou —, mas escolhi este caminho.

— Você pode me ensinar um pouco dessas coisas? — perguntei a Narayana. — Me ensinar essa... como é que vocês chamam?

— Kriya ioga — ele disse. — Não sei. Vou pensar sobre isso. Leva bastante tempo para descartarmos nossos hábitos e pensamentos, nossas crenças e coisas assim. É preciso começar aos poucos. Quem chega rápido demais a um estágio muito avançado geralmente enlouquece. É por isso que leva anos para aprender a ioga. Ela treina o corpo a avançar um passo de cada vez.

— Ah.

— Exige uma vida inteira de dedicação. O caminho da ioga é o da superação de nossas limitações como seres humanos. Kriya é uma combinação de *mudras* e *asanas*, de controle da respiração e de atravessar os chacras, controlando a respiração, as forças vitais e a mente. Dá um bocado de trabalho.

— Você pratica todo dia? — perguntei.

— Sim. Mas, com o tempo, minha respiração para naturalmente e entro em êxtase sem esforço.

Olhei para o meu biscoito. Estava começando a entender por que eu havia escolhido o caminho da não dualidade. Era tão mais fácil. Akira nunca teria todo este trabalho com práticas de meditação. Ela já era feliz.

— Em alguns dias é mais fácil do que em outros — admitiu Narayana. — Às vezes sou capaz de fazer todos os exercícios pela manhã e aí, depois do almoço, o êxtase chega sem aviso e passo o resto do dia em êxtase.

Narayana estava começando a me lembrar o Rabino Surfista: a mesma afabilidade aprazível, a mesma dependência de "baratos" naturais: ambos não mediam esforços para alcançar o que queriam.

— Você está em êxtase agora?

Narayana negou com a cabeça.

— Nem tanto — ele disse. — Estou conversando com você. Se estivesse em êxtase, eu soaria totalmente incoerente.

Eu ri.

— Estaria igual a um bêbado — ele disse.

Olhei para os dedos dos meus pés se agitando nas sandálias. Um pássaro deu um rasante e roubou um pedaço de biscoito do meu prato. Eu não tinha mais nada a aprender.

— Que chance você acha que tem de chegar lá? — perguntei. — De alcançar a imortalidade?

Narayana deu de ombros.

— 100%, eu diria.

— Nesta encarnação?

— Sim. Com certeza. Porque Babaji não mentiria. Por que Babaji mentiria?

Naquela tarde, subi de novo a montanha. Tinha acabado de receber um e-mail do meu pai. Para minha surpresa, ele parecia aprovar o que eu estava fazendo.

> Me dá vontade de pôr o pé na estrada também. Quem sabe depois que eu terminar tudo isso possa desaparecer em alguma montanha sagrada.

Meu coração se encheu de orgulho e felicidade. Talvez valesse a pena subir mais uma vez a montanha.

Fui em direção à gruta, decidido a meditar até o sol se pôr. De que outro modo poderia atingir a perfeição e atrair Zara magneticamente? Iniciei a caminhada. De vez em quando, um meditador vindo da América ou da Dinamarca passava por mim, descendo a montanha, com um ar distante e sonhador. Quando cheguei à metade do caminho, parei exatamente no mesmo lugar em que tinha parado na primeira vez. A gruta estava a apenas cem metros de distância, mas minhas pernas pareciam não ligar para isso. Sentei em uma pedra. O que é que eu estava fazendo, afinal de contas, andando até uma gruta? E uma gruta cheia de europeus sentados com as pernas cruzadas. Espera aí, pensei, coçando minha barba. Para onde estou indo? Tive um momento de clareza. Uma jovem estava passando à minha frente.

— Para onde você está indo? — perguntei.

— Estou indo para a cidade — ela disse. — Para tomar um chá.

— Não — eu disse. — Para onde você está *indo*?

— O quê?

— Para onde você está *indo*?

Os olhos dela faiscaram.

— Diz de novo!

Sorri. Ela era muito atraente.

— *Para onde você está indo!* — eu disse.

— Obrigado! — ela gritou. — Sim! Para onde estou indo?!

— É isso!

— Sim! Sim!

Ela se afastou cambaleante, olhando fixamente para suas mãos.

Corri montanha acima pelo caminho.

— Para onde você está indo? — anunciei para a próxima pessoa que encontrei.

— Para onde você está indo? — eu disse para as árvores e para os macacos.

"Peraí", pensei, lembrando da moça. Desci correndo a montanha.

No dia seguinte, fui me despedir de Leeza e Narayana.

— Estou indo embora — eu disse. — Rumo ao norte.

Narayana assentiu, sabiamente. Ele parecia ter esquecido meu pedido de iniciação no caminho da Kriya ioga.

— É isso aí, cara — ele disse. — Você tem seu próprio caminho. Vá em frente.

— Foi legal te conhecer — eu disse.

— Foi legal te conhecer também, Saladino.

Eu abracei os dois e subi no meu riquixá.

— Eu te amo, cara — gritou Narayana, enquanto o táxi se afastava.

Ele passou o braço ao redor de Leeza.

— Eu amo vocês, também — eu disse.

Anotações para qualquer pessoa, inclusive pessimistas

Centro de Bangalore

Observo mulheres dando voltas enérgicas no parque, em sáris de cores brilhantes e calças de ginástica. Uma, em especial, dá voltas e mais voltas, com uma expressão séria, quase fanática, no rosto, em trajes cor-de-rosa tradicionais e tênis Nike — deliberadamente não nos dando atenção enquanto ficamos sentados no banco, rindo. Ela deve ter dado pelo menos umas sete voltas.

Sou, agora, o alvo indefeso da hospitalidade — o café da manhã me é imposto às 8h, quando ainda estou meio adormecido. Meu anfitrião me traz a comida e se posta à minha frente enquanto eu como e pergunta se estou gostando. Eles tomam café depois; um autêntico *brunch*. Fico sentado, desamparado, enquanto a família exerce suas ocupações: a mãe brâmane me ignorando, o pai entrando e saindo com alarde de seu gabinete, a cabeça pintada de branco.

Tamil Nadu

O *ashram*. Sou minoria em meio a mulheres serenas, falando sobre coisas espirituais. Isso me tira do sério. Savita (nome verdadeiro: Jude Butler) está falando sobre Pranayama. O que é isso? Pergunto. Ela não acredita que eu nunca tenha ouvido falar em Pranayama. Já pratica há meses — exercícios respiratórios, ela explica. Estou sendo cortês, afável. De repente, eu me sinto claustrofóbico, encurralado: a ideia de uma série infinita de retiros, terapias e exercícios — sem fim.

Quero uma vida simples, na qual minhas imperfeições se desfaçam em seu próprio ritmo! Chega das viagens contínuas, de andarilhos espirituais, da insegurança de viajar e não pertencer a lugar nenhum, que desperta todos os meus medos e angústias. Devo ser perfeito?

Quando vou me sentir feliz e seguro, com as coisas sempre fluindo? Fico pensando: Será que ainda não cheguei lá? Isso precisa continuar para sempre?

Começo a fazer exercícios respiratórios. Savita me ensina um pouco de Pranayama para eu praticar quando estiver só.

Resolvo não me juntar aos outros no retiro de meditação. Fico sozinho no *ashram*. Deito na cama e fico olhando para o ventilador através do mosquiteiro. Não há nada em especial que eu queira fazer, estou meio apático. Deixo que algumas opções passem pela minha cabeça, mas não me interesso por nenhuma. São apenas 19:30h e tenho a noite inteira pela frente. Não faz muito tempo, eu estaria atormentado pelo pensamento do tempo-passando-e-a-vida-sendo--desperdiçada, ou pelo pensamento do eu-não-me-encaixo, ou pelo suplício do eu-fiz-besteira. Não mais. Mesmo assim, ninguém diria que estou alegre. Examino algumas opções. Poderia ir até a rodovia e comprar um cigarro, mas isso não me ajudaria muito. Poderia ir até a cidade procurar amigos, mas estou com muita preguiça.

Vou até o minúsculo vilarejo atrás do *ashram*, portanto, e uma garotinha nua me guia pelos arrozais e pelos canteiros de flores até o cibercafé sobre o qual ouvi falar. Vou parar em uma deslumbrante fazenda indiana sob as colinas e deparo com uma senhora inglesa que construiu uma casa com vista para as montanhas depois de 22 anos viajando e trabalhando na Casa dos Moribundos, da Madre Teresa, em Calcutá, e estudando com um guru que a ensinou a usar os mantras. Ele iria se hospedar na fazenda hoje, ela disse, e já deveria estar chegando. No entanto, depois de uma limonada com açúcar mascavo feita na hora, um cigarro interrompido e a história da vida dela, eu dei o fora.

Continuo em busca de lanchinhos e consolo, comendo manteiga de amendoim e ameixas dinamarquesas em conserva. Ainda não abri mão desses pequenos prazeres.

Está claro que o meu caminho não é o da superioga, dos poderes sobrenaturais, da perfeição. A ideia de passar os próximos vinte anos seguindo gurus, viajando etc., *Não! Mais rápido, por favor.*

Nada de grande Iluminação. Já chega.

Estou finalmente aprendendo o truque — a vigiar meus pensamentos, sentimentos, e basta. Não fico analisando-os e não acredito neles. Deixo-os no chão da floresta e levanto voo acima das árvores.

Metaforicamente falando.

CAPÍTULO 21

Há um quadro clínico na psiquiatria chamado "ilusão de indulto". Imediatamente antes de ser executada, a pessoa condenada à morte tem a ilusão de que a sentença será suspensa no último minuto. Nós também nos agarrávamos àqueles fiapos de esperança e acreditávamos até o fim que não seria tão ruim... Quase todos em nosso vagão viviam na ilusão de que suas sentenças seriam suspensas e que tudo ainda terminaria bem.

VIKTOR FRANKL

— Em sua maioria, as pessoas tendem a ser nostálgicas sobre o passado — disse Murthy, batendo harmoniosamente o lápis na mesa. — Acham que o passado era melhor, que as pessoas tinham princípios mais elevados, e por aí vai. Mas eu creio que ocorre justamente o contrário.

Estávamos sentados no frescor refrigerado do império do sr. Murthy, uma das maiores empresas de tecnologia do mundo. Murthy — atualmente um dos homens mais ricos da Índia — era um homenzinho de óculos com lentes de fundo de garrafa que sorria modestamente e respondia às minhas perguntas com meticulosa deliberação. Era famoso tanto por seu idealismo e sua bondade quanto por ser pessoalmente responsável pela prosperidade da indústria de software na Índia. Mas o que mais me impressionou foi o café. Era feito na hora e servido em xícaras de porcelana. Depois de seis semanas na Índia, era um momento de forte emoção.

Eu tinha acabado de dar um passeio pelo quartel-general de Murthy, a bordo de um carrinho de golfe imaculadamente limpo. As avenidas arborizadas para pedestres do complexo da Infosys eram atravessadas por executivos bem-apessoados de vinte e poucos anos. Admirei a quadra de vôlei e as cantinas gratuitas e as árvores recém-plantadas por Bill Gates e Tony Blair. Era tudo como deveria ser, pensei. Era como se um setor do norte da Califórnia tivesse sido recortado e colado bem no meio da Índia, mas sem o mesmo clima informal. Os jardins e as instalações esportivas estavam vazios. O ruído do tráfego caótico de Bangalore ecoava levemente sobre os muros.

— Creio que ocorre justamente o contrário — repetiu Murthy, em seu escritório pequeno e discreto. — Sim, e vou explicar por quê. Vejo quê as pessoas mais jovens são mais idealistas, têm princípios mais elevados, estão dispostas a fazer mais sacrifícios do que estávamos em nossa época. Cada geração é melhor do que a anterior.

— Acredito nisso, também.

— Quando eu era estudante — ele continuou —, raramente encontrava jovens em serviços de assistência social. Estou falando dos anos 60 e 70. Mas hoje, na Infosys, temos literalmente centenas, em alguns casos até milhares de funcionários que querem contribuir para nossa instituição de caridade. Até no Ocidente isso está acontecendo. Dei palestras em escolas de negócio ao redor do mundo: Stanford, Harvard, Wharton, Kellogg. Há uma grande vontade de fazer a diferença.

Eu me recostei na cadeira. Murthy tinha razão. Mesmo que o universo fosse totalmente ilusório, a sociedade estava evoluindo, melhorando o tempo todo. Embora a Índia estivesse passando por uma fase particularmente irritante de capitalismo — com pilhas de garrafas plásticas jogadas pelas ruas, hotéis de concreto e *yuppies* em utilitários esportivos ouvindo Kylie Minogue no último volume —, no devido tempo o mundo inteiro, inclusive os esgotos ao ar livre de Bangalore e os condutores analfabetos de riquixás enfileirados lá fora, alcançariam o mesmo nível de lucidez refrigerada que Murthy e eu compartilhávamos.

Eu achava tudo ótimo, contanto que pudesse manter certa distância deles até lá.

— Na minha opinião — disse Murthy —, um bom relacionamento com a sociedade é extremamente importante para quem quer ser bem-sucedido. Não conheço um negócio sequer que tenha se mantido por um bom tempo sem a boa vontade da sociedade.

— É — eu disse —, embora as empresas com estruturas organizacionais tradicionais talvez não consigam reproduzir essas características.

Estava prestes a explicar o modelo de gerenciamento anti-hierárquico do Google quando Murthy balançou a cabeça.

— Acho que é possível — ele disse, tocando levemente em seu copo de água gelada. — Vou explicar por quê. Se respeitarmos uns aos outros, se sorrirmos uns para os outros, se apertarmos as mãos uns dos outros, então um funcionário do baixo escalão vai se sentir tão entusiasmado pela empresa quanto um funcionário do alto escalão. E quando um funcionário de baixo escalão é tão entusiasmado quanto um de alto escalão, ele tem uma sensação de posse, de esperança, de otimismo. Não interessa que tipo de negócio você administre.

Voltei para o tumulto de Bangalore encorajado pela visão de mundo otimista de Murthy. Ilusão ou não, era bom saber que o mundo era uma ilusão com um futuro. Os "antiglobalizadores" podem se queixar da poluição, dos *sweatshops* e dos crimes contra o meio ambiente; o que eles não sabem é quantos indianos hoje podem comprar Ray-Bans.

Um caminhão passou inesperadamente ao meu lado, quase arrancando meu braço. Uma família de seis em uma lambreta disparou pela brecha entre a vala e o caminhão. Penas de galinhas explodiram para fora da traseira de um ônibus. Roguei uma praga e tentei manter o equilíbrio. Toda essa humanidade, na verdade, era bastante terrível vista de perto. Por sorte, a evolução natural do capitalismo de mercado livre logo iria esvaziar essas ruas de caminhoneiros sem seguro e de riquixás perigosos, e Bangalore iria começar a se parecer com São Francisco.

Até lá, queria o máximo de distância de tudo aquilo.

Passei por um rio de esgoto ao ar livre, represado entre duas ribanceiras de concreto. Um cheiro infernal de merda invadiu minhas narinas. *Bom Deus!*, pensei. *Tem gente vivendo aqui.* Crianças catavam o lixo às margens do canal. Eu mal conseguia suportar o cheiro a cem metros de distância. Pensei em Ashley Judd nos cortiços de Bombaim. "O dia em que fui para aquelas favelas foi o melhor da minha vida", ela disse.

— Vão embora! — gritei. — Saiam daí!

Fui andando aos tropeços pela margem de concreto em direção às crianças, engulhando enquanto tapava a boca com a mão. Elas ficaram me olhando. Havia lixo industrial por todo lado.

— Vocês não deveriam estar aqui — eu gritei, sacudindo freneticamente os braços.

Buzinas feriram os meus ouvidos. Vinham de um 4X4 que quase me atropelou. Voltei-me a tempo de ver o motorista e os passageiros em *freeze-frame*, olhando para mim com uma expressão de espanto em seus rostos. Escorreguei e me debati no ar. Caí de costas na merda.

Afundei na lama até o pescoço.

Foi o fim da relação entre mim e a Índia moderna. Desconsiderando o conselho de Narayana para evitar as montanhas por serem inóspitas e perigosas, viajei até o Himalaia à procura de uma casa para alugar. Se não fosse pela Zara, eu nem estaria na Índia, mas, já que ambos estávamos lá, precisava encontrar um lugar seguro para trabalhar. Estava na hora de dar por encerrada minha busca pelo otimismo.

Descobri uma hospedaria em Dharamshala, o lar do Dalai Lama no exílio. Era extremamente fria, livre de turistas e um esconderijo ideal. Cercado de budistas por todos os lados, eu não me sentiria nem um pouco tentado a sair do quarto.

Sobre nós, raios de sol dourados deslizavam sem pressa pelos picos. Abaixo, um pequeno vilarejo, repleto de hotéis vazios. Aqui, em meio aos rochedos, eu poderia trabalhar no livro sem ser interrompido.

Tranquei a porta do quarto e espalhei meus papéis sobre a escrivaninha. Depois de passar um ano me encontrando com otimistas, eu tinha centenas de páginas de anotações, cinquenta ou sessenta entrevistas, sete blocos de notas e 23 CDs cheios de reflexões e ideias para sintetizar em argumentação conclusiva contra o pessimismo. Era crucial que terminasse o livro antes de voltar para a Inglaterra. Não tinha mais dinheiro nem casa para onde voltar e meu currículo tinha expirado no fim dos anos 90. Se não voltasse para Londres com algo que justificasse o ano que passei viajando, estaria arruinado.

Eu precisava de uma prova.

Fechei as cortinas e acendi uma vela no peitoril da janela. Por um lado, percebi, o otimismo era algo quase impossível de ser comprovado. Por outro — quer seu mecanismo fosse psicológico, místico ou governado por leis universais desconhecidas —, eu estava certo de ter descoberto como o otimismo funcionava. Apesar de todas as minhas teorias complicadas, seu funcionamento era bem simples: desde que você seja realmente confiante e seguro de si, pode fazer com que qualquer coisa aconteça. Mas você só pode ser confiante e seguro de si se não se importar com nada. E você não pode fingir que não se importa se, na verdade, se importa. Era uma situação ardilosa. Como diria o dr. Wong, era paradoxal. A jogada genial era descobrir como enganar o sistema — como se importar sem se importar. Em outras palavras, como realmente desejar alguma coisa fingindo não se importar caso não a conseguisse. Nenhum dos livros trazia uma solução. Isso me deixou desnorteado de verdade, porque, se você não se importa com o resultado, então por que se dar ao trabalho de desejá-lo? Era ao menos possível? Não tinha certeza.

Naquela noite, preenchi outro pedaço de papel.

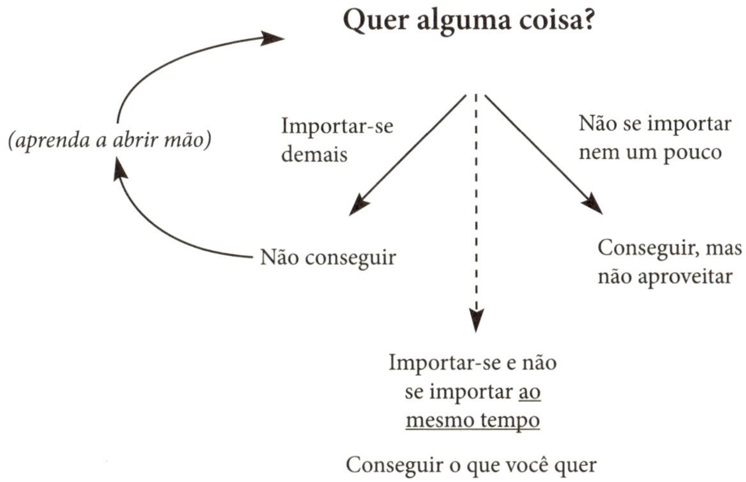

Estes pedaços de papel eram, agora, minha única esperança.

Então, aos poucos, enquanto pensava no assunto, tive uma revelação: tudo o que eu tinha feito naqueles dois últimos anos tinha sido uma preparação para testar aquela hipótese. O livro, os encontros, toda a história com Zara. Tudo fazia parte de um experimento. E os resultados ainda eram desconhecidos. Ou Zara voltaria para mim e Bill Clinton concordaria em se encontrar comigo, ou não. O otimismo só dependia disso. Assim como a minha carreira.

A senhora que administrava a hospedaria me trouxe uma xícara de chá. Eu agradeci, fechei a porta e continuei a trabalhar. De manhã, antes que clareasse, saí de mansinho da hospedaria e fui dar uma volta pelo cume da montanha mais baixa. Pensei sobre meu relatório, meu estado de espírito e Bill Clinton. Naqueles dias, eu pensava muito em Bill Clinton. É claro, não havia possibilidade de eu *não* me encontrar com ele. A questão era quando. E *como*.

Nos dias que se seguiram, experimentei todas as técnicas possíveis. Tentei pensar nele, não pensar nele, enviar e-mails, não enviar e-mails. Comecei a planejar nosso encontro como se já estivesse marcado. Eu me imaginei em uma sala com o presidente, fazendo as perguntas no meu bloco de notas. Copiei uma foto dele e pus no meu site. Semanas se passaram. Trabalhei no livro e tentei esquecer Clinton. Nada aconteceu. A primavera deu lugar ao verão. As montanhas começaram a se livrar de suas cobertas de gelo e despertaram para a vida. Viajantes chegaram vindos do sul para abrir bares e workshops de ioga. As azaleias floresciam nas encostas e os aldeãos passavam pela hospedaria, suas vozes ecoando nos rochedos quando apregoavam as mangas que traziam em cestas sobre a cabeça. Comecei a me sentir esperançoso. E então, quatro semanas depois de enviar meu último e-mail, finalmente recebi uma resposta.

> Caro sr. Shorter
>
> Em nome do presidente Bill Clinton, gostaria de lhe agradecer pelo interesse em solicitar a participação dele em seu futuro livro.
> Infelizmente, devido à grande quantidade de pedidos com mérito que ele recebe, assim como à sua agenda constantemente lotada, o presidente Clinton não pode atender a tantos pedidos quanto gostaria.
> O presidente Clinton e eu desejamos tudo de bom para você e sucesso no seu trabalho e em suas próximas empreitadas. Gratos pela compreensão.

Fiquei olhando por muito tempo para o e-mail. Em nenhuma linha estava dito que o presidente não iria colaborar para o livro. Eram apenas generalizações sobre o quão ocupado ele era. Era um teste, mais um teste para a minha persistência e coragem.

Naquela noite, uma tempestade chegou das montanhas, despejando lençóis de gelo no jardim e partindo as flores ao meio. Fiquei sentado à luz de velas, observando o granizo cair no teto e ricochetear para todos os lados, como balas disparadas por malucos. Era incrivelmente belo.

Na manhã seguinte, grossas camadas de trevos cobriam as trilhas da montanha. *Trevo!*, pensei. Era um sinal. Na aquosa luz do alvorecer, vasculhei o solo à procura de um trevo de quatro folhas. Se eu encontrasse um trevo da sorte, as coisas dariam certo, apesar de tudo. Procurei e procurei, até ficar com fome. E se eu *acreditasse* que encontraria um? "Se o pensamento positivo funciona", eu disse em voz alta, "então permita que eu ache um trevo de quatro folhas." Passei o resto da manhã esquadrinhando o jardim e as sendas ao redor da casa. Nada. Eu não estava obedecendo às regras do jogo. As regras diziam que eu não deveria me preocupar com o resultado. Deveria me importar com o trevo e não me importar ao mesmo tempo. *Esse* era o objetivo. Não pensei mais nisso.

Acordei com alguém batendo à porta do quarto. Era a senhora suíça da hospedaria ao lado. Ela havia pedido meu fogareiro a gás emprestado por alguns dias e tinha vindo devolvê-lo.

— Obrigada! — ela disse, me abraçando.

— De nada — sorri.

— Espera aí.

Ela abriu sua carteira.

— Tenho um presente para você.

Ele tirou uma planta verde-escura da carteira.

— Encontrei na estrada hoje de manhã.

Fiquei olhando para a planta, sem palavras.

— Obrigado — murmurei. — Muito obrigado.

Fechei a porta, o trevo em minhas mãos.

— Funciona — sussurrei. — Funciona de verdade.

O sol brilhava, os pássaros cantavam. De repente, tudo parecia possível.

Lá fora, o pátio estava em polvorosa. A dona da hospedaria tinha uma cadela que estava no cio e havia atraído todos os vira-latas da região, que não paravam de latir. Fiquei olhando com admiração um acalorado cocker spaniel investir contra a cadela, correndo para cima e para baixo pelas pedras. Ela o afastou com latidos, e os outros cachorros latiram junto. A dona sorriu. Ao que parecia, o cocker era recebido todo ano do mesmo jeito. Ele insistia, espreitando do gramado e saltando de novo para tentar sua sorte. Era um cachorro bonito, e seu pelo se sacudia alegremente quando ele pulava, insistentemente, para o jardim ornamental onde a cadela estava — como um Conde de Monte Cristo canino. Sua expressão não era de desalento, nem de ressentimento, cólera ou desânimo, e sim de determinação... talvez mesmo prazer.

Esse é o caminho.

Meu celular tocou. Era a Zara. Sua voz soava remota e doce. Senti um calafrio na espinha, como se estivesse esperando o mês inteiro por aquilo. Tudo estava interligado. A hora tinha chegado, com certeza. Havia feito meu trabalho, fora fiel e perseverante, tinha chegado ao fim da minha jornada completamente transformado, e agora o universo estava nos juntando de novo. Tudo seria perdoado.

Sorri para mim mesmo. Tudo por que eu havia trabalhado, tudo em que eu acreditava — tudo era verdadeiro. A justiça seria feita! Olhei, num devaneio, para os picos. Zara estava vindo ao norte para se juntar a mim nas montanhas...

— Isso é maravilhoso — eu disse, tranquilamente. — Vai ser ótimo te ver de novo.

Fiquei ouvindo enquanto ela falava. Havia algo mais que ela queria dizer.

— Você está com alguém? — eu ri. — Eu... não estou entendendo. — Subitamente o chão pareceu desaparecer sob meus pés. — O que você quer dizer com *alguém*? — Tentei manter a voz firme. — Vocês estão viajando *juntos*? — Senti um aperto no coração. — É uma relação... carnal? — Pingentes de gelo surgiam em minhas pernas. — Certo. Certo. É claro. Bem, obrigado, obrigado por me contar.

Larguei o telefone e fui andar lá fora. Meu corpo parecia frágil, exausto. Eu me movi cautelosamente. Tropecei em uma pedra que se deslocou e saiu rolando pelo desfiladeiro. A pedra se despedaçou e seus fragmentos rolaram encosta abaixo. Fiquei olhando.

— Acabou — eu disse, por fim. — Acabou de uma vez por todas.

As lascas da pedra se perderam de vista.

Na manhã seguinte, acordei cedo e fui até a escrivaninha. Era só eu e o livro agora. Nada mais. Observei algumas formigas destroçarem uma mosca. Eu tinha semanas de trabalho pela frente.

Não desista, Laurence.

Olhei pela janela sobre a escrivaninha. Lá fora, nos rochedos, um garoto nativo estava sentado sobre uma árvore de azaleia. Ele estava colhendo flores para jogar em sua irmã. Ambos estavam rindo; o sol brilhava em seus rostos. Fiquei observando-o por um tempo e depois baixei os olhos para o computador.

— Não preciso fazer isso — eu disse, de repente. — Não preciso mais fazer isso.

CAPÍTULO 22

Ensinai-nos o desvelo e o menosprezo
Ensinai-nos a estar postos em sossego.

T. S. ELIOT

Meu pai foi me apanhar no aeroporto.

— Bem-vindo de volta! — ele disse. — Como vai a obra-prima?

— Já era — eu disse. — Eu parei.

Ele me olhou, perplexo.

— Não desista.

Desistir era exatamente a minha intenção. Minha prova havia falhado. O experimento estava terminado: não era possível controlar o otimismo. A lição que recebi na Índia foi clara: ou você se sente otimista e tranquilo em relação às coisas, ou não se sente. De qualquer modo, não há escolha. Tudo o que a vida exige é que você se submeta e aguarde enquanto ela extrai suas ambições e o deixa sem nada.

Depois disso você pode, pelo menos, relaxar.

Sentei no apartamento do meu pai e olhei para o teto. Era igual a qualquer um entre a dúzia de outros tetos que contemplei nos últimos seis meses: o da sala de embarque da Jet Airways em Mumbai, o do meu hotel em Nova Délhi, o do meu quarto nas montanhas. Por um instante, tive a impressão de estar preso em uma espécie de ciclo infinito, uma sala de espera psíquica onde estava condenado a ficar até o fim dos tempos. Esperar — era isso que eu estava fazendo. Esperando para ser resgatado. Mas não tinha ninguém a caminho. Só havia eu. Eu e o teto.

— Olá! — eu disse. — Olá!

Eu me voltei para olhar pela janela, como um inválido com hérnia de disco.

Está ensolarado, pensei. *Está bem quente.*

E não estou tão cansado assim.

Eu me ajeitei na cadeira. Era o exercício de gratidão. Estava praticando-o sem nem me dar conta.

Passei a vista pelo quarto do meu pai. Minhas roupas impecavelmente dobradas sobre a cadeira; minha mala sempre a postos no canto; a janela me protegendo da rua — robusta o suficiente para impedir a entrada do barulho e do vento, mas transparente o bastante para que se pudesse olhar através dela! Senti meu coração se enchendo de gratidão.

Naquela noite, comecei a praticar os exercícios para expulsar minhas crenças negativas. Se eu iria passar os próximos sessenta anos comigo mesmo, precisava me sentir à vontade com minha própria mente. Havia desistido de tentar dissipar meus medos, de conhecê-los a fundo e até de retirá-los da minha vida. Concluí que bastava anotá-los e vê-los claramente como eram.

> perdedor... fracassado, rejeitado... velho
> velho demais!
> perdendo tempo, sozinho, SOZINHO
> MORTE

Arquejei, satisfeito. Meu pessimista interior ainda estava vivo e bem.

Meu pai ficaria orgulhoso.

Resolvi que estava na hora de emergir. Já fazia uma semana que estava de volta e ainda não tinha visto ninguém. Combinei com Mark para tomarmos uns drinques. Havia meses que eu receava por aquele momento. Não tinha visto Mark — nem qualquer um dos meus amigos — desde minha ida à Califórnia. Ele certamente estaria esperando um relato do meu progresso. Fui andando rapidamente até o *pub*. O que ele iria pensar quando eu contasse que desisti do livro? Será que continuaria a falar comigo depois dessa patética confissão?

Quando cheguei lá, Mark já estava no balcão, com seu aspecto vigoroso e cheio de vida.

— Como vai, Loz?

— Vou bem! — respondi.

Ele deu um tapinha no meu ombro.

— E como vai o otimismo?

— Vai bem... — olhei para a minha bebida. — Na verdade... — vacilei. — Eu talvez tenha... É bem possível que eu...

— O quê, Loz?

Consegui me acalmar.

— Eu talvez tenha fracassado.

— Deixa disso!

Desviei o olhar.

— A verdade, Mark, é que eu estava *errado* a respeito do otimismo. — Estreitei os olhos à luz do sol. — O pensamento positivo, ver as coisas pelo lado bom... são apenas estratagemas — estratégias para nos proteger da realidade.

Mark parecia preocupado.

— E o que há de errado nisso?

— Nem ao menos funciona! — eu disse. — Nos preocupamos com o futuro e vivemos com medo. Gastamos todo o nosso tempo achando que vamos chegar a algum lugar. Mas não estamos indo a lugar nenhum! E é isso aí. — Olhei para o meu copo de cerveja, já quase vazio. — Melhor, impossível.

— Isso não soa muito otimista, Loz.

— Foi por isso que comecei este projeto! Porque queria chegar a algum lugar. Bem, está tudo acabado. *Game over*.

Olhei pela janela. Paciência. Eu perderia alguns amigos, isso era inevitável.

— Mas o otimismo pode ser algo muito saudável — protestou Mark. — Os otimistas vivem mais e têm uma vida sexual mais ativa.

— O otimismo *autêntico* — eu disse — nada mais é do que a ausência de medo. Você deixa de ter medo porque sabe que nada pode mudar quem você é. Nem mesmo o que você mais temia no mundo... — Olhei para minhas mãos. — E acaba não sendo tão ruim. Você continua vivo.

— Ah — disse Mark.

— Esse é o verdadeiro otimismo — prossegui. — Mas não é nada revolucionário. É o que resta quando tudo o mais se foi: a vida real, o momento atual, todas essas coisas, sabe. — Suspirei. — Na verdade, é como Leibniz já havia definido o otimismo no século XVIII: tudo já está perfeito porque não pode ficar melhor. Ele provou isso matematicamente. Todos riram dele.

Olhei, resignado, para a espuma no meu copo.

Mark estava perplexo.

— Por que você não escreve sobre isso?

— Ninguém quer saber disso!

Olhei para o relógio. A qualquer momento, Mark inventaria uma desculpa e se despediria de mim para encontrar com outro amigo. Tudo bem. Eu já esperava. Imaginei como eu ficaria nos anos vindouros: sentado naquele *pub*, envelhecendo em sossego, as festas e o agito acontecendo em outros lugares.

— Você é tão divertido, Loz — disse Mark alegremente, me dando um tapinha. — É ótimo te ver de novo.

Olhei, surpreso, para ele.

— Como assim?

Ele se levantou.

— Assim mesmo, e agora vamos almoçar.

A caminho de casa, esbarrei em um homem vestindo um casaco de *tweed*. Ele riu cordialmente e pediu desculpas.

— Espera aí.... Não nos conhecemos de algum lugar?

— Steve Brooks — disse o homem, estendendo a mão.

— Você é o explorador — eu disse. — Nos conhecemos na exposição.

— *Sim* — ele disse. — Eu me lembro! Íamos ter uma conversa sobre o otimismo.

Steve era o sujeito que conheci no outono e que sofreu um acidente com seu helicóptero na Antártica. Seu rosto sulcado brilhava de entusiasmo, como se ele ainda estivesse arrebatado pela sorte de estar vivo.

— Bem, não estou com pressa — ele disse. — Vamos tomar alguma coisa?

Por que não? — pensei. Eu não estava mesmo indo para lugar nenhum.

Encontramos um café.

— Então! — ele bateu as mãos. — Otimismo!

— É — eu disse, cansado. — Bem, muita coisa mudou. De qualquer modo... acho que me lembro... Você não disse que o *otimismo salvou a sua vida*?

— Isso mesmo! — disse Steve. — Bastaria que tivéssemos um pensamento negativo qualquer, do tipo *não vamos ser salvos*, e teríamos morrido. É simples assim. Passamos 11 horas nas águas geladas.

— Onze horas! — eu me inclinei para frente. — Você não teve *nenhum* pensamento negativo todo esse tempo?

Steve fez o pedido, deu um sorriso largo para o garçom e estalou os dedos.

— Toda a aventura teria sido impossível sem otimismo. Se fôssemos pessimistas, teríamos achado a ideia ridícula desde o começo.

— Por ser perigosa?

— É, muito!

Steve se dobrou de rir, como se não tivesse nada a ver com a história.

— Então conta o que aconteceu.

— Estávamos no oceano Antártico, em um bote salva-vidas, há centenas de milhas da civilização, e a temperatura da água era de zero grau!

— Vocês iam morrer congelados?

— Íamos, mas não nos dávamos conta disso. Em situações assim, a gente não sente que está prestes a morrer. Sentimos que, para sobreviver, *isso* tem que acontecer, depois *aquilo* tem que acontecer. *Precisamos chegar ao bote salva-vidas. Precisamos usar o celular via satélite.* É tudo assim, uma coisa de cada vez.

Steve segurou a xícara de chá entre as mãos.

— Em primeiro lugar, precisávamos fazer uma ligação. Tentei os serviços de resgate no Chile, mas ninguém atendeu. Então uma onda nos cobriu e as luzes do telefone apagaram. Depois acenderam de novo. E pensei: *só tenho uma pessoa para quem ligar*, minha esposa. Ela estava dormindo em Clapham naquele momento.

— Clapham!

— É. Então eu liguei e disse: "Você tem uma caneta?" Ela respondeu que sim. Minha esposa disse: "Deixa comigo", e naquele instante outra onda nos cobriu e o telefone *pifou*. Ficamos sem nenhuma forma de contato com o mundo lá fora. E aí vem a moral da história... — Ele abriu seus dedos calejados sobre a mesa. — A única maneira de sobreviver em circunstâncias tão absurdas é possuir um *total e completo otimismo*. Nada além disso.

— Otimismo.

— É. *Não havia mais nada*. Não lembro um só momento durante todas essas 11 horas em que eu tenha tido um pensamento negativo. Unzinho que fosse teria sido o suficiente. Bastava começar a pensar assim para que a possibilidade de uma tragédia se tornasse realidade.

Esqueci o chá sobre a mesa.

— Qualquer cadeia de pensamentos a que você dê início se tornará realidade. A realidade é apenas algo que foi pensado antes.

— Você está querendo dizer que os pensamentos criam a realidade?

— Exatamente! Isso me fez tomar consciência do controle que tenho sobre meu destino.

Passei a mão ao redor da mesa. Pensei que a ficha sobre o pensamento positivo estivesse arquivada. Mas lá estava Steve Brooks me dizendo que funcionava — um sujeito experiente, um empresário, alguém que enfrentou a morte e continuava achando graça disso.

— Você *sabia* que seria resgatado. Não é? Você tinha essa sensação.

— É — ele exclamou. — Mas aí que está. Não tínhamos como saber disso. As chances de sermos resgatados eram mínimas. *Nós decidimos não morrer.*

Senti um tremor nas têmporas.

— Você *decidiu*...

— Mas ainda não terminei a história — prosseguiu. — O piloto estava procurando por nós e não conseguia nos achar, e eu ouvia o ruído do motor, mas estava muito distante, e me lembro de sentar na borda do bote, olhando para o céu e conversando com o piloto, dizendo apenas: *você vai, logo, logo, passar bem por cima deste bote. Não há pressa, mas você vai acabar passando por cima deste bote.* Passei uma hora dizendo isso. E mais ou menos uma hora depois, ouvimos um barulho, e o avião veio em nossa direção e passou por cima de nós. Algumas pessoas podem dizer que isso é ridículo. Mas para mim não se trata de acreditar ou não. Eu *sei* que fui em parte responsável pelo resgate.

— Otimismo — eu disse.

— É tudo! — ele riu. — Tudo. Primeiro você pensa em alguma coisa *e depois isso acontece.*

— Mas foi uma situação extrema — eu disse. — E no cotidiano?

— Dá no mesmo! Só que há mais tumulto no dia a dia. Há mais barulho e se torna mais difícil filtrar e encontrar a simplicidade da situação. É apenas em momentos como esses, lutando para sobreviver na água gelada, que os ruídos cessam, e tudo se torna absolutamente claro. Absolutamente claro!

Observei os raios de sol se movendo sobre a mesa. Talvez eu estivesse errado a respeito do otimismo. Talvez eu *de fato* tivesse uma escolha. E, se eu tivesse escolha, o que isso queria dizer?

— Essas cadeias de pensamentos — eu disse —, você não pode controlá-las, pode? Elas apenas acontecem.

Pensei sobre minha busca pelo trevo de quatro folhas. Pensei em meus medos e angústias em relação a Zara. Pareciam não depender de mim.

— *É só não deixar que os pensamentos negativos entrem* — disse Steve. — Por isso é tão importante ter pensamentos positivos o tempo todo. Assim não sobra espaço para os negativos. — Ele balançou a xícara. — A cada instante na vida, nós temos uma escolha: positivo ou negativo, confiança ou medo. Sempre temos essa escolha.

Ou poderíamos escolher ambas as alternativas? Pensei no paradoxo de Wong sobre o otimismo e o pessimismo. Era essa a solução? Aceitar meus pensamentos e controlá-los — *ao mesmo tempo*? Meu cérebro começou a fervilhar. *Talvez fosse possível.*

Steve pediu a conta.

— O problema da vida — ele disse — é que você sempre precisa seguir em frente. Precisa sempre inventar coisas novas.

— O quê? — eu disse. — E quanto aos benefícios de ficar parado?

— Neste universo, nada continua o mesmo. O plutônio 326 é o que há de mais estável no universo, mas mesmo esse elemento tem meia-vida, está sempre se desintegrando. Em outras palavras, se você não está crescendo, está diminuindo. Se as coisas não estão melhorando, estão piorando. Entendeu? A saída é sempre gerar novas cadeias de pensamento. Não se pode descansar na vida. Não há onde descansar.

Ele soltou uma baita gargalhada.

— Mas não estamos indo a lugar nenhum — eu disse. — Não há para onde ir.

— Talvez não — respondeu. — Mas também não podemos ficar parados. Tudo está em movimento. Antes eu não entendia quando diziam que "é melhor viajar com esperança do que chegar", mas agora entendo perfeitamente. O que importa é que, quando cheguemos ao nosso destino, escolhamos outro e depois mais outro. — Ele fez uma pausa. — Acho que essa é a parte mais difícil.

— Porque queremos descansar?

— Ha, ha, ha! É, porque queremos descansar. — Ele pôs as mãos sobre os joelhos. — E a triste verdade é que não existe descanso!

CAPÍTULO 23

"Use a força, Luke."

GUERRA NAS ESTRELAS

Terça-feira, Greenwich.

Uma manhã tempestuosa. Centenas de pessoas se aglomeravam ao redor do Domo do Milênio, como se estivessem na fila para comprar o primeiro Big Mac a ser vendido na Lua. Lá dentro, havia outra fila, formada por banqueiros e advogados — homens e mulheres que pagaram mais de mil libras para tirar uma foto com o figurão.

Eu precisava entrar naquela fila.

— Gostaria de entrar na fila — disse para a moça no portão da entrada VIP.

Ela olhou para mim e depois para sua prancheta.

— Você não trabalha no banco Morgan Stanley — ela disse.

— Não.

— Você tem um convite? Você precisa ter um convite como este.

Ela sacudiu um cartão impresso.

— Não — respondi. — Digo, deixei em casa. Eles me disseram para vir até esta fila.

— Eles, quem? — ela perguntou, desconfiada.

— O pessoal da sala VIP, bem ali — apontei em direção ao lugar onde sabia que havia outros banqueiros tomando café enquanto esperavam para ser conduzidos até seus assentos nas primeiras fileiras. As pessoas na outra fila — os plebeus — olhavam para os VIPs com deslavada curiosidade. Bobões! Mal podiam imaginar a disputa que estava rolando para se encontrar com o figurão. Só em último caso eu usaria o ingresso que comprei — meu assento era na fileira H do segundo balcão e não dava direito a almoço. Custou 27 libras numa promoção.

Dali eu não veria nem o branco dos olhos de Clinton.

— Não posso fazer nada, desculpe — disse a recepcionista, enquanto uma horda de engravatados passava por mim a caminho dos detectores de metais, empunhando seus convites VIPs. Os seguranças apanhavam suas pastas e as jogavam na esteira.

— Lamento — ela disse —, mas algumas dessas pessoas desembolsaram três mil libras para conhecer o presidente. Não posso deixá-lo entrar assim, sem mais nem menos.

Um segurança surgiu por trás dela, usando as sobrancelhas para dar ênfase ao que ela dizia.

— Posso voltar depois? — supliquei. — Quando a fila diminuir?

Ela sorriu e sacudiu a cabeça.

— Como eu disse antes...

— Não pode — disse o segurança.

Olhei para a fila VIP — homens de terno, muitos deles mais jovens do que eu, mexiam em seus telefones Blackberry por trás do cordão de isolamento. Era um dia de folga para eles, uma festa. Estavam todos elegantes, engomados. Seus cabelos eram espessos e bem-tratados. Arrumei os rebeldes fios de cabelo que me restavam. *Poder*, murmurei entre os dentes.

Eu me afastei. O que Bill Clinton faria nessa situação? Na minha idade, ele já tinha sido governador do Arkansas. Duas vezes.

Eu precisava tirar um pouco dessa vantagem.

Cinco minutos depois, eu estava de volta. A recepcionista no portão era outra.

— Quem é você?

— É uma longa história — respondi. — Sua colega me disse para voltar.

A moça estava tentando ser tão durona quanto a recepcionista anterior, mas senti que estava começando a ceder. Sua dureza não levava fé em si mesma.

— Trabalho na BBC — eu disse, olhando de soslaio para o crachá dela. — Estou escrevendo um livro. Sobre otimismo... *Rachel.*

Usar o nome das pessoas era um truque de Bill. Não sabia se era otimismo avançado ou apenas desespero. Nem tinha tempo para me preocupar com isso.

Rachel se pegou sorrindo e voltou a ficar séria. Outro funcionário apareceu, dessa vez trazendo uma lista. Dei uma espiada para ver se conseguia encontrar o nome de algum retardatário, mas estavam todos riscados.

— Este homem quer se encontrar pessoalmente com o presidente — disse Rachel —, mas eu disse que não há mais lugares livres.

Ela olhou para seu relógio de pulso.

— Além disso, a palestra já vai começar. Não há mais tempo.

Faltavam três minutos para o meio-dia. Fiquei olhando, desamparado, cinco homens de terno passarem por mim. Senti meus ombros enrijecerem. Eu estava lá para dar um jeitinho de entrar; estava lá para desafiar as probabilidades. Senti a urgência tomando conta das minhas veias. O pânico estava se aproximando. *Lembre-se da razão que o trouxe até aqui!*, disse a mim mesmo.

Corri para a outra fila, o coração saindo pela boca.

Eu tinha alguma chance de conhecer o presidente? Provavelmente não. Mas não era isso o que importava. Alguma coisa havia mudado desde meu encontro com Steve. A ficha caiu: o segredo da felicidade é simples. É seguir em frente. É fazer as coisas por fazer, sem outra razão. E, quando a gente descobre isso, tudo é possível. Porque você sabe que não possui nada, que não é nada, que vai voltar para o nada — por isso não tem nada a perder.

Isso explicava tanta coisa: por que o Pedido Cósmico só funciona às vezes (quando estava me divertindo); por que Emma Leach, Taddy Blecher e Immaculée pareciam tão felizes (porque não precisavam provar nada a ninguém); o que Akira queria dizer com ser Feliz Agora (porque ela de fato era); e por que a conclusão a que cheguei durante minha busca pelo otimismo foi apenas... o quê? *Você tem uma escolha*?

Mas que escolha?

A multidão sumia pela entrada principal. Logo as portas se fechariam e eu perderia até a oportunidade de sentar no lugar que comprei. Precisava pensar rápido.

> Bastaria que tivéssemos um pensamento negativo qualquer e teríamos morrido.

Olhei rapidamente para o tropel de homens de terno no portão VIP, dei meia-volta e fui na direção oposta. Chegou a hora, pensei. Aquele era o momento de descobrir se eu realmente tinha controle sobre meu destino. Tive uma vaga lembrança de certas palavras — eram de Immaculée ou de Caroline Myss?

> É preciso confiar. A confiança nos dá o poder de prever o futuro.

Bem, eu precisava prever o futuro agora.

Saí do prédio, na chuva.

Não havia ninguém no átrio. O ar estava úmido como o bafo de um velho marinheiro. Parei no centro da gigantesca praça de mármore e olhei para os cabos de aço que sustentavam a cúpula do domo. "Relaxe", disse a mim mesmo. "Não se preocupe". Pensei sobre o Pedido Cósmico.

> Um dia, você descobrirá que tudo o que quer e precisa vem até você... Seu pedido se manifesta através da sua fé, sua confiança, da ausência de dúvidas.

Eu acreditava nisso? Acreditava mesmo? Fiquei parado na chuva e esperei até que minha mente se esvaziasse. Eu não seria derrotado. Consultei as horas. Se Babel Mohr estivesse certo, um minuto de relaxamento valia mais do que meia hora gastando minha lábia no portão. Os segundos escoavam rapidamente. Era tudo ou nada. *Não!*, pensei. Não tenho tempo para isso.

— Oi! Sou eu de novo.

Estava de volta ao portão VIP. Faltava um minuto para o meio-dia.

— Posso falar com a Rachel?

O segurança cruzou os braços e olhou de relance para seu walkie-talkie. Balançou a cabeça.

— Todo mundo já entrou.

Ele se voltou para guardar a máquina de raios-X.

"Última chamada para o discurso de Bill Clinton", anunciaram os alto-falantes. "O discurso começará em cinco minutos."

— É muito importante — eu disse para as costas do segurança. — Preciso me encontrar com o sr. Clinton. Se eu conseguir, é a prova de que o otimismo funciona. Se eu fracassar, os pessimistas vencem. Isso poderia ser o começo do fim. O senhor tem filhos?

O segurança suspirou e falou no walkie-talkie. Eu tinha decidido tratar as pessoas como seres humanos, e não como obstáculos atravancando meu caminho. Era isso que Taddy Blecher teria feito. As pessoas eram inteligentes e mereciam explicações. Rachel surgiu no corredor vazio.

— Rachel! — gritei. — Você veio!

Disse tudo o que sabia para ela. Disse que Felicidade = Emoção Positiva + Fluxo + Significado; e que Vida = 100% x bom + 0% x ruim. Disse a ela que eu era um otimista e que nunca desistiria de tentar. Disse que ela tinha uma escolha, apesar de ainda não estar bem certo quanto a que escolha era. Poderia ter continuado a falar. Poderia ter dito quais eram os meus pedidos cósmicos, as minhas afirmações positivas diárias.

> Estou neste momento com Bill Clinton / Bill e eu estamos juntos / Bill está falando sobre otimismo.

Eu poderia ter contado sobre os seis meses que passei assediando líderes empresariais para que me dessem todos os detalhes sobre o presidente. Poderia ter contado sobre minha viagem a Nova York para encontrá-lo no Central Park, sobre o arrecadador de fundos do Partido Democrata que levei para jantar e sobre as recepções que tentei furar. Poderia ter contado sobre como me apaixonei por uma mulher de espírito livre porque eu estava determinado a ser um otimista e de como nos separamos porque eu me preocupava demais, por que queria me desapegar de tudo e, como não tinha mais nada, *nada*, nem um centavo sequer, nem trabalho nem lar, e que Bill Clinton era minha única esperança, porque esperança era só o que havia restado — se eu conseguisse fazer apenas uma perguntinha a ele, então talvez não tivesse realmente fracassado e o mundo finalmente compreenderia —, e sobre como eu havia decidido confiar no universo e deixar tudo ao acaso, o que era a única atitude realmente otimista que alguém poderia tomar, mas ainda assim nada aconteceu (nada!), até que...

...meu celular tocou acusando o recebimento de uma mensagem.

> LOZ
> CLINTON PALESTRA PRX SEMANA
> MANDA VER,
> XANTHE

...e resolvi confiar na mensagem, e lá estava eu e era isso aí. E sobre como era importante para todo mundo, principalmente para o meu pai, e para toda a linhagem dos Shorter que se estenderia por gerações até o infinito, para sempre, que eu me encontrasse com ele...

Mas não falei nada disso. Respirei fundo. Relaxei os ombros. *Havia* uma escolha. E subitamente descobri qual era. Sempre soube.

Um homem de negócios passou com pressa por mim, furando a fila. Senti a tensão contraindo minha mandíbula. Recuei. Expirei com força.

Deixei fluir.

"Seja feliz agora", disse Akira.

Eu poderia me preocupar — ou poderia relaxar.

Poderia continuar lutando — ou desistir.

Naquele exato momento.

Era tudo o que eu sempre quis, afinal.

— Vou esperar aqui — disse para Rachel, me afastando para o lado.

Ela se voltou para dar atenção a um grupo de advogados que sacudiam suas capas encharcadas pela chuva.

— Não estou achando o grupo de vocês na lista — ela disse. — Vocês vão ter que se dirigir à entrada principal.

Os homens discutiram, gesticulando com impaciência.

— Não podemos pagar? — perguntaram.

Rachel balançou negativamente a cabeça. Eu me encostei contra a parede. Pensei em Steve.

Eu me lembro de sentar na borda do bote, olhando para o céu e conversando com o piloto.

Você vai — disse a mim mesmo — *me deixar entrar.*

Os advogados desistiram e se afastaram. Retardatários entravam, apressados. Homens falando em walkie-talkies estavam fechando os portões. Rachel e eu finalmente estávamos sozinhos. Ela se voltou para mim.

— Ouça, eu gostaria de te ajudar. O problema é...

— Sim?

Pude sentir a tensão voltando imediatamente. Pude sentir o medo. Como voltou rápido!

— Você não faz parte de nenhuma das empresas em nossa lista.

— Você não pode dizer que sou rico por conta própria?

— Eles precisam saber para onde mandar a foto, precisam do endereço da sua empresa.

Roí a unha.

— Espera aí — eu disse. — Não preciso da foto. Para que eu ia querer uma foto? Só quero fazer uma pergunta. É tudo o que quero!

Rachel parou para pensar, considerando as várias complicações para sua carreira que sua próxima atitude poderia gerar.

— Olha — ela disse —, não conta para ninguém, O.k.? E de jeito nenhum diga seu nome.

Ela abriu sua bolsa de plástico — uma bolsa da qual eu não tirava os olhos há 15 minutos — e me entregou uma braçadeira VIP.

— Pronto — ela disse. — Agora vá. Rápido!

O segurança agilizou minha passagem pelo portão e saí em disparada pelo corredor. Subi as escadas até chegar a um bar com iluminação suave. *Consegui*. Eu era um VIP. Finalmente ia me encontrar com Bill Clinton, finalmente iria conseguir... Nada mais seria como antes.

— Onde está o presidente?

Havia um silêncio lúgubre. Garçons iam e vinham carregando bandejas vazias. Em um canto, um fotógrafo guardava seu equipamento.

— Não está aqui — ele respondeu.

— Ele desceu — disse um garçom.

Não havia filas, nem recepcionistas, ninguém que me dissesse para onde ir.

— Mas tenho um passe! — eu disse.

— Senhor, o discurso vai começar em dois minutos.

Meus músculos se contraíram. A adrenalina jorrou. Não bastava ter sido otimista uma vez, precisava *fazer tudo de novo*.

VIDA = (POSSÍVEL X 0,01) + (IMPOSSÍVEL X 0,99)

As probabilidades eram incalculáveis.

Esperança!, pensei. *Sou um prisioneiro da esperança.*

Corri para o banheiro. Talvez ele estivesse lá.

— Você viu o presidente?

Um policial armado se voltou para mim com um ar feroz. Voltei correndo para o bar. O fotógrafo ainda estava lá, pendurando a câmera no ombro.

— Estão pedindo mais fotografias — ele disse pelo walkie-talkie. — Vou procurar por ele lá embaixo.

— Por quem? — perguntei.

— Ninguém — ele respondeu.

Ele saiu rapidamente pela porta e eu o segui pela escada. Policiais armados e seguranças passavam por nós sem nos dirigir a palavra. Ninguém sabia quem os outros eram ou onde deveriam estar.

— Me disseram que queriam mais fotografias — disse o fotógrafo, quando chegamos a um corredor fortemente iluminado. Fiquei na cola dele e levantei minha braçadeira. Tinha gente por todo lado.

E lá estava ele. Eu o reconheci imediatamente, como se fosse um velho amigo. Usava um terno bege. Havia um círculo de pessoas a seu redor — admiradores, protetores. O fotógrafo se preparou. Um banqueiro na casa dos cinquenta, com a expressão esperançosa de um filhote de cachorro, se aproximou. Clinton conferiu as horas e passou o braço pelo ombro do homem, um sorriso de prazer genuíno em seu rosto. *Click!* Uma mulher entrou em quadro. *Aperto de mão e click!* Eu me aproximei cautelosamente.

Comecei a perder o fôlego. *Aperto de mão e click!* Todas as minhas esperanças, todos os meus sonhos, cada fibra do meu ser estavam concentrados naquele terno bege claro.

Você tem uma escolha, disse a mim mesmo. *Lembre-se da razão pela qual você está aqui.*

Um homem deu um passo a frente. Seus olhos estavam esbugalhados de deleite e medo. O poder! O carisma! Estavam a seu alcance. Um clarão refulgiu na parede. *Aperto de mão e click!*

Clinton deu um sorriso largo. Meu rosto estava pegando fogo. Arrisquei.

— Sr. Presidente, tenho uma pergunta!

Um guarda-costas estava conduzindo-o ao palco. Eu só tinha noção das batidas do meu coração. E mais nada.

O presidente olhou para trás.

— O senhor é um otimista? — gritei.

Ele riu, surpreso.

— Você já vai descobrir — ele disse, talvez para mim, talvez para o nada.

Fiquei olhando até que ele sumisse de vista. Clinton e seus assessores foram arrastados pelo corredor, como se fossem sugados por um buraco negro. A sessão estava encerrada. As portas do palco se abriram.

O presidente se fora.

Caminhei a esmo por corredores vazios. Havia apenas silêncio. Eu era o único ser vivo em Greenwich que não estava no auditório, esperando pelo discurso de Bill.

Encontrei uma porta lateral e entrei de mansinho. O auditório era menor do que tinha imaginado: algumas centenas de pessoas, seus ternos alinhados em silhueta na escuridão, um palco pequeno. Eu era o único que estava de pé. O presidente subiu ao palanque. Aplausos educados reverberaram na sala. Uma única bandeira americana se erguia iluminada, ao fundo.

— Qual é a característica fundamental do mundo do século XXI? — perguntou Clinton.

Os espectadores fizeram silêncio.

— A característica fundamental do mundo do século XXI é a interdependência. Interdependência significa, simplesmente, que não podemos fugir uns dos outros. Significa que a separação não é uma opção.

Com a luz dos refletores diretamente em seu rosto, o presidente parecia mais velho do que eu esperava; seu ritmo era mais lento, mais cadenciado. Eu imaginava Clinton como um negociador, um mulherengo — sempre atarefado, tomando café, virando a noite jogando pôquer, sua face rubra brilhando no escuro. Nunca esperei que ele tivesse *dignidade*.

— E a interdependência é boa ou ruim?

O orador retirou os óculos e sacudiu-os sobre suas anotações. Durante os trinta minutos seguintes, os óculos ficaram em suas mãos, como se ele dissesse: o que estou falando para vocês vem do coração.

— Se vocês se lembrarem de apenas uma coisa que eu disse, lembrem-se disto — ele ergueu um dedo, calmamente, passando os olhos pela multidão. — Cada problema deste mundo interdependente está enraizado em uma noção imperfeita de identidade. Realmente acreditamos que nossas diferenças são mais importantes do que a humanidade que compartilhamos! — Ele levantou os olhos. — Durante minha presidência, os cientistas concluíram o mapeamento do genoma humano. E descobriram que 99,9% de nosso DNA é o mesmo em todos os seres humanos do planeta. Mas continuamos obcecados com esse 0,1% que nos torna diferentes! É isso que nos atormenta, quando, na verdade, somos todos iguais.

Suas mãos repousaram suavemente no palanque.

— Logo irei completar 61 anos. Não sei como fiquei tão velho assim.

A audiência riu, educadamente.

— Sempre fui o mais jovem em tudo que fiz, e agora estou me tornando um velho. Mas digo a mim mesmo: pelo menos ainda não cheguei aos 65. Quando acordo, eu me olho no espelho e gostaria que meu cabelo não estivesse tão branco. Mas, pelo menos, estou vivo! Organizamos nosso cérebro para que se atormente com coisas que não passam de ninharias. — Ele fez uma pausa. — Como aquele 0,1%.

Clinton ergueu as sobrancelhas e suspirou.

— Pensem nisso. Pensem em quantos de vocês têm coisas das quais precisam se livrar. Vale a pena pensar nisso ao longo da vida. Penso nisso todos os dias. Sejam livres — ele disse, sacudindo a cabeça como se fosse um pregador. — Sejam livres agora.

O discurso terminou. A plateia aplaudiu. O mestre de cerimônias foi até Clinton e apertou alegremente sua mão.

— Obrigado, senhor presidente, e se me permite dizer...

Clinton ergueu a mão.

— Mais uma coisa — ele disse — antes de ir.

Ele olhou fixamente para a plateia.

— As pessoas sempre me perguntam se sou otimista...

Ouvi o ruído de grandes esferas entrando nos eixos.

— Eu poderia traçar um quadro ruim sobre mudanças climáticas — prosseguiu —, ou sobre um mundo sem petróleo, sobre a aids. Poderia traçar o pior quadro possível. Mas, há pouco tempo, passei um dia na África, no sítio arqueológico Olduvai, na cratera de Ngorongoro, onde dizem que os primeiros seres humanos nasceram. Fiquei parado lá, ouvindo o canto dos pássaros, olhando para o céu e conversando com os masai, lembrando a mim mesmo de que sou 99,9% igual a eles, de que sou 99,9% igual ao Nelson Mandela, o que acho difícil de acreditar. E percebi que toda a história da humanidade consiste em entrarmos em contato com círculos cada vez mais amplos, descobrindo que somos todos iguais, que o outro é um de nós.

Fiquei ali sentado, paralisado.

— Se vocês analisarem a história da humanidade, vão perceber que essa é a lição.

Ele gesticulou na escuridão do auditório.

— Queria que vocês não se esquecessem disso. Tenho certeza de que o século XXI será bom, aliás. Há muitas razões para ser otimista. Há muitos problemas, sempre haverá, mas de algum modo... — ele sorriu como um menino — ...no fim sempre damos um jeito.

As luzes se acenderam. Suspirei. Era tão simples. Era tudo tão simples.

EPÍLOGO

Verão, 2008.

Eu ainda estava na cama.

Rolei de lado e olhei para o rádio, com olhos turvos. O repórter estava resumindo as alegres notícias da manhã: um terremoto no Peru, um massacre no Curdistão... quinhentos mortos, trezentos desaparecidos. Sua voz ficou tensa ao dar a notícia seguinte: "A Rússia retomou os voos de reconhecimento com seus bombardeiros de longo alcance sobre territórios da Otan. Os bombardeiros russos serão capazes de atacar os Estados Unidos logo após receberem ordens."

Senti a sombra da Guerra Fria pairando sobre a minha cama, escurecendo o quarto. Era como nos velhos tempos. A Terceira Guerra Mundial poderia ser deflagrada a qualquer momento.

Virei para o outro lado e fiquei olhando a parede, tentando me convencer a sair da cama. Passei mais de dois anos procurando por motivos para me sentir bem a respeito do mundo, mas nada tinha realmente mudado. As pessoas ainda agiam como idiotas, de maneira incrivelmente perigosa.

Mas algo havia acontecido.

Meus pés se moveram com facilidade até o chão. Meu corpo se estirou e se esticou até a janela. Olhei para o rádio. "Já chega!". Desliguei o aparelho e fui até a cozinha.

Estranho, pensei. *Saí da cama.*

Fiz a barba e passei uma camisa. Folheei as anotações para o livro. Precisaria terminá-lo nas horas de folga. Começaria em um novo emprego no dia seguinte, na Virgin Unite, a instituição de caridade do Richard Branson. Surpreendentemente, descobri que Branson trabalhava com Taddy Blecher e Desmond Tutu na Virgin Unite. Três dos meus otimistas favoritos no mesmo lugar. Por acaso eu fazia alguma ideia de que isso iria acontecer? Não, apenas atendi a uma ligação de uma agência de recrutamento. Pelo visto, o universo era ainda mais astuto do que eu pensava.

Naquela noite, fui visitar meu pai em seu novo lar. Ele havia se mudado para o apartamento da namorada e tinha começado a desempacotar suas coisas. Esperei enquanto ele arrumava os papéis em seu escritório. A luz morna do crepúsculo iluminava sua mesa.

— Então, papai — eu disse, enquanto ele punha o casaco para sair —, o senhor ainda é um pessimista?

— Ah, sim — ele disse —, receio que teu esforço tenha sido em vão.

Senti uma onda de alívio.

— Na verdade, fico feliz com isso.

— Ainda assim — ele disse —, um lance esquisito aconteceu ontem comigo. Acordei e escrevi uma ladainha de coisas pessimistas, *realmente* negativas. Depois li e pensei... *Isso é tudo besteira*!

Dei uma risadinha.

— Essas coisas nem são verdadeiras! — continuou. — Percebi que não precisava daquilo e apaguei tudo!

Ele revirou os olhos e estremeceu.

— E você? Ainda é um otimista? Imagino que sim.

— Hum! — pensei por um instante. — Na verdade, não. Ao mesmo tempo, sim, 100%. Faz sentido?

— Não.

Ele deu uma risada e depois saímos para a rua. O fim de tarde estava agradável.

— E o Fator Pular da Cama? — ele perguntou. — Pelo menos isso você conseguiu encontrar?

— O FPC... — Não pensava naquilo havia meses. — Encontrei, sim. Desde que controle o que como, evite café, não beba de estômago vazio e durma o suficiente... geralmente me sinto bem.

— Parece tão simples — disse meu pai. — Foi muito barulho por nada, então?

— Foi — concordei.

— E a Zara? — ele perguntou, relutante.

— Ah, a Zara...

Passamos em frente às águas cintilantes de um canal.

— Ela está no Brasil, agora. Deve vir passar o verão comigo.

— Vocês estão...

— Ah, não... definitivamente não!

Zara.

— Romper com a Zara foi... — comecei a falar. — É difícil explicar. Mas foi assim que aprendi, papai... Foi assim que aprendi o que é *otimismo*. E isso é um alívio!

Olhei para o céu londrino, para os carros passando na High Street.

— Acho que foi quando percebi... que sempre haverá luz e trevas. A gente sempre faz besteiras. *Sempre* haverá más notícias. Algumas coisas vão melhorar, outras vão piorar. E está tudo bem. Isso não me incomoda mais. A gente só não pode deixar a peteca cair. As coisas estão bem do jeito que estão.

— Precisamos cultivar nosso jardim — disse meu pai.

— É isso aí — eu disse, abrindo a porta do restaurante.

O cardápio chegou, junto com azeitonas de aspecto melancólico. Apanhei o guardanapo.

— O otimismo é um monte de coisas — eu disse. — E o que aprendi de mais importante é que nada disso importa. Nem um pouquinho.

— Aha — disse meu pai. — Você finalmente entendeu!

AGRADECIMENTOS

Agradeço a todos os que disponibilizaram seu tempo e contribuíram para este livro, e a todos os que compartilharam comigo os seus conhecimentos, quer tenham sido incluídos ou não. Sou especialmente grato a Myrna van der Zee pela existência deste livro. Sem sua dedicação e amor, eu nunca o teria terminado. Agradeço também a Malcolm Alexander, Justin e Julia Marozzi, Candida Clark, Robert Norton, Heloise, Xanthe, Alex Hickman, Ned Cranborne, Anne Jenkin, Gordon Wise e a todos os que me hospedaram em minhas viagens: Thorold e Jenny Barker, Seb Doggart, Ruma e Simon, Pavita e Carter, Antoine Briand, Rachmat e Halima Martin, Crispin e Rachel Jameson, Pierre Thaler e sua família, George Langworthy, meus irmãos Matthew e Alaric, e minha nora Sarah. Agradeço a meu pai por sua paciência e seu bom humor, e a minha mãe, por sua confiança e fé inabaláveis. Agradeço também a Eliza e Lauren por sua amizade e assistência na Índia, aos meus amigos Rupert e Stephen, bem como a todos os otimistas que concordaram espontaneamente em conversar comigo ou cujas histórias eram perfeitas demais para este livro imperfeito, sobretudo Jonathan Aitken, Diana Witts, Harold Pinter, Wayne Dyer, Caroline Myss, Andrew Solomon, Lynn Grocott, Melissa Moody, Njorabe, Toyen Fyncountry e o aiatolá Mesbah-Yazdi. Quero agradecer, finalmente, a Stephanie e Dan da editora Canongate por sua revisão impecável, a Nick por seu traço claro e certeiro, e a todos os que acreditaram que o otimismo valia a pena.

Este livro foi composto em Minion 10,5/15
e impresso pela Ediouro Gráfica sobre
papel Pólen Soft 80g para a Agir em julho de 2010.